KHALIL GIBRAN

L'ENVOL DE L'ESPRIT

Publié sous la direction de
André dib Sherfan

Auteur:
Khalil Gibran

Édition:
Les Éditions de Mortagne
171, boul. de Mortagne
Boucherville (Québec)
J4B 6G4

Distribution:
Tél.: (514) 641-2387

Tous droits réservés:
Les Éditions de Mortagne
© Copyright Ottawa 1986

Dépôt légal:
Bibliothèque nationale du Canada
Bibliothèque nationale du Québec
2e trimestre 1986

ISBN: 2-89074-220-2

2 3 4 5 90 89 88

IMPRIMÉ AU CANADA

Dédié à ma femme Zéna et à ma fille Yasmine

Joseph P. Ghougassian

Votre... influence réelle va bien au-delà de ce que vous-même pouvez réaliser au cours de cette génération, et peut-être pour de nombreuses générations. L'avenir seul pourra montrer sa véritable portée. Et le jour où l'homme appellera le XXᵉ siècle une période embryonnaire de son évolution, il en appellera à vous *comme* s'il s'agissait de lui-même. Mais vous, ce jour-là, vous serez encore en train de créer des lendemains... Pour vous, aujourd'hui, ce que vous écrivez et ce que vous peignez n'exprime que des fragments de votre vision. Mais avec le temps, toute la vision s'y intégrera. Car l'homme apprendra à voir, à entendre et à lire. Et votre travail, ce n'est pas seulement d'écrire des livres et de peindre des tableaux. Ce n'en est qu'une partie. Votre travail, c'est vous, rien de moins que vous, et pas des parties de vous-même...

Un jour, on lira vos silences avec vos écrits, et votre obscurité sera partie intégrante de la LUMIÈRE.

(Prophétie de Miss Mary Haskell sur la renommée future de Gibran.
Lettre privée, dimanche 16 novembre 1913.)

SOMMAIRE

Le lecteur trouvera les notes et références
à la page 251 et suivantes.

PRÉFACE

Dans de nombreux pays, nous constatons que la philosophie et les philosophes se distancent de la culture locale, des habitudes, de la morale et même de la simple *Weltanschauung* (vision du monde) des habitants. Cependant, nous découvrons aussi dans de nombreuses civilisations une harmonie totale entre les intellectuels et les traditions du pays. On pense par exemple, à cet égard, à la philosophie indienne, à la philosophie mexicaine, à la philosophie africaine. Le courant de pensée de Gibran, lui aussi, a suivi un processus d'«*acculturation*», ce qui veut dire que sa philosophie a assimilé à la fois la culture et les croyances de l'Occident et de l'Orient.

La distinction à laquelle je pense marque la différence entre un philosophe du peuple et une philosophie de philosophe. La dernière est académique, incompréhensible pour le citoyen moyen du monde et tout à fait abstraite. La première est simple, non systématique, mais avec une signification profonde qui peut être comprise par le lecteur. Ma conviction absolue, c'est que Gibran est un philosophe du peuple, et mon livre le confirmera de la première à la dernière page.

Il ne m'a cependant pas été facile d'expliquer la philosophie de Gibran, parce qu'il n'a jamais écrit de façon académique ou logique. J'ai dû m'en remettre à la science de l'exégèse pour faire ressortir les idées qui sont éparpillées dans ses livres sans aucun système, et pour les regrouper suivant une ligne logique qu'il avait exprimée lui-même mais qui est embarrassée d'émotions. De plus, j'ai dû m'appuyer sur une méthode de philosophie comparée, de manière à mettre en lumière la signification du Gibranisme tel qu'il apparaît à la lueur de l'histoire de la philosophie. J'ai ainsi découvert que Gibran est un *existentialiste de la branche droite*, quoiqu'il ait aussi été influencé par d'autres courants de pensée.

Pour mieux faire comprendre Gibran, j'ai également tenté d'informer le lecteur des événements historiques qui ont entouré la vie et les écrits de notre auteur, nonobstant le fait que j'ai essayé d'établir la relation entre son art, sa littérature, sa philosophie et sa biographie.

Enfin, je suis grandement reconnaissant à ma femme et à ma fille de la patience qu'elles ont montrée au cours des longues heures de tension liées à la préparation de cette œuvre qui m'a tenu éloigné de leur présence. Il me reste également à exprimer mes remerciements à Mrs Renate Streiter Smith pour l'aide généreuse qu'elle m'a apportée en dactylographiant mon manuscrit.

JOSEPH PETER GHOUGASSIAN

PETITE HISTOIRE DU LIBAN

L'existence humaine est un drame incessant tant que bat le cœur de l'individu. Elle se déploie dans le contexte historique de la personne. Et pourtant, l'historicité de la personne est déterminée, pour une large part, ainsi que le dirait Karl Marx, par le processus historique tel qu'il est conditionné par les lois du développement social. À chaque période, ces lois se modifient, ce qui est dû au fait que les relations sociales entre les individus et les nations, par l'intermédiaire de la productivité, sont en constante mutation. L'existence humaine reflète l'impact de l'Histoire. Et dans son comportement comme dans sa pensée, elle est fortement imprégnée de l'Esprit du Temps (*Zeitgeist*) dans lequel elle se développe.

Je crois fermement qu'il est impossible de comprendre la philosophie de Khalil Gibran et de déceler sa pertinence, par exemple en matière de religion, de législation et de mariage, si on néglige de se souvenir qu'il a vécu intensément les complications des événements historiques qui l'ont conduit à être le philosophe qu'il est devenu. C'est pourquoi, un bref survol de l'Histoire du Liban ne manquera pas de jeter une certaine lumière sur les thèmes avec lesquels Gibran fut aux prises et d'expliquer les « pourquoi » de sa pensée.

L'Histoire du Liban sous la domination ottomane

Tous les historiens nous rappelent qu'à l'origine, le Liban était la terre des Phéniciens, et que son culte religieux était celui de Tammouz et d'Ishtar. Le mythe de Tammouz correspond au mythe grec d'Adonis et s'identifie au dieu Osiris des Égyptiens. Selon la légende phénicienne, un jour que Tammouz chassait le sanglier sauvage, il fut attaqué par le fauve et tomba mort dans la rivière d'Afqah, qui s'appelle aujourd'hui Nahr Ibrahim. Après sa mort, la vie commença à se détériorer. Alors, Ishtar pénétra dans le Monde des Ténèbres et lui redonna la vie. (1) Ceci célèbra le mariage de Tammouz et d'Ishtar, la déesse de l'Amour et de la Fertilité. Jusqu'à nos jours, les poètes, les philosophes et les peintres du Liban ne manquent pas de se référer à leur héritage mythologique. Gibran, lui aussi, fit de Tammouz et d'Ishtar les muses de son inspiration.

Le Liban, (mot qui signifie « blanc » dans l'ancien langage sémitique, à cause des flocons de neige qui couvrent éternellement les sommets de ses montagnes) a été envahi par plus de dix civilisations mondiales, des Assyriens aux Ottomans et aux Occidentaux qui, tous, y ont amené leur culture. Ceci explique pourquoi les immigrants libanais se sentent chez eux dans n'importe quel pays étranger et n'éprouvent aucune tension psychologique à s'adapter normalement à leur nouvel environnement. De toute façon, chaque fois que s'est ouverte une nouvelle période de domination, de nouvelles frontières géographiques furent établies. Mais il est cependant étonnant de constater que le Liban a toujours été annexé à la Syrie, que ce soit sous l'influence assyro-babylonnienne, ou dans l'Empire Ottoman. Ce n'est que sous le mandat français, qui commença après la Première Guerre mondiale, le 1er septembre 1920, sous le Général Gouraud, que le Liban d'aujourd'hui, avec ses frontières géographiques, fut proclamé «indépendant.»(2) Et le 23 mai 1926, le Grand Liban devint une république. Ce ne fut cependant pas avant le 26 novembre 1941 que le Liban fut entièrement libéré du mandat et fut libre de décider de son propre destin. Gibran, mort en 1931, ne vécut pas assez vieux pour voir son cher pays devenir maître de ses actes. Mais il fut cependant témoin de l'espoir grandissant d'une telle réalisation.

De 1516 à 1918, le Liban demeura sous la domination ottomane et fit partie d'un Empire qui s'étendait de la Hongrie à la péninsule arabique et à l'Afrique du Nord. L'illustre conquérant de ces pays fut Soliman 1er (1520-1566) qui devait être connu par ses sujets européens sous le nom de Soliman le Magnifique. On peut citer à cet égard le célèbre historien arabe Philip K. Hitti :

Au cours de l'Histoire Moderne aucun autre état de cette ampleur ne fut bâti par les Musulmans. Et aucun autre état musulman ne fut aussi durable. Pour ses sujets, Soliman fut connu sous le nom d'Al-Qanuni (le législateur). Pour les autres, il fut le Magnifique, et sa magnificence était réelle. Sa cour patronnait les Arts, la Littérature, les Travaux

Publics, et elle emplissait les cœurs européens d'une crainte révérentielle. (3)

Par manque de place, il est impossible, dans ce livre, de s'étendre sur l'Histoire détaillée de la patrie de Gibran. Cependant, pour satisfaire notre curiosité intellectuelle, je mentionnerai quelques faits historiques qui se situent pendant la période ottomane, celle-ci constituant la principale oppression étrangère sous laquelle Gibran eut à vivre.

Lorsque le Sultan Selim 1er défit les Mamelouks en 1516 et fonda une dynastie turque, le Liban était surtout peuplé de paysans et de fermiers. La partie nord, le Kisrawan, était dominé par les Chrétiens maronites. Au sud, dans les districts du Shouf, les Druses constituaient la majorité. La conquête ottomane n'affecta pas profondément les structures politiques, la langue et le mode de vie des Libanais. Dans la pratique, c'était la loi coutumière qui commandait, et le pouvoir social était aux mains des seigneurs féodaux sur lesquels les gouverneurs ottomans s'appuyèrent pour assurer l'ordre local et récolter les impôts, tout comme l'avaient fait leurs prédécesseurs, les Mamelouks.

Étant donné la souplesse de la politique ottomane, les dynasties féodales du pays purent poursuivre leurs luttes intestines et se vaincre à tour de rôle les unes les autres. Ainsi, la figure dominante de cette époque fut l'Emir Druse Fakhr-al-Din II, chef de la dynastie des Ma'anides du Shouf, qui devait gouverner le Liban tout au long des seizième et dix-septième siècles. Durant son règne (1586-1635), il étendit les frontières géographiques bien au-delà du Liban proprement dit, allant jusqu'à atteindre le Portique de Damas, et, au sud, la route des Pèlerinages qui mène au Hedjaz. Il était tolérant à l'égard des croyances religieuses étrangères et à diverses occasions, il encouragea des missionnaires européens à bâtir des églises chrétiennes. En politique intérieure, il se préoccupa de la prospérité, de l'effort guerrier et du bien-être de son pays. Avec l'aide de conseillers et d'architectes européens, il édifia des châteaux, développa l'agriculture et noua des relations commerciales avec l'Europe.

Capturé en 1635, après une défaite, par le gouverneur de Damas Kouchouk Achmed Pacha, il fut envoyé comme prisonnier à Istanbul où il fut condamné à mort pour avoir voulu renverser le sultan ottoman. Sa mort entraîna le déclin des Ma'anides qui cédèrent la place, en 1697, à l'hégémonie des Chihab. Ce nouvel émirat gouverna durant tout le XVIIIe siècle. Une foule de montagnards du Kisrawan maronite émigra alors vers le Shouf méridional où ils se mêlèrent aux Druses locaux. Tous travaillèrent ensemble à l'amélioration de l'unité du Liban. Bien sûr, l'existence ne fut pas toujours paisible. De temps à autre, il y avait de la mésentente entre des familles et des factions des deux lignées traditionnelles des Anciens Arabes de Qays et de Yaman. Les premiers étaient des colons d'Arabie du Nord, les autres venaient du Sud. Néanmoins, lorsque Haydar Chihab remporta la victoire sur Mechmet Pacha, chef de la branche Yaman, beaucoup de Druses yamanites émigrèrent de la métropole libanaise vers le district montagneux du Mont Hawran, en Syrie, appelé aujourd'hui Djebel Druse. À propos de cette période, l'historien Hourani écrit en conclusion :

Le XVIIIe siècle fut marqué, dans le reste de la Syrie comme au Liban, par des troubles et des conflits. Finalement, une grande partie du pays tomba aux mains du bosniaque Jazzar, Pacha d'Acre, qui le dirigea cruellement et sans pitié de 1775 à 1804.(4)

D'une manière générale, l'histoire du Liban sous les Turcs ottomans, fut principalement le récit des rapports entre les Maronites et les Druses. Ces deux religions ont forgé le destin politique du Liban. Je puis même dire que la religion, ou le «confessionalisme» constitua la seule politique de cette partie du monde. De nos jours encore, les institutions politiques du Liban sont plus que jamais profondément déterminées par les divisions entre les diverses confessions religieuses.

Les Maronites sont les adeptes de l'ermite Saint Maron (mort en 410), un moine ascète qui vivait sur une montagne de la région d'Apamée en Syrie secondaire. Persécutés par les califes de Damas et de Bagdad, les Maronites s'enfuirent vers la Syrie du Nord et, au cours du VIIIe siècle, cherchèrent dans les impénétrables montagnes du Liban(5), un refuge contre les harcèlements des Melchites, des Monophysites et des Musulmans. L'Église maronite, à laquelle appartenait Gibran, utilise encore dans sa liturgie la langue syriaque et elle adhère au catholicisme. Son premier temple, bâti dans les montagnes du Liban, fut érigé aux environs de 749. Dès le moment de leur établissement au Liban, les fidèles organisèrent un système de gouvernement féodal dans les territoires du nord, sous la direction conjointe du clergé et de la noblesse. Ils reconnaissaient le Patriarche comme leur seigneur féodal en matière religieuse et civile. À l'époque ottomane, le féodalisme du clergé exerça une influence terrifiante et féroce sur les pauvres paysans. Souvent, le clergé se livrait à la simonie et ses membres se comportaient en politiciens corrompus. La plupart des critiques de Gibran contre la religion sont dues au féodalisme de l'institution maronite et sont dirigées contre lui.

Quant à la religion druse, elle fut introduite au Liban vers 1020. Cette croyance doit son nom à Mohammed ibn-Ismaïl Al-Darazi (ce qui signifie tailleur en turc). Elle commença en Égypte, lorsqu'un missionnaire des Fatimides égyptiens, Al-Hakim (996-1021), tout en suivant la doctrine d'Ismaïl selon laquelle l'Imam est l'autorité suprême et le protecteur de l'Islam, proclama qu'il était l'incarnation de la divinité exactement comme Jésus-Christ l'était pour les Chrétiens.(6) La particularité de la religion druse est son caractère totalement secret. Leur Livre Saint s'appelle Al-Hikma (La Sagesse) et il est très différent du Coran. Le mont syrien Hawran, le Djebel druse, porte leur nom à cause de l'afflux de réfugiés qui se produisit à la fin du XVIIIe siècle à la suite de la victoire des Druses Quaysites, convertis pour la plupart au christianisme, sur les Druses Yamanites.

Au cours du XIXe siècle, les relations entre les Druses et les Maronites provoquèrent au Liban deux événements majeurs qui furent préjudiciables à la sécurité du pays. La première date importante fut 1830. Cette année-là, la Syrie et le Liban tombèrent sous la domination des armées égyptiennes d'Ibrahim Pacha, le fils de Mohammed-Ali. Les Égyptiens avaient été aidés par Bechir Chehab II, Emir du Mont-Liban (1789-1840) qui voulait arracher ses territoires à la juridiction de la Sublime Porte, c'est-à-dire de la domination turque. Il consentit à l'invasion du Liban en autant que les Égyptiens l'aident en même temps à renforcer son pouvoir. Après la conquête, Ibrahim Pacha offrit à Bechir II le gouvernement de la Syrie toute entière, mais celui-ci déclina l'offre pour n'avoir à s'occuper que du Liban.

L'événement le plus intéressant qui se produisit

durant l'occupation fut l'arrivée dans les districts du sud, de Maronites du nord, qui dépassèrent les Druses en nombre dans leur propre région, et qui étaient tous en faveur de l'invasion d'Ibrahim Pacha. À plusieurs reprises, ils se joignirent aux armées égyptiennes pour combattre le Sultan turc, en dépit du fait que les Druses préféraient celui-ci. Cependant, vers 1840, les Maronites joignirent leurs forces à celles des Druses pour repousser les Égyptiens dont l'oppression était devenue insupportable, même pour eux.

Après l'effondrement du règne d'Ibrahim Pacha, le Liban fut divisé en deux gouvernements. Les zones montagneuses du nord furent placées sous l'autorité d'un *qaim maqam* (gouverneur) maronite ; celles du sud furent gouvernées par un *qaim maqam* druse. Et tous deux étaient contrôlés par le représentant direct du Sultan turc qui siégeait à Beyrouth et à Sidon. Durant les quarante ou cinquante ans qui suivirent, la politique de la Sublime Porte s'inspira du vieux principe militaire *Divide et impera*, diviser pour régner. Ainsi, la Porte dressait l'une contre l'autre les deux communautés, de manière à conserver toute sa puissance sur les faibles gouverneurs. En outre, les autorités turques n'intervenaient pratiquement jamais lorsque des troubles internes ou une guerre civile éclataient entre les Maronites et les Druses. Par exemple, en 1858, les fermiers chrétiens du Kisrawan se révoltèrent contre l'autorité féodale de la famille Khazim. Celle-ci régnait selon un système de primogéniture. Elle possédait les terres du Kisrawan, obligeait les paysans à payer des taxes exorbitantes et leur refusait le droit d'élire leurs propres *wakils*, ou représentants comme cela se pratiquait dans les districts du sud. Dans leur révolte contre les Khazim, les paysans furent soutenus par les encouragements moraux du clergé maronite et, en diverses occasions, demandèrent l'assistance des Druses du sud.

Au début, le sud avait décidé d'apporter son soutien aux chrétiens coalisés. Cependant, sur les conseils de Kourchid Pacha, le gouverneur turc de Beyrouth, ils retirèrent leurs forces et ne songèrent plus qu'à se protéger eux-mêmes contre une possible révolte paysanne dans le sud. La prédiction de Kourchid Pacha était exacte.

Car vers 1860, les paysans maronites du sud, encouragés par l'exemple de leurs frères du nord, se dressèrent contre leurs seigneurs druses. Aussitôt, la nouvelle se répandit que les intentions des Maronites du sud n'étaient pas seulement d'éliminer les féodaux druses, mais de s'en prendre à tout le peuple druse. L'historien Leila Meo écrit à ce sujet :

Cette lutte de classe se transforma bientôt en guerre de religion lorsque les Druses dans leur ensemble, considérant la révolte comme une menace contre leur peuple, accoururent au secours de leurs chefs féodaux. Les Druses étaient bien organisés. Quoique plus nombreux, les Maronites manquaient d'organisation, et ne possédaient pas les armes adéquates. Il s'ensuivit un massacre général des Maronites et des autres villages chrétiens, tandis que les autorités turques locales ne faisaient rien pour mettre un terme, dans l'immédiat, à cette effusion de sang.(7)

L'Europe ne fut pas satisfaite par ces massacres de 1860, quoiqu'il faille reconnaître qu'elle n'était pas très innocente dans cette affaire. Depuis que les Croisés avaient débarqué au Levant, et en raison de l'existence des Catholiques maronites et d'autres rites chrétiens orientaux, cinq pays européens n'avaient pas cessé de se mêler de la politique du Levant, parfois avec sagesse, mais parfois sans. La France se proclamait elle-même le Protecteur des Maronites. La Russie se faisait un devoir de veiller aux intérêts des Grecs orthodoxes. L'Angleterre prenait parti pour les Druses du Liban. L'Autriche-Hongrie jouait le rôle médiateur des sectes catholiques des Églises orientales. Et la Prusse, plus par jalousie politique que pour d'autres raisons, intervenait dans la politique de la Sublime Porte.

La conséquence historique immédiate des événements de 1860 fut l'établissement de la *Mutasarrifyya* du Mont-Liban. Ce fut le résultat de l'intervention commune des cinq Puissances européennes et de la Sublime Porte. Le pacte conclu entre six pays stipulait clairement que *Mutasarrifyya* signifiait que les deux gouvernements seraient réunis en un seul, présidé par un Gouverneur Général chrétien, non libanais, qui aurait à rendre compte directement au Sultan de Constantinople et non plus, comme précédemment, au Pacha de Sidon. De plus, le Gouverneur Général devait être nommé par la Sublime Porte et confirmé dans ses fonctions par le Concert des Nations européennes.

Le premier Gouverneur Général de la nouvelle province autonome du Liban fut Daoud Pacha, « Arménien de naissance, Catholique Romain de conviction, directeur des Télégraphes de Constantinople et auteur d'un ouvrage en français sur les lois anglo-saxonnes. »(8) Après lui, il y eut sept autres *Mutasarrifs* jusqu'au début de la Première Guerre mondiale. De 1861 à 1914, le Liban connut une situation politique calme, ainsi qu'une bonne prospérité économique et un intéressant développement culturel avec, notamment, la constitution du Collège des Jésuites (1875) et ce qu'on appelle aujourd'hui l'Université Américaine de Beyrouth

(1866). Cette période fut aussi celle de l'émigration massive de jeunes Libanais vers les nouveaux continents d'Amérique du Nord et du Sud.

Tous les Gouverneurs Généraux du Liban dirigèrent un pays qui était géographiquement beaucoup plus petit en superficie que celui des émirats Ma'anides et Chihabites. Ainsi, Beyrouth, Tripoli, Sidon, les vallées du Biqa et bien d'autres provinces n'étaient pas annexées au Mont Liban mais appartenaient à l'Empire ottoman.

Telle était la situation géographique et politique du Liban lorsque Khalil Gibran naquit en 1833. Son village natal de Bcharré était alors situé dans le *Mutasarrifyya*. Dans son ensemble, l'administration turque du Liban était corrompue à bien des égards : les riches bénéficiaient des privilèges du clergé ou du gouvernement féodal tandis que les pauvres étaient exploités.

VIE DE KHALIL GIBRAN

Rares sont les écrivains qui obtiennent la consécration mondiale durant leur vie. Les facteurs qui expliquent l'oubli dans lequel ils sont plongés alors qu'ils vivent encore sont nombreux. Les plus importants sont la brièveté de la vie, les circonstances économiques, la situation géographique, les données de base des activités éducatives et politiques de la famille de l'écrivain, et les amis qu'il fréquente.

Gibran bénéficia-t-il d'une réputation internationale alors qu'il était encore en vie ? Bien sûr, il ne fut pas personnellement le témoin de la traduction en vingt langues de son chef-d'œuvre *Le Prophète*, mais il atteignit cependant les lecteurs arabes et quelques lettrés américains(1). Sa réputation ne grandit vraiment qu'après sa mort, spécialement à cause de l'impact de ses œuvres posthumes.(2)

Gibran était issu d'une classe socio-économique modeste, et sa présence sur terre fut relativement brève.

Elle n'a été que de quarante-huit ans. Il était né le 6 janvier 1883 dans le petit village de Bcharré. Celui-ci se situe dans la partie nord du Liban, non loin des fameuses forêts de cèdres des temps bibliques, à une altitude de 1500 mètres, et il est environné de ciel bleu et d'air pur, avec une vue lointaine sur la Méditerranée. La ville n'a guère changé depuis la naissance de Gibran, sinon que la population a augmenté et que c'est devenu un lieu international de tourisme et de pèlerinage. Actuellement, Bcharré compte 4000 habitants. Il est situé, comme toujours, au milieu de superbes vignobles, de vergers de pommiers et de mûriers, des cascades et des profondes gorges de la vallée de Kadisha dont notre auteur a si souvent parlé. Au milieu du village se trouve le tombeau de Gibran, enterré dans la chapelle du monastère de Mar Sarkis(3), et un petit musée qui lui est consacré au troisième étage du bâtiment de M. Gibran Tok. Le musée contient un certain nombre de ses aquarelles et de ses esquisses, de même que plusieurs objets ayant appartenu au poète.

Les Gibran appartenaient à l'Église Catholique maronite(4). Le père, Khalil ben Gibran, était un berger qui n'avait aucune ambition de dépasser son destin de paysan. Tout ce qui l'intéressait, c'était de jouer à la *Taoula* (un jeu de tric-trac), de fumer le *narghilé* (une pipe à eau), d'aller voir des amis pour bavarder, de boire à l'occasion un verre d'*Arak* du pays et de se promener dans les vastes étendues du Mont Liban. Le père n'eut pratiquement aucune influence psychologique sur son fils Khalil. Mais sa mère, Kamila, joua un rôle important dans le développement intellectuel de l'enfant. Elle était la plus jeune fille d'un prêtre maronite, Estephanos Rahmi et naquit quand sa mère avait cinquante-six ans. Lorsque Kamila rencontra le père de Khalil, elle était veuve de Hanna Abdel Salem avec qui elle avait émigré au Brésil et dont elle avait eu un fils, Pierre.

L'idylle entre Kamila et Khalil ben Gibran se noua après une rencontre inattendue, un jour où il l'avait entendue chanter dans le jardin de son père. « Il n'eut pas de repos avant de l'avoir rencontrée, et fut immédiatement conquis par sa beauté et par son charme. Et il ne connut pas la paix, et ne la laissa pas aux autres, tant qu'il n'eut pas gagné sa main. »(5)

Kamila eut trois enfants de son mariage avec Khalil ben Gibran. Outre notre auteur qui prit le nom de son père, elle engendra deux filles plus jeunes, Mariana et Sultana.

Gibran reçut sa première éducation à la maison. Sa mère, qui était polyglotte (elle parlait l'arabe, le français et l'anglais) et qui était dotée de talents artistiques pour la musique, fut son premier professeur. On dit qu'elle fit connaître à son fils les fameux contes arabes d'Haroun-al-Raschid, *Les Contes des Mille et une Nuits*, et les chansons de chasse d'Abour N'Was(6). Ce fut aussi elle, plus spécialement, qui le poussa à développer son sens artistique pour la peinture, non en lui apprenant à manier les pinceaux et à mélanger les couleurs, mais parce qu'elle connaissait les règles du jeu de la psychologie du comportement. Ce qui signifie que l'environnement avec lequel un enfant entre en contact tend à modeler de façon déterminante les capacités de sa personnalité future. On peut apprendre à un enfant à dessiner un oiseau aussi aisément qu'à lui faire écrire le mot »(7). L'événement de fait qui poussa Gibran à développer son intérêt pour l'écriture et pour le dessin et à déclarer que « chaque personne est un artiste en puissance remonte à ses six ans, quand sa mère lui offrit un volume de reproductions de Léonard de Vinci. Son biographe, Barbara Young, écrit :

« Après avoir tourné les pages pendant un moment, il éclata en sanglots et s'enfuit de la pièce pour être seul. Sa passion pour Léonard de Vinci le posséda dès cet instant, à tel point que quand son père le réprimanda pour quelque méfait d'enfant, il s'écria : « Qu'as-tu à faire avec moi ? Je suis Italien ! »(8)

En 1894, Pierre, son demi-frère, alors âgé de 18 ans, désirant alléger le fardeau financier de son beau-père et voulant en finir avec l'apathique pauvreté de la famille, décida de suivre la même voie qu'un certain nombre de ses compatriotes. Il envisagea de s'embarquer pour l'Amérique, pays de la chance, de l'aventure et du dollar. Sa mère commença par élever des objections mais finalement, ayant appris que de nombreux jeunes villageois avaient prospéré au-delà des rêves de leurs parents dans cette Terre Promise, elle donna son accord à condition que toute la famille accompagne Pierre vers le Nouveau Monde. Le père refusa cependant de les suivre sous   prétexte que quelqu'un devait veiller sur les quelques biens qu'ils possédaient.

Cette même année, Kamila, Gibran, Mariana et Sultana débarquèrent aux États-Unis sous la conduite de Pierre. Ils se rendirent aussitôt à Boston où d'autres natifs de Bcharré, ainsi que des Syriens, avaient établi une colonie au sein de Chinatown.

Tandis que sa mère, Pierre et ses deux sœurs allaient travailler pour ramener de l'argent à la maison, Gibran fut envoyé à l'école pour y recevoir l'éducation dont ses parents n'avaient pas pu bénéficier. Pendant les deux ans d'études qu'il passa à l'école du district, Gibran recueillit le plus grand nombre de points, dépassant tous ses condisciples américains. Ses professeurs découvrirent en lui la précocité du génie. Ce fut également à leur suggestion qu'il abrégea son nom d'origine, Gibran Khalil Gibran, en Kahlil Gibran, en intervertissant le «h» de son prénom,(9) pour faciliter la prononciation en langue anglaise.

Après deux fructueuses années d'études intensives selon le programme américain, Gibran demanda à Pierre et à Kamila de pouvoir retourner au Liban afin d'y cultiver sa langue natale et de se familiariser avec l'érudition arabe. Son désir fut exaucé et de 1896 à 1901, il étudia un grand nombre de matières à la célèbre *Madrasat Al-Hikmat* (École de la Sagesse), située aujourd'hui à Ashrafiet, Beyrouth. Parmi les cours auxquels il s'inscrivit, il y avait le droit international, la médecine, la musique et l'histoire de la religion. Ce fut aussi durant cette période de 1898 qu'il édita la revue littéraire et philosophique *Al Hakikat* (La Vérité). Finalement, en 1900, poussé par son admiration pour les grands penseurs qu'il avait étudiés dans ses cours, il entreprit de faire des dessins de ces personnages quoiqu'il n'existât d'eux aucun portrait. Il fit des croquis des anciens poètes islamiques Al Farid, Abu N'Was et Al Mutanabbi, des philosophes Ibn Sina et Ibn Khaldun, et également de Khansa, la grande poétesse arabe.(10) Mais surtout, Gibran eut une aventure amoureuse qui devait marquer profondément son existence. Ce fut sa première idylle avec Melle Hala Daher qu'il immortalisa sous le nom de *Selma* dans son roman *Les Ailes Brisées* (1912). Il souhaitait l'épouser, mais il essuya un refus parce qu'elle appartenait à une famille riche et que, dès son enfance, elle avait été promise à quelqu'un d'autre par ses parents. Ce premier contact avec la famille aristocratique libanaise le dressa toute sa vie contre la tradition orientale des mariages arrangés par les parents sur la base des classes sociales.

À 18 ans, Gibran fut diplômé d'*Al-Hikmat* avec les plus hautes distinctions. Mais toujours avide de s'instruire davantage, il décida cette fois de se rendre à Paris pour y apprendre la peinture. Au cours de ce voyage de Beyrouth à Paris, en 1901, il visita la Grèce, l'Italie et l'Espagne. Gibran demeura deux ans à Paris. Il y écrivit *Ames en révolte*, une violente critique de la haute société libanaise, des ministres du culte et de l'amour matrimonial corrompu. Pour ce livre, Gibran fut excommunié par l'Église Maronite et exilé du Liban par le Gouvernement turc. L'une et l'autre firent brûler son livre sur la place publique à Beyrouth.

En 1903, Gibran reçut une triste lettre de Pierre qui lui demandait de rentrer d'urgence à Boston. Sa sœur Sultana y était morte de la tuberculose et sa mère Kamila, sérieusement malade, avait dû s'aliter. Peu après son arrivée, Gibran dut conduire sa mère, qui souffrait de tuberculose, dans un hôpital où elle demeura alitée durant de longs mois. Les malheurs de Gibran s'accrurent lorsqu'en mars de la même année, Pierre, le demi-frère qu'il chérissait et qui avait payé toute son éducation succomba sous l'effet du même mal. Trois mois plus tard, sa mère remit son âme entre les mains du Seigneur. La perte de Kamila lui porta un rude coup moral, car il l'aimait profondément. Selon moi, elle fut sa première muse poétique. Les lignes qu'il a consacrées à la maternité dans *Les Ailes Brisées* lui furent inspirées par l'amour qu'il portait à sa mère.

Le plus beau mot sur les lèvres de l'homme est le mot mère, et « Ma mère » est le plus bel appel qu'on puisse lancer. C'est un mot plein d'espoir et d'amour, un mot doux et aimable qui vient du plus profond du cœur. La mère est tout. Elle est notre consolation dans le chagrin, notre espoir dans la misère, notre force dans la faiblesse. Celui qui perd sa mère perd une âme pure qui le bénit et qui le protège constamment.

Tout dans la nature annonce la mère. Le soleil est mère de la terre et lui donne sa nourriture de chaleur. Jamais, il n'abandonne l'univers à la nuit avant d'avoir endormi la terre au son de la mer et de l'hymne des oiseaux et des ruisseaux. Et cette terre est la mère des arbres et des fleurs. Elle les produit, elle les nourrit et elle les sèvre. Les arbres et les fleurs deviennent des mères aimantes pour leurs grands fruits et pour leurs graines. Et la mère, prototype de toute existence, est un esprit éternel, plein de beauté et d'amour. (11)

L'infortune de la mort le laissa seul avec Mariana, son autre sœur. Il va sans dire que les malheurs de 1903 laissèrent de profondes traces de chagrin dans l'âme du poète. Historiquement, je crois que si Gibran est devenu le philosophe de la tristesse humaine, et le grand psychologue de la finalité de l'homme, c'est parce qu'il a personnellement et profondément éprouvé l'anxiété existentielle de la souffrance et les caractères factices de la condition humaine.

Durant les années qui suivirent, Gibran peignit, dessina des couvertures de livres et écrivit en arabe plusieurs courts essais. Il revisa aussi, pour la seconde fois, *Le Prophète* qu'il avait écrit en arabe. Au début de 1904, il organisa une exposition de ses tableaux dans le studio de Fred Holland Day, un ami photographe. Une fois le studio ouvert, il ne reçut que quelques visiteurs. À son grand embarras, personne ne lui demanda un prix. Le public était plutôt critique et les gens se moquaient de son œuvre. Cependant, parmi les visiteurs, il y eut une femme qui s'appelait Mary Haskell. Elle était directrice d'école. L'œuvre de Gibran l'attira tellement par sa beauté et par son mysticisme qu'elle lui offrit l'occasion d'exposer ses tableaux dans son institution, l'École de Cambridge pour Filles. De cette rencontre miraculeuse naquit un durable lien d'amitié entre Gibran et Miss Haskell. Elle devint son premier client et sa bienfaitrice.(12) Ainsi, ce fut elle qui lui conseilla de retourner à Paris en 1908, et elle finança ses études à l'*Académie Julien* et à l'*École des Beaux-Arts*. Dans une lettre qu'il écrivit à un ami, il personnifia miss Haskell comme un ange du ciel «qui me pousse vers un splendide avenir et qui pave pour moi le sentier des succès intellectuels et financiers.»(13)

Il est bon que nous nous arrêtions un instant ici pour réfléchir aux relations que Gibran entretint avec deux femmes de son époque. Pour l'une, il éprouvait un amour platonique, pour l'autre, un amour freudien. La première était Mary Haskell envers qui il ressentait un amour spirituel et intellectuel. La seconde fut Émilie Michel, une jeune française, belle et pleine d'assurance, qui enseignait le français à l'école de Miss Haskell la première fois qu'il la rencontra, et que l'on surnommait Micheline. Ces deux amours eurent une grande influence sur lui, au point qu'il parla toujours des femmes dans ses écrits et que, comme John Stuart Mill, il se fit un devoir de promouvoir la libération de la femme des fourbes entreprises des hommes.(14)

Le départ de Gibran pour Paris en 1908 n'était pas seulement destiné à l'apprentissage de la peinture; Gibran, en bon Arabe plein de reconnaissance pour ceux qui le gratifient de leurs dons, désirait oublier Micheline car il savait que cet amour était contraire à la reconnaissance qu'il devait à Miss Haskell. Cependant, à sa grande surprise, Micheline vint le rejoindre à Paris à l'improviste. «Gibran oublia le monde, et il oublia Mary avec le monde. Il ouvrit les bras à Micheline et lui offrit de vivre avec lui,» (15) mais pas comme sa femme. Il lui demanda de devenir sa maîtresse. Micheline refusa parce qu'elle voulait qu'il l'épouse. Ce fut la fin d'un second amour frustré, le premier ayant été celui d'Hala Daher.

Pendant qu'il se trouvait dans «la Ville des Arts», dans «le Cœur du Monde», comme il appelait Paris, (16) il rencontra de nombreux artistes, poètes et écrivains célèbres du monde entier et il fit leurs portraits. Il lia surtout une solide amitié avec le célèbre sculpteur Auguste Rodin dont il prit des leçons et qui déclara un jour qu'il était le William Blake du XXème siècle, (17) soulignant ainsi la grande ressemblance qui existait entre Blake et Gibran sur le plan de l'écriture, de la peinture et de la biographie. Ce fut également en 1908 qu'il apprit par un ami du Liban qu'à la suite du remplacement de l'ancien et despotique gouvernement ottoman par les Jeunes Turcs, son exil était révoqué. La nouvelle lui fit plaisir mais elle ne l'incita pas à retourner dans sa patrie.

De retour à Boston en 1910, Gibran commença à éprouver des remords. Les faveurs que miss Haskell déversait sur lui lui mettaient sur les épaules un lourd fardeau de responsabilité. Dans cet état d'indécision, de confusion et de sentiment de culpabilité, Gibran, ne sachant comment rendre ses bienfaits à miss Haskell, offrit de l'épouser, quoique, dans son esprit, l'idée en était méprisable. Mais Haskell, devinant la lutte intérieure dans laquelle il était plongé, lui fit clairement entendre qu'elle préférait son amitié aux pesants liens du mariage. Gibran se sentit soulagé.

En échange de l'aide morale et pécuniaire qu'il recevait de miss Haskell(18), Gibran l'immortalisa en lui dédiant plusieurs de ses œuvres, comme *Les Ailes Brisées*, le poème « La Beauté de la Mort » dans *Le Rire et les Larmes*, etc.

Vers 1912, Gibran alla s'installer à New York où il allait résider jusqu'à la fin de sa vie, au troisième étage du fameux « Studio Building » construit exclusivement pour des peintres et des écrivains, au 51 de la 10ème Rue Ouest. Avant et après la Guerre Mondiale, la renommée de Gibran ne cessa de croître. Il organisa plusieurs expositions dans diverses galeries de la côte est. D'autre part, il produisit une importante œuvre littéraire sous forme de courts essais, de romans, de poèmes, de récits, d'aphorismes, etc., qui, tous, traitaient des thèmes existentiels de la vie concrète. Finalement, avec la publication du *Prophète* en 1923, la réputation de Gibran se répandit tant au Moyen-Orient qu'aux États-Unis.

Si la littérature arabe d'aujourd'hui se plie facilement aux règles de la rime et du rythme, c'est parce que Gibran, avec quelques autres amis littéraires, rompit avec les préalables figés et traditionnels de la versification arabe en proposant, dès 1920, une nouvelle forme poétique appelée « poème en prose ». Cette nouvelle idée naquit le 20 avril 1920 avec la constitution d'un nouveau cercle littéraire au cours d'une réunion qui se tenait dans le studio de Gibran. Celui-ci s'intitula *Arrabitah*, le Cercle de la Plume, Gibran fut élu président parmi un certain nombre de poètes qui étaient tous des immigrants arabes aux États-Unis. Le but d'*Arrabitah* était de moderniser la littérature arabe et de promouvoir cette nouvelle idée parmi les écrivains du Moyen-Orient. *Arrabitah* fit du nom de Gibran un sujet quotidien de discussion parmi les intellectuels des pays arabes et dans les journaux publiés au Moyen-Orient.

Avant de terminer cette biographie, je voudrais rapporter deux incidents importants qui se produisirent avec deux autres femmes. L'un eut lieu en 1912 avec l'écrivain May Ziadeh, une femme d'origine libanaise dont la famille avait émigré en Égypte alors qu'elle était encore toute jeune. La maison de May était un lieu de réunion pour l'intelligentsia égyptienne, et les œuvres de Gibran y étaient souvent l'objet de discussions philosophiques. On dit que c'est May qui fit le premier pas vers Gibran en lui écrivant une lettre d'admiration. Touché par la candeur de ses pensées, il semble que Gibran tomba amoureux de sa correspondante dès le premier abord   bien qu'il ne l'eut jamais rencontrée en chair et en os. Dans *Un auto portrait*, qui est une collection de ses lettres, nous lisons qu'à la publication en arabe de son livre *Les Ailes Brisées*, Gibran avait demandé à May ses impressions sur les pensées qu'il exprimait à propos du mariage et de l'amour. Sa réponse du 12 mai 1912 n'approuvait pas entièrement la philosophie de l'amour exposée par Gibran. Au contraire, dans toute sa correspondance, elle fut toujours très critique au sujet de quelques idées de Gibran qu'elle trouvait trop occidentalisées. Mais il n'en ressentit pas moins un profond attachement émotionnel envers miss Ziadeh jusqu'à sa mort. Il rêvait beaucoup d'elle et il aurait souhaité terminer sa vie auprès d'elle. Quelques années avant sa mort, il lui écrivit :

J'aimerais être malade en Égypte ou au Liban de manière à me trouver plus près de ceux que j'aime. Savez-vous May, que chaque matin et chaque soir, je me retrouve dans une maison du Caire avec vous à mes côtés, me lisant le dernier article que j'ai écrit, ou celui que vous venez d'écrire et qui n'a pas encore été publié ? (19)

Le second événement important fut sa rencontre avec celle qui allait devenir sa biographe, miss Barbara Young. Selon elle, c'est en 1923 qu'elle se décida à faire connaître à Gibran l'admiration qu'elle lui portait, après avoir entendu la lecture d'un extrait du *Prophète* dans l'église de Saint Mark du Bowery, à New York. Dans sa réponse, il l'invita cordialement à lui rendre visite dans son studio «pour parler de poésie et pour venir voir les tableaux qu'il avait peints»(20). À partir de ce moment, Barbara vint régulièrement au studio, situé au 51 de la 10ème Rue Ouest. Gibran l'utilisait parfois comme secrétaire. Aucune rémunération ne lui était payée. Elle était tout simplement fascinée par ce mince immigrant libanais, à grosse moustache, mesurant un mètre soixante-deux, et dont les grands yeux noirs étaient frangés de longs cils. Alors que Gibran vivait encore, elle se rendait parfois dans quelque ville éloignée, pour y faire une conférence sur la pensée et sur l'art de notre auteur. Dans sa biographie de Gibran, elle répète sans cesse que leurs relations étaient des rapports d'«amitié», entendant probablement par là qu'il s'agissait d'un amour platonique. Après la mort de Gibran, elle répandit largement sa renommée, et écrivit même une courte brochure sur lui. Mais en 1944, elle publia sa célèbre biographie intitulée *L'Homme du Liban*, dans laquelle elle dépeint la personnalité du Gibran qu'elle connut pendant ses sept dernières années. En octobre 1939, miss Barbara Young s'était rendue à Beyrouth et avait visité les divers lieux où Gibran avait vécu. Ce ne fut que plus tard qu'elle entreprit la composition de son livre.

Khalil Gibran ferma paisiblement les yeux le 10 avril 1931, à l'âge de quarante-huit ans, à l'hôpital St-Vincent de New York. Il ne fut pas enterré à New York, mais ses restes furent transportés au Liban, suivant ses vœux, et déposés dans le vieux monastère du désert de Mar-Sarkis dans le Wadi Kadisha.

Les Libanais d'aujourd'hui, sans parler des Arabes des autres pays, sont fiers de Gibran parce que, d'une seule main, il a relevé la dignité des immigrants et qu'il a montré aux étrangers l'érudition et la sagesse des mystiques du Moyen-Orient. Le lecteur pourra lui-même vérifier sa renommée s'il veut bien se rendre dans la librairie la plus proche et y observer le rythme auquel se vendent les œuvres de notre auteur.

LES CONTRIBUTIONS DE L'ÉCRIVAIN

Une des manières de comprendre un auteur consiste à déchiffrer ses pensées à travers ses œuvres. Après tout, le livre est une parfaite projection de la personnalité, des désirs, des ambitions et des frustrations de l'écrivain. En bon langage philosophique, nous disons qu'il existe une relation de proportionnalité s'il n'y a pas d'identité entre la « cause », le producteur, et « l'effet », le produit. Il est vrai que Gibran a parfois refusé qu'on l'identifie à ses héros, comme il l'a dit, par exemple, dans une lettre à miss May Ziadeh concernant le personnage du Fou. (1) Néanmoins, je m'en tiens à la théorie que les mobiles cachés derrière une œuvre sont à rechercher dans l'individualité de l'auteur, en ce sens que *la raison d'être* du produit est de dépeindre la personnalité du producteur.

Dans ce chapitre, que j'aurais pu intituler « Une introduction à Gibran », je dépeindrai les thèmes essentiels de sa philosophie à travers les écrits qu'il a publiés et, en même temps, je tenterai de souligner les influences qu'il a subies et l'impact qu'il a laissé sur ses lecteurs.

La signification des publications de Gibran

Gibran a communiqué ses pensées au moyen de diverses formes d'expression littéraire. Il a écrit de nombreux livres parmi lesquels des poèmes, des aphorismes, de courtes pièces de théâtre, des paraboles, des essais et des nouvelles.

La toute première apparition de Gibran comme écrivain a été celle d'un jeune rebelle déçu par tout ce qui peut s'appeler « organisation ». *Âmes en révolte* fut écrit en arabe alors qu'il étudiait à Paris en 1903. Le livre affirme que les lois institutionnelles de l'Église, de même que les lois sociales conçues par l'homme, sont décadentes car aucune d'entre elles ne permet à l'individu de développer sa personnalité. Au contraire, comme le dirait Kierkegaard, elles sont « universelles » et, pour cette raison, elles s'appliquent à la masse du commun et façonnent des personnalités typées ou stéréotypées. Le livre dénonce plus spécialement la conduite « simoniaque » du clergé maronite à l'égard des pauvres paysans et déclare que les lois humaines constituent une oppression immorale exercée au nom de la justice morale. Cette œuvre est significative à divers égards. 1) Elle montre la situation politique et religieuse du Liban à l'époque de sa publication en soulignant clairement que l'esprit de féodalité qui se développait sous la domination turque se manifestait au détriment des pauvres en instituant une lutte des classes. 2) Elle représente la philosophie morale de Gibran(2). Quoique le ton en soit un peu révolté, la morale de Gibran ne devrait pas être identifiée à celle des révolutionnaires

radicaux d'aujourd'hui qui abhorrent inconditionnellement ce qu'on appelle l'«establishment», entendant
par là un rejet total des règles de la société et de l'ordre
établi. Au contraire, Gibran, comme Rousseau, est un
réformateur des maux sociaux causés par l'injustice, les
traditions inefficaces et les lois artificielles qui blessent
les lois innées de la nature humaine. La réforme qu'il
appelle, c'est que la bienveillance, le pardon et l'amour
soient la ligne de conduite des rapports sociaux entre le
citoyen et le gouvernement. 3) Finalement, le roman
préfigure les écrits postérieurs de Gibran. Dans la construction des théories de nombreux philosophes, les historiens détectent une évolution d'idées qui comporte des
contradictions et des ambiguïtés, mais Gibran, lui, n'a
jamais abandonné ses premières idées et n'a jamais
introduit de paradoxes dans son système.

Peu après sa publication, *Âmes en révolte* fut brûlé en
place publique à Beyrouth. Pour son châtiment, Gibran
fut excommunié par l'Église Catholique maronite et fut
exilé du Liban par les autorités turques. Dans une lettre
qu'il écrivit à son cousin germain, Nakhli Gibran, il exprima la mélancolie qu'il éprouvait devant ce que ses
compatriotes lui avaient fait.

...Je ne suis pas certain que le monde arabe restera
aussi amical à mon égard qu'il le fut durant les trois
dernières années. Je le dis parce que son hostilité
s'est déjà manifestée. En Syrie, le peuple m'appelle
hérétique et l'intelligentsia égyptienne me dénigre
en disant : «Il est l'ennemi des justes lois, des liens
de la famille et des vieilles traditions.» Ces écrivains disent vrai, car je n'aime pas les lois faites par
l'homme et j'abhorre les traditions que nous ont
laissées nos ancêtres. Cette haine est le fruit de mon
amour pour cette bienveillance spirituelle et sacrée

qui devrait être la source de toute loi sur la terre, car la bienveillance est l'ombre de Dieu dans l'homme... Mon enseignement sera-t-il jamais reçu par le monde arabe, ou mourra-t-il et disparaîtra-t-il comme une ombre ? (3)

Cependant, lorsqu'en 1908, les Jeunes Turcs, sous la conduite de Niyazi, renversèrent le Sultan Abdul-Hamid II, le nouveau gouvernement accorda le pardon à tous les exilés, y compris Gibran qui était alors à Paris où il prenait des leçons de peinture avec Auguste Rodin. (4)

Son roman suivant fut *Les Ailes Brisées* (1912). Lui-même en a dit : « Ce livre est le meilleur que j'aie jamais écrit. » (5). Meilleur, il l'est en effet, mais il convient de faire une réserve, car *Le Prophète* n'existait pas encore. Selon moi, la philosophie exprimée dans cet ouvrage est la suite de la philosophie du mariage sur laquelle il avait mis l'accent dans *Âmes en révolte*. Néanmoins, Gibran semble moins enclin à polémiquer qu'à vouloir nous décrire la condition humaine de l'amour qui est le sujet central de tout le roman. Ici, sa définition de l'amour n'est ni platonique ni freudienne mais se situe entre le romantique et le spirituel. (6) De plus, il souligne, à la manière de Blaise Pascal, que l'amour n'est pas l'œuvre de la raison, mais du cœur. Et non du cœur charnel et corporel qui n'éprouve que des sensations, mais d'un cœur qui a encore sa logique. *La logique du cœur* est l'expression correcte. La logique de la raison abstraite ne peut pas raisonner à propos de ce que les émotions connaissent logiquement, à moins qu'elle ne devienne la proie de l'un des mécanismes de défense de Freud, la rationalisation.

L'histoire que raconte Gibran est autobiographique (7). Elle traite de sa première idylle avec miss Hala

Daher, qu'il rencontra alors qu'il était étudiant au Liban. Soulignons en passant que son mariage avec miss Daher ne fut pas empêché par le père de celle-ci, mais plutôt par l'évêque de la ville qui avait imposé, contre le vœu de la fille et du père, un mariage avec son propre neveu. Le neveu était un être irresponsable, et l'évêque était surtout désireux d'hériter de la fortune des Daher. Signalons aussi qu'un film a été tiré de *Les Ailes Brisées*.

Une larme et un sourire (1914) démontre par des poèmes et des poèmes en prose que l'existence humaine oscille entre deux notions métaphysiques, à savoir la joie et la souffrance. Elles sont métaphysiques parce qu'elles expriment des dimensions humaines et qu'elles imprègnent le noyau de l'existence de l'homme. La philosophie qu'il exprime dans ce livre n'est en somme ni celle de Schopenauer, ni celle de Leibnitz. Le premier affirmait que tout est mal et que notre monde est le pire que Dieu pouvait avoir créé. À l'extrême opposé, Leibnitz professait un optimisme exagéré, disant que si l'occasion lui en avait été donnée, Dieu n'aurait pas pu créer un monde meilleur que celui-ci. Gibran se situe à mi-chemin. La vie est à la fois une larme et un sourire. La larme a un mobile intrinsèque ou extrinsèque. Mais c'est le mobile extrinsèque qui est antérieur. Ceci revient à dire que le mal qui nous environne dans la société, dans la politique ou dans autrui torture et embarrasse mon existence et m'affecte ainsi de l'intérieur. Ceci étant, on comprend pourquoi Gibran a inclus dans son livre quelques courts essais qui dépeignent les cupidités de la société. Mais Gibran ne s'en tient pas uniquement aux iniquités de la vie, il reconnaît aussi la réalité de la joie, du bonheur et de l'amour. Pour parler net, il approuve la philosophie des stoïciens. Ceux-ci portent courageusement leur croix. Une lamentation qui ne serait pas suivie immédiatement par la poursuite d'une méditation intellectuelle ravale les capacités intellectuelles de l'homme dont la téléologie consiste à surmonter la douleur de façon significative. Cependant, nous ne devons pas en déduire que la philosophie de Gibran consiste à échapper aux frustrations de l'existence par le biais d'un processus de pensée calculatrice. L'existentialisme est peut-être la philosophie qui a le plus d'affinités avec son système. En effet, comme les existentialistes, il affirme que la douleur et la joie sont complémentaires et sont en relation mutuelle. Par exemple, l'amour ne va pas sans quelques sacrifices ; il n'y a pas de roses sans épines ; on ne peut apprécier le bonheur tant que l'âme n'a pas bu d'abord à la coupe de l'amertume. En un certain sens, le livre présume qu'il serait utopique de vouloir un monde exempt de tensions psychologiques, de même qu'il est inexact de dire que l'existence humaine ignore tout de la joie, de l'amitié, du bonheur. En conclusion, j'estime que *Une larme et un sourire* n'est pas « d'inspiration nietzchéenne » comme le prétendait Andrew Dib Sherfan.(8) Les harmoniques sont les mêmes chez le poète britannique William Blake que Gibran a beaucoup imité. Par exemple, ses nombreux articles sur le rôle du poète dans la société montrent une ressemblance avec la conception qu'a Blake du poète authentique : un messager envoyé par le Ciel pour conduire le peuple sur le chemin de l'amour de Dieu.

En 1918, à l'âge de 35 ans, Gibran résuma ses méditations dans *La Procession*. Le livre fut écrit d'abord en vers arabes. Il relate un dialogue entre un jeune plein de vigueur, un optimiste qui croit en la bonté naturelle de l'homme, un adorateur de la nature dans laquelle il vit, et un sage vieillard rendu amer par les habitants de la métropole où le rythme de l'existence est tellement

mécanisé et standardisé que la beauté, l'amour, la religion, la justice, la connaissance, le bonheur et la tendresse y sont dissimulés sous de faux-semblants. À la
dernière page, le sage avoue que, si la jeunesse lui était
rendue, il choisirait de vivre sauvage et libre au sein de la
nature. Le poème nous rappelle les contrastes de J.-J
Rousseau entre la bonté innée de la nature humaine et la
nature pourrie et artificielle que la civilisation nous impose par ses mauvaises stimulations. Notre auteur tenait
Rousseau en grande estime. À diverses occasions, il en
parla comme de l'homme qui avait délivré l'humanité de
la tyrannie et des « Bastilles ». (9)

La première œuvre de Gibran publiée en anglais fut
un recueil de poèmes et de paraboles paru en 1918 sous
le titre *The Madman* (Le Fou). Ici nous reconnaissons
l'influence de Nietzche sur le style de Gibran. Comme
Nietzche, celui-ci s'exprime par paraboles. Et son Fou,
suivant en cela la trace de Zarathoustra, se présente aux
autres par un « *cri* ». Le cri de Zarathoustra, était l'affirmation de la mort de Dieu. Mais le Fou de Gibran, lui,
ne proclame pas la mort de la divinité. Il établit une relation de coopération entre Dieu et l'Homme à propos de
la création. Lorsque nous tournons les pages, nous sommes frappés par l'attitude d'ironie et de sarcasme qui se
bâtit lentement jusqu'à atteindre son zénith dans la dernière parabole : « Le Monde Parfait ». Cet essai, une
fois de plus, dénonce les comportements hypocrites qui
sont affichés au nom d'un « Dieu des âmes
perdues ». (10) Le Fou n'est pas, au sens littéral, un désé-
quilibré mental. Au contraire, il est parfaitement sain
dans le langage de la médecine psychosomatique. Sa
folie n'existe que dans la vision des autres dont il
s'écarte par ses actes droits, logiques et justes. Gibran
s'accorde ici avec l'opinion des psychologues humanistes, à savoir que nous tendons à être ce que la société

attend de nous, quoique cette attente puisse se faire au détriment du développement de notre personnalité. C'est pourquoi il nous arrive souvent de voiler notre véritable « moi » sous un masque, de peur d'être ridiculisé par les autres. La morale du héros de Gibran est très simple : il vaut mieux être appelé fou par les autres que de cacher son « moi » intérieur sous un affreux masque social. Les paraboles « Le sage Roi » et « l'Heureuse Cité » sont significatives. Elles tirent une leçon morale, à la manière d'Esope et de la Fontaine, dont notre monde contemporain pourrait attendre quelque chose sur la sincérité.

Avec *The Forerunner* (Le Précurseur) publié en 1920, Gibran devient plus mystérieux et sa maturité philosophique s'est accrue. Le titre qu'il a choisi est parfaitement approprié au type de pensées philosophiques qu'il développe dans ses paraboles. Dans sa préface, il définit l'Homme comme un « précurseur », entendant par là que nous avons préparé ce que nous sommes aujourd'hui. Ici, sa logique n'est pas très différente de la dialectique historique de Marx ou de Sartre. Fondamentalement, il affirme que « l'homme invente l'homme » (Marx). Nous sommes notre propre produit : « Je suis ce que je suis parce que je fais de moi ce que je suis » (Sartre). Nous ne pouvons faire de reproches à personne qu'à nous pour ce que nous sommes ou ce que nous avons. Psychologiquement parlant, cela s'appelle de l'auto-actualisation. Cependant, il s'agit d'un processus héraclitien en ce sens qu'il ne se termine jamais car le lendemain s'étend toujours devant nous, et qu'il demeure intact. En d'autres mots, Gibran indique clairement que nous sommes notre propre destin et non le jouet d'un destin aveugle. De plus, l'essai fait une ample référence à l'intersubjectivité. L'existence d'un homme ne court pas parallèlement à celle d'un autre. L'existence est une coexistence. Pour le meilleur et pour le pire, l'homme n'est pas une île. C'est un animal social.

Le Prophète (1923) est son chef-d'œuvre. Pour ses lecteurs, ce livre est devenu une seconde Bible. Des prêtres ne craignent pas de le consulter pendant la messe. Par exemple, quand James Kavanaugh apparte-nait au clergé catholique, il cita des extraits du *Prophète* sur le mariage, au cours d'une cérémonie nuptiale, au lieu de réciter les prières du Saint Office.(11)

Il faut savoir que Gibran a longuement médité sur *Le Prophète* et qu'il le réécrivit trois fois. Il venait d'avoir quinze ans quand il en composa la première version. À l'âge de vingt ans, il procéda à une révision en arabe. Puis il l'apporta à sa mère qui était sérieusement malade

...et il lui lut ce qu'il avait écrit sur le jeune Almustafa (le héros de la pièce). La mère, aussi sage durant la jeunesse de son fils qu'elle l'avait été durant son enfance, lui dit : « C'est un bon travail, Gibran. Mais le temps n'est pas encore venu. Mets-le de côté. » Il lui obéit à la lettre : « Elle en savait bien plus que moi dans ma verte jeunesse », dit-il.(12)

Alors, entre 1917 et 1922, il réécrivit le livre pour la troisième fois. Finalement, il le remit à l'éditeur en 1923.

D'une façon plus particulière, *Le Prophète* est une copie directe du style de Nietzsche dans *Ainsi parlait Zarathoustra*. Cependant, Almustafa ne partage pas du tout la philosophie de Zarathoustra qui est sombre et pessimiste à l'égard des capacités de l'homme. Ici, com-me ailleurs, Gibran a surtout été fasciné par le style de

Nietzsche. Mais il n'est pas du tout sous le charme du contenu de son Zarathoustra. À mon avis la seule influence qui ait agi directement sur les pensées de Gibran dans *Le Prophète* est celle de la Bible. À vrai dire, Nietzsche lui-même avait été inspiré par le personnage de Jésus-Christ, ses discours, son style d'expression, ses paraboles. C'est pourquoi nous retrouvons dans le *Zarathoustra* de Nietzsche beaucoup de «nombres numériques» empruntés aux Saintes Écritures. Ainsi, par exemple, le Christ et Zarathoustra ont commencé tous deux leur mission prophétique à l'âge de trente ans. (13)

Fondamentalement, tous les sermons du Prophète tournent autour d'une dimension de la réalité humaine : les relations sociales authentiques. Ainsi, Almustafa rejette toutes les situations intersubjectives — mariage, loi, enfants, amitié, dons, etc. — dans lesquelles les gens entrent en contact les uns avec les autres. Mais le livre enseigne aussi comment ces relations existentielles devraient être véritablement expérimentées. Je sais que je n'exagérerais pas si, par esprit de comparaison, j'attirais l'attention du lecteur sur le fait que M. Heidegger, le chef de l'existentialisme, présente une définition assez similaire de la condition humaine. Heidegger, suivant en cela son maître E. Husserl, caractérise l'Homme comme un *Mitdasein* (coexistant). Cela signifie que, métaphysiquement, l'homme est un *être-avec-d'autres* et que la nature humaine ne pourrait, en aucun cas, être exempte d'une telle facticité. Même dans le cas de la solitude, l'isolation prouve une fois de plus, plutôt que l'inverse, le «fait» de la «coexistence». On peut se retirer dans sa tour d'ivoire soit pour réévaluer le sens de ses relations avec autrui, soit parce qu'autrui vous a blessé. Mais dans tous les cas, nous comprenons que le concept métaphysique d'*être-avec-d'autres* rend l'homme socialement et psychologiquement perméable et non l'inverse.

L'«intersubjectivité» n'est cependant pas la seule sorte de relation que Gibran tente d'exprimer. En vérité, *Le Prophète* forme, avec deux autres ouvrages, *Le Jardin du Prophète* (1933) et *les Dieux de la Terre* (1931), une trilogie destinée à esquisser les dimensions relationnelles à trois volets de l'homme existentiel. Les expressions philosophiques techniques correspondantes sont *Mitwelt* (relation avec d'autres esprits ; synonyme : *Mitdasein*), *Umwelt* (relation avec le monde) et *Gotteswelt* (relation avec Dieu).

Le Jardin du Prophète étudie les relations de l'homme avec la nature (*Umwelt*). L'accentuation est celle de l'écologie et de l'environnement, non sous son aspect scientifique mais poétique. Gibran était un adorateur de la nature et de la vie sauvage. S'il avait vécu assez longtemps pour constater à quel point nos inventeurs scientifiques ont intoxiqué l'atmosphère et pollué les rivières, il ne fait aucun doute qu'il aurait sévèrement déploré notre attitude tyrannique à l'égard de la nature sans défense. On dit que nos ancêtres primitifs ont lutté physiquement et intellectuellement pour se préserver des calamités cosmiques. Eh bien, aujourd'hui, le rôle de la relation maître-serviteur est inversé. C'est l'homme, maintenant, qui constitue une menace pour la nature. De toute manière, la cosmologie que Gibran propose dans le livre est très anthropomorphique. Il décrit les émotions humaines au moyen de concepts empruntés à la nature.

En ce qui concerne *Les Dieux de la Terre*, l'ouvrage explique la relation entre Dieu et l'Homme (*Gotteswelt*). L'homme a le désir d'être proche du divin. Dans la philosophie de Gibran, l'homme ne monte vers Dieu que «dans», «au travers de», et «avec» l'amour. L'essai est un dialogue entre trois dieux dont deux considèrent que l'homme «est une nourriture pour les dieux».(14) Cela signifie que l'homme est de la chair pour la gloire et les plans des dieux, et un jouet pour leurs caprices. Cependant, le troisième dieu est plein de compassion. Son discours tend à faire modifier l'attitude despotique des deux autres. Il leur rappelle que l'amour est la vertu des dieux. Finalement, pour les mettre de son côté en faveur des hommes, il leur rappelle que l'homme est capable de pratiquer la principale vertu des dieux. Et il leur donne comme exemple le cas de l'amour entre l'homme et la femme.

Pour en revenir au *Prophète*, Gibran se hissa au sommet parmi les lettrés du monde entier avec «le petit livre noir»(15), comme il l'appelait lui-même à cause de sa couverture noire. Les pensées que contient le livre sont si puissantes et si attrayantes qu'il est devenu l'un des rares manuscrits à avoir été traduit dans plus de vingt langues. Chaque lecteur retrouve un peu de lui-même dans les discours philosophiques d'Almustafa. Pour beaucoup, cet «étrange petit livre»(16) sert encore de guide à leurs examens de conscience. Miss Young raconte :

Il y avait, un jour, une jeune fille russe nommée Marya qui avait fait une escalade dans les Montagnes Rocheuses avec un groupe d'amis, des jeunes comme elle. Elle s'était écartée du groupe et était allée se reposer sur un rocher lorsqu'elle trouva, à côté d'elle, un livre noir. C'était *Le Prophète*, ce qui ne signifiait rien pour elle. Elle en tourna négligemment les pages puis elle se mit à lire un peu, puis davantage. «Alors, dit-elle lorsqu'elle nous raconta l'histoire, je me précipitai vers mes amis en criant : Venez voir ! Voici ce que j'ai recherché toute ma vie... Et je l'ai enfin trouvé ! La vérité ! »

Un autre homme, un avocat, m'écouta un jour pendant toute une heure, lire le livre dans une librairie de Philadelphie. C'était un homme âgé, d'aspect avenant, et il écoutait avec une telle attention qu'il ne pouvait manquer d'être remarqué par la lectrice. Lorsque la soirée fut terminée, cet avocat vint me parler comme le faisaient d'autres, et il me dit : « Je suis avocat en matière criminelle. Si j'avais lu ce chapitre sur *Crime et Châtiment* il y a vingt ans, j'aurais été meilleur et plus heureux, et un conseil infiniment plus efficace pour la défense. »

Je connais un homme, à New York City, qui dirige une société immobilière très connue. Il m'a dit ceci : « Ma femme possède trois exemplaires du *Prohète* à la maison. Lorsque nous rencontrons une nouvelle connaissance qui nous semble sympathique, elle lui prête un des exemplaires. Nous nous formons alors une opinion sur la valeur de la personne d'après ses réactions à propos du livre. » Vous ne pouvez en lire une seule page sans en être ému jusqu'au plus profond de votre conscience si vous appartenez à la race de ceux qui sont entièrement disponibles pour la vérité. » (17)

Le sable et l'écume (1926) est une compilation de maximes et d'aphorismes qui ressemblent à ceux de La Rochefoucauld, de William Blake et de F. Nietzsche. Chacun de ces adages peut être utilisé comme sujet de méditation intellectuelle. Mais je considère qu'il est de très mauvais goût de les employer, comme on le fait, comme de bonnes pensées que l'on introduit dans des gâteaux chinois de bonne aventure.

Une autre œuvre importante est *Jésus, le Fils de*

l'Homme (1928). Gibran a toujours été attiré par la majesté des enseignements du Christ et par le mystère de sa vie. Il considérait Jésus comme le grand exemple humain qui avait le mieux accompli la métamorphose de la transmutation de la nature humaine en une apparence divine. Comme le titre l'indique déjà, le Jésus que décrit Gibran n'est pas celui de la théologie ou des dogmes, celui dont la Révélation atteste qu'il est le Fils et l'Égal de Dieu et du Saint Esprit dans le Mystère de la Trinité. Ce qu'il nous dépeint, c'est un Jésus de chair, tourmenté par les passions humaines mais qui n'en a pas moins surpassé les mauvaises limites de la luxure, de l'injustice et de l'insensibilité. Je tiens à faire remarquer ici que Gibran n'avait aucun attachement pour les religions organisées. C'est la raison pour laquelle il ne se souciait pas de parler du Jésus des chrétiens, mais de Jésus de Nazareth, l'homme qui avait un père et une mère. Son vrai souci est de rendre l'image de Jésus accessible à l'homme. Nous savons que les mortels qui se présentent pleins de révérence considèrent que la vie et les actes de Jésus sont inimitables parce que, a priori, ils ne le jugent pas comme un homme, mais comme leur Dieu. En conséquence, ces âmes restent hors d'atteinte des exhortations de Jésus. Mais Gibran nous propose une nouvelle narration de la vie de Jésus et il veut nous faire changer d'attitude envers cet « homme extraordinaire » qui, après tout, n'est pas fait d'une autre matière que nous. La différence, c'est que, lui a su développer avec succès les potentialités d'amour et de compassion que Dieu, le Créateur, a incluses dans notre nature. Gibran raconte la vie de Jésus à travers le témoignage de soixante-dix personnes qui l'ont connu. Le dernier personnage est « un homme du Liban », probablement Gibran lui-même. Il me paraît difficile de conclure que notre auteur s'est rendu coupable de l'hérésie des

Jacobites monophysites ou même des Nestoriens. Le point qu'il veut nous faire comprendre, c'est que le surnaturel est implanté en chaque homme, et il appartient à chaque individu de concrétiser la divinité de sa nature. «L'âme est un chaînon dans la chaîne divine». (18) Pour nous guider dans notre volonté d'être digne de Dieu, il nous recommande de suivre les sentiers de Jésus.

Enfin, le reste de ses œuvres réitère les pensées déjà contenues dans ses livres précédents. *Le Voyageur* (1932) est un recueil posthume de cinquante récits. *Les secrets du Cœur* (1947) est un amalgame de nouvelles parmi lesquelles « *La Tempête* » décrit sarcastiquement, à la manière de Nietzsche, le manque de spiritualité de la société moderne. *Les Nymphes de la Vallée* (1948) reprend une fois de plus sa polémique contre les méfaits sociaux et ecclésiastiques. *La Voix du Maître* (1959) contient une partie de sa correspondance avec ses plus proches amis. *Pensées et méditations* (1961), *Adages spirituels* (1962). Et *Prophète bien-aimé* (1972) est un recueil de ses lettres à Haskell. Dans ce dernier ouvrage, on trouve également le journal intime de miss Haskell à propos de la vie et de la personnalité de Gibran.

En conclusion, je voudrais exprimer ma réprobation contre certains éditeurs de Gibran. Cet homme du Liban est largement lu par des clercs et par des laïques, et cependant, j'ai le sentiment qu'il est mal compris par l'une et l'autre de ces catégories de lecteurs. J'ai parlé de bon nombre de ses admirateurs. À ma grande surprise, j'ai découvert qu'ils n'ont qu'une vague et confuse compréhension du message qu'il veut apporter à l'humanité. Après bien des réflexions, je suis arrivé à la conclusion que les causes des symptômes d'ignorance chez ses lecteurs sont de trois ordres : 1) Nombreux sont ceux qui ne connaissent qu'une ou quelques-unes de ses œuvres, et n'ont aucune idée de ce qu'il construit dans ses autres livres. Et pourtant, un lettré ne peut jamais entièrement apprécier sur le plan intellectuel que si il assimile un grand nombre d'écrits. 2) Une grande partie des reproches que l'on peut formuler à propos de l'ignorance des gens doit être attribuée plus particulièrement à l'éditeur Alfred A. Knopf qui, pour en tirer un profit financier, a présenté l'édition du *Prophète* sous trois formes différentes : une édition bon marché, une édition moyenne et une édition sous jaquette-cadeau. Le « petit livre noir » est ainsi devenu un produit commercial. Des gens l'achètent comme cadeau de Noël ou d'anniversaire pour leurs amis. Et s'ils offrent la grosse édition, avec sa grande couverture blanche et son papier de luxe, les bénéficiaires l'exposeront avec une édition de reproductions de da Vinci sur la table de leur salon où les visiteurs pourront y jeter un coup d'œil. Cependant, la dernière et la pire des prostitutions intellectuelles auxquelles Knopf ait soumis Gibran est la publication de ce calendrier insignifiant intitulé « Kahlil Gibran's Diary » (1971-1972) — (L'agenda de Khalil Gibran), dont, j'en suis sûr, notre auteur n'aurait jamais rêvé. 3) Enfin, la dernière explication possible de la méconnaissance du message de Gibran par les lecteurs vient de la phraséologie trop poétique et musicale utilisée par l'auteur. Beaucoup de gens aiment lire Gibran parce que sa lecture les endort dans un magnifique concert de satisfaction de soi. Et, de ce fait, ils cessent de réfléchir à la profonde signification philosophique cachée sous ces superbes vers.

J'espère que le présent livre réagira avec succès contre l'épidémie d'ignorance qui trouble la vision intellectuelle du lecteur. C'est la raison pour laquelle je tente ici d'expliquer les concepts de base exposés par Gibran, quoiqu'il les ait présentés de façon très dispersée.

Les innovations de Gibran dans
la littérature arabe moderne

Selon les affirmations de l'orientaliste russe Ignace Kratchovski, les immigrants arabes en Amérique ont joué un rôle important et bénéfique dans la modernisation de la littérature arabe. (19)

Jusqu'à l'aube du XIXème siècle, les *Belles-lettres* arabes ont fidèlement suivi le style littéraire conventionnel établi par le Coran et les Traditions du Moyen Âge. Ainsi, note le professeur Cachia « en poésie, la forme de loin la plus commune était le panégyrique... Les sentiments exprimés étaient entièrement conventionnels... Les compositions poétiques étaient masquées sous des comparaisons, des métaphores et des allusions recherchées, avec des « paranomases » et des « ambiologies » compliquées... (Par ailleurs dans) la prose raffinée... l'élément narratif n'était plus qu'une charpente à laquelle on accrochait des *tours de force* verbaux. (20) Tout ceci revient à dire, avec Sir Hamilton Gibb, que « le conservatisme était trop profondément lié à tout l'héritage de la littérature arabe pour qu'on puisse se permettre aucune sorte de simplification, (21) de nouveauté et d'originalité, tant dans l'expression du style que dans le contenu. »

Cependant, lorsque Napoléon vint en Égypte en 1798 et que des traductions d'éminents penseurs européens furent mises à la disposition des intellectuels du Moyen-Orient, la littérature arabe connut une sorte de rajeunissement et de progrès. Cependant, les immigrants contribuèrent aussi, dans une très large mesure, à émanciper la littérature moderne du style littéraire stérile et décadent de la scolastique. C'est ainsi, plus particulièrement, que la nouvelle forme d'écriture et de pensée de Gibran incita ses compatriotes écrivains à adopter le « vers libre » pour leurs nouvelles strophes.

Déjà en 1913, Gibran, en même temps qu'Amin Rihani et Nasseeb Arida, autres écrivains immigrants, commença à publier dans le mensuel new-yorkais *al-Funoon* des essais, des articles et des poèmes qui différaient totalement de la métrique classique (*Sadj*). Le style littéraire qu'ils adoptèrent était le poème en prose (*Shir manthur*).

Il faut noter également que le 20 avril 1920, les écrivains arabes immigrants, avec Gibran pour président, fondèrent un cercle littéraire intitulé *Arrabitah* (Cercle de la Plume) dont l'objectif était de moderniser la littérature arabe « en la faisant passer d'un état de stérilité et d'imitation à un état de beauté et d'originalité, tant par le contenu que par le style ».(22) *Arrabitah* fit bientôt une forte impression sur le monde arabe. Selon les termes de Muhammad Najm, cette nouvelle école, « caractérisée par la puissance, le modernisme et la révolte contre tout ce qui est traditionnel et pourri est la plus forte école que la littérature arabe moderne ait connue jusqu'à ce jour ».(23)

Et c'est précisément à travers le cercle *Arrabitah* et la forme littéraire du poème en prose que Gibran contribua à rénover la littérature arabe moderne. Il donna l'exemple, en son temps, de la manière dont on peut combiner la prose et la poésie, et vice-versa. En profondeur, ses écrits sont poétiques, mais ses vers sont de la prose. Les strophes sont rythmées et rimées.

Bien entendu, ce furent Friedrich Nietzsche, les Psaumes et la Bible avec ses paraboles qui donnèrent une direction littéraire bien définie au style de Gibran. Chez Nietzsche, il n'emprunta pas seulement la forme d'expression de Zarathoustra qui est assez semblable à celle des Écritures chrétiennes, mais il acquit également de lui l'art de mêler les émotions et les pensées, la tristesse et la joie. Quant à la Bible, elle lui enseigna la vieille forme littéraire sémitique que sont les paraboles, les métaphores, l'anthropomorphisme et le cosmomorphisme.

En résumé, Gibran est salué aujourd'hui par tous les commentateurs des *Belles-lettres* arabes modernes comme un innovateur de la littérature du Moyen-Orient. Et à mon avis, ses écrits peuvent apprendre quelque chose aux auteurs occidentaux. Aux Arabes, il leur apprit à se dégager de la poésie classique rimée (*Sadj*) et à se libérer dans le rythme (poème en prose). Pour les Occidentaux, il est un vivant exemple de la manière dont on peut faire de la philosophie une littérature agréable et non l'ennuyeuse et fatigante lecture d'un langage incompréhensible.

Les influences étrangères

Aucun penseur ne peut entièrement se dégager des idéologies passées et présentes. Même le philosophe français René Descartes, qui avait voulu briser tous liens avec la philosophie traditionnelle, ne réussit pas à mettre son système à l'abri des influences étrangères. Gibran, lui aussi, a subi certaines influences dans son travail artistique, dans sa poésie et dans sa philosophie. Il nous est impossible d'estimer de façon précise toutes celles qui ont façonné son art et ses pensées, ni de tracer leur évolution chronologique. Nous pouvons néanmoins détecter quelques-uns des principaux courants qu'il a suivis en tant qu'artiste et en tant qu'écrivain.

Par exemple, sa *peinture* reflète l'influence des écoles de Paris, *L'Académie Julien* et l'École des *Beaux-Arts* et plus spécialement, l'atelier de son maître, Auguste Rodin, avec qui il étudia en France en 1908. Mais miss

Alice Raphaël, critique de ses *Vingt Esquisses* a également noté : «En peinture, c'est un classique et son œuvre doit plus aux découvertes de da Vinci qu'à aucun des révoltés modernes.»(24) L'intérêt de Gibran pour da Vinci remontait au cadeau d'un volume de ses reproductions que sa mère lui avait fait à l'âge de six ans.

D'autre part, en *littérature*, Gibran fut influencé par le poète primitif islamique Mutanabbi(25) et par le célèbre Persan Ibn-al-Muqaffa, mieux connu pour ses traductions des œuvres de Pahlavi en arabe. Ibn al-Muqaffa utilisait un style rhétorique extravagant pour raconter des fables qui comportaient une leçon morale(26). Gibran, à son tour, utilisa le style des fables pour apporter au lecteur un enseignement moral. Amin Rihani, Mikhail Naimy, Nasseeb Arida, l'auteur égyptienne May Ziadeh et de nombreux autres littérateurs arabes ont également laissé de profondes empreintes sur la littérature expressionniste de Gibran.

Il semble cependant que le fait d'avoir été soumis à la culture européenne a considérablement influencé sa prose poétique et lui a apporté certaines de ses idées philosophiques.

Pour éviter de répéter les noms de ceux qui ont influencé sa forme littéraire et sa pensée philosophique, soulignons brièvement les principaux courants idéologiques orientaux et occidentaux qui ont donné une orientation particulière à sa philosophie et à son style.

FRIEDRICH NIETZSCHE

C'est ce philosophe allemand (1844-1900) qui, avec la Bible, a sans doute le plus influencé le style et les pensées de Gibran. Miss Haskell rapporte que Gibran avait lu Nietzsche «lorsqu'il avait douze ou treize ans».(27) Il lui vouait un grand respect. Il l'appelait : «L'homme le plus seul du XIXème siècle, et certainement le plus grand».(28) En d'autres occasions, Gibran l'a dépeint comme «un Dionysos sobre — un homme supérieur qui vit dans les forêts et dans les champs — un être puissant qui aime la musique, la danse et toutes les joies». (29)

La philosophie de Nietzsche dénonce essentiellement la société pour la déspiritualisation et la démoralisation du monde. Il blâme le Christianisme et les institutions sociales pour la déshumanisation de l'individu et l'avènement d'une «morale de l'esclave».

De toutes les œuvres de Nietzsche, Gibran préférait *Ainsi parla Zarathoustra*. L'inspiration nietzschéenne se retrouve dans ses livres : *Le Fou*, *Le Précurseur*, *Le Prophète* et *La Tempête*. C'est de Nietzsche que Gibran a appris à exprimer ses idées avec des envolées messianiques tandis qu'il utilisait un style enflammé pour critiquer la religion organisée et l'«establishment» social.

Mais pour être précis, j'attire votre attention sur le fait que, tout attiré qu'il fut par Nietzsche, Gibran n'était pas entièrement d'accord avec la philosophie de son maître. D'abord, Nietzsche était pessimiste et athée. Son Zarathoustra avait proclamé la mort de Dieu et avait nié l'immortalité de l'homme.(30) Tandis que l'Almustafa de Gibran est théocentrique et croit que la Bonne Volonté l'emporte sur le Mal. De son propre mouvement, Gibran reconnaît : «Sa (de Nietzsche) forme (son style) a toujours eu sur moi un effet apaisant. Mais je pense que sa philosophie était terrible et entièrement fausse. J'étais un adorateur de la Beauté, et la Beauté était pour moi l'agrément des choses»(31). Dans le texte, chaque fois que ce sera nécessaire, j'indiquerai les ressemblances et les dissemblances qu'il y a entre les deux hommes.

LA BIBLE

En visitant la bibliothèque privée de Gibran, qui se trouve au musée de Bcharré, j'ai remarqué plusieurs éditions de la Bible, et en diverses langues, parmi ses autres lectures. Ceci indique que, contrairement à l'*Antéchrist* de Nietzsche, Gibran croyait sincèrement aux enseignements de l'Écriture Sainte. Et, en effet, sa philosophie de l'amour résume dans tous leurs détails les sermons du Christ pendant l'agape. En vérité, je crois comprendre que l'interprétation de la vie par Gibran est sa manière personnelle de paraphraser le Livre Saint dans un langage simple et hautement émotionnel. À côté du discours parabolique qu'il emprunte à Jésus et à l'anthropomorphisme des métaphores de l'Écriture, je trouve intéressant de noter qu'il fait un ample usage des nombres bibliques 3,7,12 et 30 chaque fois qu'il désire communiquer une numéralogie messianique ou prophétique des événements. À propos de ces nombres, il tenta une explication : « 7 représente probablement cinq planètes que connaissaient les Anciens, plus le Soleil et la Lune. 12 était sacré à cause des mois de l'année, 4 pour les quatre saisons et les quatres points cardinaux. Quant à 3, nous ne pouvons jamais nous en écarter. »(32)

LE BOUDDHISME

Dans le *Poète de Baalbek*, *Les Nymphes de la Vallée* et « L'Adieu » du *Prophète*, de même que dans beaucoup d'autres passages, Gibran parle de la réincarnation de l'âme et du Nirvâna. Il ne fait aucun doute qu'il se soit familiarisé avec la doctrine de la réincarnation en lisant ses prédécesseurs, les philosophes du Moyen Âge,

Avicenne, Al-Farid et Al-Ghazali, sur qui il a écrit plusieurs articles. (33)

Un bref exposé de ce qu'est la réincarnation dans le Bouddhisme nous fera mieux comprendre l'esprit de Gibran.

Le terme utilisé dans le Bouddhisme pour la transmigration ou la réincarnation est *samsara*, c'est-à-dire se «déplacer continuellement» ou «renaître encore et toujours». Le terme se rapporte à la notion de vivre une vie après l'autre. L'infinité et l'inévitabilité du *samsara* sont décrites dans le *Sammyutta-Nikaya II* (Une partie des Écritures bouddhistes).

L'idée de la réincarnation dans le Bouddhisme trouve sa signification la plus essentielle dans la vérité bouddhiste du *dukkha*, ou souffrance contenue dans chaque existence. Mais pour comprendre la souffrance, il ne suffit pas de considérer le temps d'une seule vie dans laquelle le *dukkha* peut être ou ne pas être immédiatement évident. Il faut avoir en vue toute la chaîne infinie des réincarnations et la somme de malheur contenue dans tout ce processus apparemment sans fin.

Une des grandes affirmations du Bouddhisme est que la conscience humaine ne peut pas se transformer en une seule période de vie. La première conviction du Gautama est celle qui fut connue comme la première des Quatre Vérités Sacrées, à savoir : «Ceci, oh, moines, est la noble vérité de la douleur. La naissance est pénible, la vieillesse est pénible, la maladie est pénible, la mort est pénible, le chagrin, les lamentations, la dépression et le désespoir sont pénibles. Le contact avec des choses désagréables est pénible, et ne pas obtenir ce que l'on désire est pénible». La souffrance, ou *dukkha* signifie plus que la simple douleur physique. C'est la douleur du cœur et de l'esprit. Les désaccords, les aversions, la désaffection

sont à la base même de l'existence humaine. Bouddha a
proclamé que pour apprécier convenablement la vérité
du *dukkha* contenu dans chaque existence, il faut garder
à l'esprit toute cette terrible chaîne de réincarnation.

Mais le *samsara* ne concerne pas seulement les stades
successifs de la réincarnation sous formes humaines.
Toute la gamme des êtres sensibles s'y trouve comprise,
du plus petit insecte au plus noble des hommes. Et cette
gamme forme un continuum ininterrompu.

La bonne parole du Bouddhisme, cependant, c'est
que ce continuum peut être brisé et qu'il l'a été. Au
stade de l'existence humaine, le *samsara* peut être
dépassé, et on peut atteindre le Nirvâna (ou le Nibbana,
selon le mot Pali) Le Nirvâna était la paix finale, l'état
éternel de l'être. Mais l'esprit de Bouddha ne se préoc-
cupait pas de décrire à ses fidèles l'état dans lequel toute
identification du moi fini de l'homme est effacée alors
que seule l'expérience demeure et qu'elle est amplifiée
au-delà de toute imagination. Un moine errant lui ayant
demandé s'il était possible d'illustrer par une comparaison l'endroit appelé Nirvâna, le Bouddha répondit :

Si un feu s'allumait devant toi, saurais-tu qu'il en
   est ainsi ?
Oui, bon Gautama.
Et si on l'éteignait, le saurais-tu ?
Oui, bon Gautama.
Et au moment où on l'éteint, saurais-tu dans quelle
   direction ce feu est parti d'ici — vers l'est,
   l'ouest, le nord, le sud ?
Cette question n'a pas de sens, bon Gautama.

Le Bouddha conclut alors la discussion en démon-
trant que la question de l'ascète sur l'existence après la

mort n'avait pas été davantage correctement posée.
« Les sentiments, les perceptions, ces impulsions, cette
conscience » par lesquels se définit l'être humain se sont
détachés de celui qui a atteint le Nirvâna. « Il est profond, incommensurable, insondable comme le grand
océan » (*Sammyutta-Nikaya*). (34)

Je reviendrai plus tard sur cette question.

WILLIAM BLAKE

Parmi les auteurs anglo-saxons, Blake (1757-1827) a
joué un rôle particulier dans la vie de Gibran. Gibran
était spécialement d'accord sur la *vision apocalyptique*
du monde que Blake développait dans sa poésie et dans
son art. Et Gibran suivit également la même voie que
Blake en devenant un « poète de la Bible ». Blake,
qui avait été profondément touché par la vie et par les
enseignements de Jésus croyait que nous pouvions per-
cevoir la manifestation directe de la Divine Présence
dans ce monde si nous ôtions les écailles de nos yeux.
Selon sa théorie, le Divin est incarné en toutes choses. Et
le monde matériel que nous percevons avec nos sens correspond au monde spirituel. Cette correspondance n'est
pas une copie platonique, comme l'ombre pour la lumière, mais elle est réelle pour Blake, et elle le devint
aussi pour Gibran. La raison pour laquelle cette vision
ou cette illumination nous empêche de voir l'unité entre
le matériel et le spirituel est que, selon Blake — et plus
tard selon Gibran — la vision de la civilisation
moderne est encroûtante. Pour parler symboliquement,
nous sommes emprisonnés dans la vieille Jérusalem et
nous n'arrivons pas à voir la nouvelle. (35) L'homme du
monde crée des polarités, des différences de classe

sociale, des disparités morales, et il parle avec une logique à double langage. Blake souligne ce point dans ses
deux poèmes métaphysiques bien connus « Le petit
garçon noir », et « Le tigre ». (36) Mais pour le visionnaire, les polarités se rassemblent dans l'unité de Dieu
qui habite la matière la plus infime comme les intelli-
gences supérieures. Pour Blake et pour Gibran, Jésus est
un exemple vivant qui a réalisé la lumière chrétienne en
perfectionnant sa nature humaine et divine par l'auto-
discipline et le combat intérieur. Mais le poète aussi —
selon Blake et Gibran — est un homme qui a une vision
apocalyptique du monde, qui cherche la correspondance
entre la transcendance et l'immanence de Dieu et qui a
la mission messianique de ramener le peuple à la Vérité.

Il n'est pas surprenant que Gibran ait parlé de Blake
en bien. « Blake est le Dieu-homme », écrivit-il. « Ses
dessins sont de loin ce qui s'est fait de plus profond en
Angleterre et sa vision, sans parler de ses poèmes, est la
plus divine. » (37) D'autre part, je trouve parfaitement
vrai ce que miss Haskell écrivait à Gibran le 25 janvier
1908 : « Blake est puissant. La voix de Dieu et le doigt
de Dieu sont présents dans ce qu'il fait... Il se sent vraiment plus proche de vous, Khalil, que de tout le
reste. » (38) Auguste Rodin lui-même devait constater
cette similitude dans la pensée et dans la peinture. C'est
pourquoi il appelait Gibran « Le Blake du XXème
siècle ».

Enfin, qu'on me permette d'ajouter que Nietzsche, la
Bible, le Bouddhisme et Blake ne furent pas les seules influences étrangères sur Gibran. Je crois que Rousseau,
Hugo, Lamartine, Voltaire, Bergson, Freud et bien
d'autres ont fourni à Gibran quelques aperçus. Comme
l'objet de ma recherche est de mettre en lumière la signification du Gibranisme et sa place dans l'Histoire, je

comparerai, quand ce sera nécessaire, les idées de notre auteur et de ceux qui ont influencé l'orientation de sa pensée. Mais il est cependant important de se souvenir qu'une influence est toujours partielle et temporaire. Le Gibranisme est une *Weltanschauung* (Vision du monde) en lui-même.

LA PHILOSOPHIE ESTHÉTIQUE
DE GIBRAN

Comme poète et comme artiste, Gibran a psychologiquement expérimenté la métaphysique de l'esthétique et, comme William Blake, il a réussi à créer un art orienté vers la découverte de la signification de l'esthétique dans l'organisation vitale de l'individu. Les deux sections qui vont suivre, « L'Essence de la Poésie » et « L'Essence de l'Art » traiteront du concept du « beau » dans la philosophie de Gibran.

L'Essence de la Poésie

LA VÉRITÉ, OBJECTIF DE LA POÉSIE

Dans l'histoire des Hautes Études, la poésie est devenue une partie des « arts libéraux » et spécialement de la philosophie rationnelle depuis qu'Aristote l'a incluse dans la logique. La poésie n'est pas un vain travail d'imagination, mais un art intellectuel. Et tout en étant la forme la plus faible de l'argumentation, la poésie tend, par essence, à découvrir la vérité et à y conduire le lecteur. Comme le dit Heidegger, la pensée poétique est « le fondement de la vérité » (*Stiftung der Wahrheit*). (1) Tel est aussi l'objectif du poète Gibran. Dans les écrits de notre auteur, le poète apparaît comme un être conscient qui sait qu'il a une mission à accomplir auprès de ses semblables. Son devoir est d'enseigner « la vérité » qui est « la volonté et le dessein de Dieu dans l'Homme » (2).

De quelle manière la poésie exprime-t-elle la vérité ? Selon la définition traditionnelle donnée par Aristote, le poète présente la vérité en termes d'images, de métaphores et de comparaisons, car les hommes ont un goût naturel pour les images. (3) En tant qu'écrivain, Gibran, lui aussi, utilise le moyen de la représentation, des imitations et des paraboles d'une manière tellement agréable qu'il nous entraîne à approuver ses jugements philosophiques. Cependant, les images qu'il emploie ne sont pas des entités vides. Je dirais même plutôt que Gibran décrit poétiquement les événements *historiques* de la réalité de manière à inciter le lecteur à passer aux actes. Comme tel, quoique le style de Gibran appartienne au mouvement romantique, le contenu de ces récits nous rappelle les réalistes. Comme Kafka, Sartre, Camus... Les héros de Gibran vivent dans des situations concrètes et à une certaine époque du XXe siècle. Ils sont engagés et soumis aux idéologies politiques, religieuses et sociales du monde contemporain. Il est important de s'en souvenir car ceci prouve que, d'après Gibran, la littérature cesse d'être une simple fiction destinée à embellir romantiquement les situations de l'existence. La différence entre le romantisme et le réalisme réside dans leur différence d'approche du monde existentiel de l'homme. Le premier utilise un style, une forme et un contenu lourdement imbus de l'obsession de soi-même. Le poète romantique se contente de décrire ses propres conflits intérieurs, purement égoïstes, et ses souffrances, et il ne tient pratiquement pas compte de ce qui se passe autour de lui. Par contre, le réaliste ne parle pratiquement jamais de la vie à la première personne. Sa littérature est une description impartiale de l'existence subie par des individus concrets, dans un certain nombre de voies idiosyncratiques. Une telle approche rend la littérature *engagée* (comme dirait Sartre) en aidant l'humanité dans sa condition présente.

La poésie de Gibran concorde aussi avec le second principe édicté par Aristote, c'est-à-dire que la poésie doit présenter comme bonnes les bonnes actions de l'homme et comme mauvaises les mauvaises. Aristote écrit :

> Les objets que représente l'imitateur sont des actions, avec des agents qui sont nécessairement des hommes bons ou des hommes mauvais — toutes les diversités du caractère humain dérivant presque toujours de cette distinction primaire, étant donné que la frontière entre la vertu et le vice divise l'humanité entière. (4)

Gibran également, dans sa tentative de représenter les actions humaines présente un jugement qui repose sur leur moralité. Ces jugements sont universels dans leurs applications, même si le récit se limite à l'action d'un seul individu qui vit un ensemble de situations. Par exemple, Gibran nous amène à accepter le jugement universel, selon lequel les mariages imposés par la force ou par la tradition conduisent à la décadence de l'amour vrai, en nous donnant un exemple particulier dans la personne et les actes de Rose Hanne dans *Âmes en révolte*. Cependant, il faut considérer que Gibran ne « moralise » pas la poésie en ce sens qu'il donnerait la prééminence à la moralité sur l'art, mais que, comme poète, il observe fidèlement les actions humaines de manière à pouvoir qualifier certaines d'entre elles de bonnes et d'autres de mauvaises. Il appartient au philosophe de profession, et à lui seulement, de formuler et de promulguer un comportement moral et d'envisager la valeur morale d'une conduite. Tandis que *la morale du poète est le vérité*. Gibran dit un jour : « Je suivrai la voie qui m'est tracée jusqu'où me conduira ma destinée et ma mission en faveur de la vérité. » (5) Cependant, la vérité du poète est moins une question d'opinion qu'une constante recherche de l'apodictique. La téléologie du poème est de décrire phénoménologiquement la signification de la réalité vraie dans la manière dont elle se manifeste elle-même. C'est pourquoi Gibran écrit : « La poésie n'est pas une opinion qu'on exprime. C'est un chant qui monte d'une blessure saignante ou d'une bouche souriante. » (6)

L'INSPIRATION
MODE DE PENSÉE POÉTIQUE

La vérité communiquée par la poésie est-elle une matière de syllogisme logique ? En d'autres mots, faut-il réduire la poésie aux jeux et aux règles de la logique ? Fondamentalement, Gibran considère que la poésie est l'œuvre des « sentiments de pensée » spontanés. Comme les existentialistes, il ne donne pas la priorité à la pensée abstraite. « La poésie est une flamme dans le cœur, mais

la rhétorique n'est que flocons de neige. Comment la
flamme et la neige peuvent-ils s'unir ? » (7)
Et aussi :

> « Les poètes sont de deux sortes : un intellectuel qui
> a une personnalité acquise, et un inspiré qui était
> déjà un «moi» avant que ne commence son
> entraînement humain. Mais la différence entre l'in-
> telligence et l'inspiration en poésie est comme la
> différence entre des ongles acérés qui déchirent la
> peau et des lèvres éthérées qui embrassent et soi-
> gnent les blessures du corps.» (8)

Gibran fait une nette distinction entre la « pensée abstraite» et l'inspiration parce qu'il considère personnellement que la pensée abstraite ne peut comprendre le
Gestalt (la forme) de la réalité. Pour citer Henri
Bergson, qui a établi une discrimination semblable entre
les deux processus de pensée, je dirais que le «*Ici et
maintenant*» tombe en dehors du domaine de l'abstraction mais se trouve à portée de l'intuition qui est une
manière sympathique de converser avec la réalité dans
sa personnalité. Après tout, l'abstraction, tant étymolo-
giquement qu'opérationnellement, comprend des
morceaux de la réalité. C'est un foyer de l'esprit qui se
fixe sur un aspect, omettant les autres parts correspondantes qui forment l'unité d'une existence concrète.
Alors que les disciplines abstraites comme les sciences
procèdent en disséquant un tout en ses diverses parties,
(par exemple «L'eau est composée d'oxygène et
d'hydrogène») «la poésie est la compréhension de
l'ensemble». (9)
Donc, la pensée qu'exerce la poésie est l'*inspiration*.
C'est un type de connaissance autre que le travail de la
raison. L'inspiration est la pensée du cœur. Pour

Gibran, comme pour Pascal, le cœur a une manière de réfléchir à propos du monde qui est une forme très différente de la raison. Pascal écrit : « Le cœur a ses raisons que la raison ignore ». (10)

Les émotions englobent l'entièreté de la personne, esprit et corps, et rendent l'individu conscient de la relation intersubjective que l'on ressent à un moment donné. Si par sa nature métaphysique l'homme était asocial, il n'y aurait pas d'émotions. Ressentir un sentiment signifie éprouver un sursaut psychique en présence de quelqu'un ou de quelque chose. Même dans le cas de la solitude, la relation « *un envers plusieurs* » est réalisée. Car les idées sont des atomes animés par les émotions. Ces dernières sont celles qui rendent les idées puissantes et qui les dotent de l'énergie nécessaire à l'action. Tout ceci revient à dire que le processus de réflexion de la poésie est une pensée qui « sent » avec le cœur la Beauté, l'Amour, le Chagrin et la Vérité contenues dans l'existence. Le Gibranisme peut être désigné comme irrationnel, une étiquette que l'on accole aujourd'hui aux existentialistes. Cependant « irrationalisme » n'est pas synonyme d'« anti-raison ». Cette notion suggère simplement qu'on ne dissocie pas la raison du sentiment. En gros, l'irrationalisme est plutôt l'adversaire du rationalisme, ce fameux mouvement philosophique commencé par Descartes qui soulignait la séparation entre le sujet et l'objet et qui détachait l'homme de son monde, ce monde dans lequel l'individu vit et dont il dépend physiquement et psychologiquement. En vérité, le Gibranisme et l'irrationalisme existentiel mélangent la raison et le sentiment dans l'homme. Voyez comment Gibran unit les deux :

La poésie est la sagesse qui enchante le cœur.
La Sagesse est la poésie qui chante dans l'esprit ;

...enchante le cœur de l'homme et, en même temps,
Chante dans son esprit... (11)

Une des manières de distinguer entre la pensée poétique, *la logique du cœur* et la pensée scientifique abstraite, *la logique de la raison*, consiste à voir que la dernière se sert d'«explications» et de «preuves» pour
transmettre la vérité à son public. Tandis que la vérité de
l'inspiration se trouve au-delà des preuves. Lorsque
Gibran écrit : «L'inspiration chantera toujours, l'inspiration n'expliquera jamais» (12), il a à l'esprit ses propres adages qui disent : «La vérité qui a besoin d'être
prouvée n'est qu'une demi-vérité» (13), et aussi : «La
Vérité est la fille de l'inspiration, l'analyse et la discussion éloignent le peuple de la Vérité.» (14)

Si nous réfléchissons sérieusement à l'explication de
ces mots, nous voyons à quel point ils sont sensés. La
vérité de la pensée poétique est métaphysique, en opposition à épistémologique, en ce qu'elle dépeint l'existence *qua* et *non qua* dans l'esprit. Les philosophes du
Moyen Âge avaient coutume de dire, *ens verumque con-
vertuntur*. L'existence et la vérité sont liées. Donc, la
poésie, qui est une fidèle représentation de la vérité elle-
même, n'a pas besoin de prouver la vérité de la réalité,
car ce qui existe «est» ce qu'il est. Nous ne démontrons
pas l'existence, car rien n'est antérieur à l'existence. Et
pourtant, au lieu d'aspirer à devenir rigoureuse et
métempirique, la poésie vit par le cœur, les sens et la
mélodie. La pensée poétique comprend mieux la vie que
la pensée abstraite. Dans sa parabole, *Le savant et le
poète*, (15) Gibran met l'accent sur la supériorité de la
connaissance du poète et souligne le fait que l'inspiration est à la fois une pensée et un sentiment à propos
de l'«être». Selon les termes d'Heidegger la pensée

poétique et la philosophie transcendent la pensée scientifique parce que les premières sont capables de représenter toute la signification d'une existence individuelle
donnée. « La poésie... dispose d'un tel espace dans le
monde que chaque chose — un arbre, une montagne,
une maison, le cri d'un oiseau — perd toute indifférence
et toute banalité. » (16) Par ces mots, Heidegger qui, en
passant, a une philosophie de la littérature très semblable à celle de Gibran, souligne la discrimination entre la
connaissance scientifique et la connaissance poétique ou
philosophique, en ce sens que seules la poésie et la
philosophie rencontrent chaque réalité en son entier
alors que les sciences empiriques tendent, par leurs
méthodes, à découvrir l'universel, l'éternel et l'immuable. Comme nous le savons, chaque science spécifique approche la réalité sous un angle donné et, après
des expériences répétées, énonce des lois qui s'appliquent inconditionnellement à chaque membre d'un
groupe donné. Selon l'opinion de Gibran et d'Heidegger
une telle attitude fait perdre à la réalité individuelle les
traits uniques qui la séparent du reste de la masse. Et
loin de découvrir la « signification » de la réalité, la
science la fait plutôt éclater. Prenons, par exemple, le
sourire. Dans la terminologie scientifique, un sourire
signifie la contraction des muscles de la mâchoire, point
à la ligne. Mais pour la pensée poétique et philosophique, un sourire est plus qu'une activité physiologique. Il
exprime la *joie*, le *bonheur* ou peut-être l'*ironie*, selon la
signification que veut lui donner l'individu qui sourit.

En bref, l'inspiration de la poésie est quelque chose de
divin et, dans son essence, naturaliste, car elle est accessible à quiconque mène une vie de Vérité, de Beauté et
d'Amour.

LA FONCTION DU POÈTE

Qui est le poète ? Quel est son rôle dans la société moderne ? Pour répondre à ces questions, nous devons d'abord distinguer entre le poète authentique et celui qui ne l'est pas. Le dernier est typiquement motivé par l'ambition. Ses vers manquent de vérité et d'enseignement moral pour le peuple. Ses poèmes sont «pleins de bruits et de sons creux». (17) La sincérité est broyée par l'esprit de lucre. À cet égard, Gibran se plaint de la poésie moderne parce qu'elle est devenue «le chien-chien des riches», un moyen d'acquérir «des biens terrestres», «un produit de consommation»(18) et un «simple arrangement de mots.»(19) Lorsque Jean-Paul Sartre écrit dans «Qu'est-ce que la littérature ?» : «La poésie est le perdant... Le poète est l'homme qui se condamne à perdre,»(20) il a en vue la poésie contemporaine. Et comme Gibran, il attribue la responsabilité de cette situation au poète qui est devenu complètement matérialiste.

Le poète authentique, par contre, sent qu'il est chargé d'une mission messianique auprès de ses frères. Il est, selon l'opinion de Gibran, un prophète envoyé pour «éclairer»(21) le peuple sur la volonté de Dieu, l'Amour, la Vérité et la Beauté. Le poète n'existe pas pour lui mais pour les autres. Dans *Une voix de poète*, Gibran écrit :

Le ciel remplit ma lampe d'huile, et je la place à ma fenêtre pour guider l'Étranger dans l'obscurité. J'accomplis toutes ces choses parce que je vis en elles. Et si le destin me liait les mains et m'empêchait de les faire, la mort deviendrait mon seul désir. Car je suis un poète, et si je ne peux donner, je refuserai de recevoir. (22)

Il est intéressant de savoir que Jean-Paul Sartre aussi considère que la fonction de l'écrivain est d'être la voix du peuple. Notez la ressemblance entre cette citation de Sartre et celle de Gibran notée plus haut :

> Il n'est pas vrai qu'on écrit pour soi-même. Ce serait la pire frustration... L'opération d'écrire implique celle de lire comme son corrélatif dialectique, et ces deux actes conjoints nécessitant deux agents distincts.
> Il n'existe d'art que par et pour les autres. (23)

Pour Gibran, la mission messianique du poète ne s'arrête pas aux frontières nationales de son pays d'origine, mais elle s'étend à toute l'humanité. « L'Univers est mon pays, et la famille est ma tribu. »(24)

Si le poète de métier s'identifie à toute l'humanité, sans tenir compte de la couleur de la peau, des idéologies politiques et des frontières ethniques, c'est parce que, comme dirait William Blake, il joue le même rôle que le prêtre, c'est-à-dire qu'il est l'intermédiaire entre les Dieux et le peuple. Heidegger appelle cela « Ce qui est entre » (*Zwischen*) et le poète montre qu'il s'agit d'une ouverture (*offene*) entre le divin et l'humain. (25) De plus, le poète est le berger du langage autant que l'être de vérité. (26) On retrouve des idées semblables dans les écrits de Gibran.

> Les moyens de faire revivre une langue se trouvent dans le cœur du poète, sur ses lèvres, et entre la puissance créatrice et le peuple. Il est le fil qui transmet au monde de la recherche les nouvelles du monde de l'esprit. Le poète est le père et la mère de la langue qui le suit où il va. Lorsqu'il meurt, elle demeure prostrée sur son tombeau, en sanglotant et

perdue, jusqu'à ce qu'un autre poète vienne la relever. (27)

Il est clair, d'après ce passage, que la versification est ce qui rend le langage possible. Chaque poète est en étroite relation avec la langue d'un peuple historique. Et tant que l'Histoire continue, les poètes sont présents pour guider leurs auditeurs. En conséquence, Gibran voit dans le poète le gardien du langage. « Le poète est le père et la mère de la langue ». Et il emploie trois moyens pour en dévoiler l'essence : 1) par les « sentiments », car il est le seul à avoir des sentiments nobles. 2) Par le discours. Et 3) par l'activité de l'écriture. « Les moyens de faire revivre une langue sont dans le cœur du poète, sur ses lèvres et entre ses doigts. » Si Gibran assigne au poète la responsabilité de veiller sur la langue, c'est qu'il voit, comme le dirait Heidegger, que la langue est la demeure de l'Être (*Sprache ist das Haus des Seins*). Ce n'est qu'à travers la langue que le poète gibranien peut communiquer ce que disent les dieux.

Il est important de donner un peu plus de détails sur la relation entre le « langage » et l'« être ». Aujourd'hui, les gens ont presque perdu contact avec la signification des mots de la langue. Nous l'apprenons et nous la pratiquons inconsciemment, en faisant nôtre, d'une certaine manière, l'erreur commise par le philosophe du Moyen Âge Abélard qui a dit que le langage n'était que « *flatus vocis* », c'est-à-dire des sons creux. Et cependant, si l'on en croit Gibran, la langue révèle la réalité. Elle détermine explicitement « ce qui est », peu importe qu'il s'agisse d'un être « réel », « fictif » ou « rationnel ». Si nous devions nous en remettre exclusivement aux perceptions de nos sens pour en déduire épistomologiquement la nature de l'« être » *(Sein)*, alors notre connaissance du réel serait extrêmement limitée, parce que

nos sens n'ont qu'une portée étroite. Par exemple, nous
ne pouvons distinguer à l'œil nu ce qui se trouve à cinq
kilomètres de nous, et nous ne pouvons entendre au-
delà d'une certaine distance. Pourtant, c'est un fait que
nous déclarons connaître, disons, par exemple, la
« réalité » de l'Amérique du Sud, même si nous n'avons
jamais dépassé les limites de notre paroisse. Comment
est-ce possible ? Ici, c'est ou le langage parlé ou le langage écrit que nous a révélé la « réalité » de l'Amérique
du Sud. Parlé, si nous avons entendu des amis nous
raconter leurs voyages dans ces régions ; écrit, si nous
avons lu des récits géographiques à leur sujet. De toute
façon, c'est toujours le langage qui nous révèle qu'il
existe une Amérique du Sud. Il est également vrai, au
surplus, que le « langage » plus que la « pensée » est le
garant de l'« être ». D'accord avec Gibran, nous ne
nions pas la priorité temporelle de la pensée, car nous
pensons avant de parler. Mais ce n'est pas la question.
Si nous avions été incapables d'exprimer nos pensées
par le verbe ou par l'expression, il s'en serait suivi que
les « réalités » connues par la pensée seraient demeurées
emprisonnées dans ses bagages comme une souche, inef-
ficace et solipse. Chacun d'entre nous aurait été enfermé
en lui-même avec son minuscule bagage de connaissances de l'« être ». Mais, heureusement, le langage
assure brillamment un moyen de « communication » en
brisant la barrière de l'isolation entre les humains. Une
des principales différences entre le royaume animal et la
sphère humaine est que cette dernière a inventé le « langage » qui, à son tour, a provoqué la formation de la
société, l'avènement du progrès scientifique et le bien-
être de l'humanité. Une fois de plus, disons avec Gibran
que, grâce au langage, les « êtres » dans les pensées de
nombreux mortels humains peuvent se transmettre dans
le monde extramental où chaque individu rencontre

l'occasion d'en découvrir un peu plus sur les facettes de l'«être» que d'autres avaient saisi. Le langage est un *dialogue*. C'est ainsi que la réalité du passé est thésaurisée et qu'on peut la connaître. Si nous avons compris maintenant que «la langue est la demeure de l'être», nous verrons aussi, avec évidence, que le poète, comme l'affirme Gibran, est *par excellence* le gardien de la langue. La poésie est le langage écrit ou parlé de l'«être» et du *Zeitgeist* (L'Esprit du Temps) dont le poète fait partie.

De qui le poète tient-il son autorité pour conduire le peuple et protéger le langage ? Il est «envoyé par la Déesse», (28) réplique notre auteur. Et son devoir est de «prêcher l'Évangile de la Divinité». (29) Le thème principal et unique de l'évangile *de Dieu est «l'Amour»* (30) avec sa double expression de «Vérité» et de «Beauté». Ici, je dois ajouter que l'appréciation du poète par Gibran est différente de celle de Nietzsche. D'un côté, Nietzsche traite le poète de menteur. De l'autre, il ne croit pas que les poètes reçoivent leur inspiration des dieux. Nietzsche ridiculise plutôt ceux-ci. «...Tous les dieux sont... des prévarications de poète.» (31) Alors que Nietzsche adopte un point de vue athée, Gibran ne craint pas, à la manière de William Blake, d'appeler le poète «un ange» (32) et «le saint» (33). Le poète est humain comme ses frères mortels, mais il a cependant une vocation divine. Selon les termes de Victor Hugo, que notre auteur vénérait passionnément, le poète est le messager du Ciel parmi les hommes. Et contrairement à l'erreur logique de Kierkegaard, tous les poètes ne sont pas poussés à décrire la Beauté d'une façon épicurienne et sensuelle. Le poète authentique veille à ce que l'évangile de Dieu soit transmis de façon adéquate à Son peuple. Par voie de philosophie comparative, je rappelle au lecteur que la philosophie de la poésie, chez Gibran, correspond au troisième stade de la vie, appelé la Foi, dont parlait le philosophe danois Soren Kierkegaard, et non au stade esthétique. L'argumentation de Kierkegaard consistait à dire qu'il existe trois manières de mener sa vie. L'une est esthétique : c'est la vie de l'expérience sensible, personnifiée par Don Juan. L'autre est le stade éthique, dans lequel l'individu conforme son existence à certains principes généraux de moralité. Socrate en est le héros. Enfin, le troisième stade est appelé «Foi» par Kierkegaard. L'individu est totalement relié à Dieu. Abraham en est le type. Il est intéressant de noter la ressemblance de pensée entre Gibran et Kierkegaard, le fondateur de l'existentialisme. Dans la section suivante, on soulignera une fois de plus le concept de Dieu par référence à la Beauté et au rôle de l'artiste. Comme Kierkegaard, Gibran était profondément religieux.

LE DESTIN DU POÈTE DANS LA SOCIÉTÉ

On pourrait croire que les poètes sont appréciés par leur peuple à cause du message divin qu'ils apportent, mais pourtant, déclare Gibran, ce n'est pas le cas. L'incrédulité et l'ignorance persistante du peuple ont fait des poètes des figures solitaires. Dans *Les Ailes Brisées* nous lisons : «Les poètes sont des êtres malheureux parce que, si haut que monte leur esprit, ils restent toujours emprisonnés dans une enveloppe de larmes.» (34) Le poète répand ses larmes parce que les gens ferment leur cœur et leur esprit aux enseignements de l'évangile de Dieu. En conséquence, le poète est un parfait étranger dans ce monde, parmi son peuple et envers lui-même. Son âme aspire à quitter son corps et à rejoindre la vie future car «il n'est personne dans l'Univers qui comprenne le langage» (35) des anges qui est celui qu'il parle. « *La mort du Poète est sa Vie* » démontre que la mort est la délivrance du poète de son asservissement à la société humaine. Sur terre, le poète est comme mort car aucun des membres de la foule ne lui permet d'accomplir son devoir sacré, c'est-à-dire de prêcher la vérité. Ce qui tue le poète, le précurseur de l'humanité, c'est « l'ignorance de l'homme ». (36) Et c'est cela qui a affligé presque tous les prophètes. Leur corps s'est éteint à cause des frustrations psychologiques infligées par leur entourage.

Gibran, dit-on, croyait que les poètes ne pouvaient commettre le péché qu'en reniant leur propre nature (37) qui est d'essence divine. Et en fait, aucun des héros de Gibran n'a commis un tel péché. Aucun n'a voulu compromettre l'enseignement divin qui lui était imparti pour se soumettre aux plaisirs du monde et aux lois sociales élaborées par l'homme, même si ce désaccord devait lui coûter la vie. (38) Et, par parenthèse, tous les poètes de Gibran semblent en désaccord avec les préceptes de leurs politiciens. Ils enfreignent les règles édictées par le gouvernement ou par les ministres du culte. Pour parler net, les poètes de Gibran sont des révolutionnaires. Dans le fond, dans la forme, dans le style et dans le contenu, la littérature de notre auteur est révoltée. Selon ses propres termes : « J'aime dans la littérature, la révolte... Et les trois choses que je hais en elle sont l'imitation, la déformation et le conformisme. » (39)

L'ESSENCE DE L'ART

L'ART DE GIBRAN

Gibran, l'artiste, et Gibran, le philosophe-poète, ne sont pas deux personnes différentes. Ce que Gibran communique dans ses poèmes métaphysiques, il arrive aussi à le représenter par son art. Dans ses œuvres d'art et dans ses écrits, c'est un mystique qui transmet un message évangélique particulier. Et comme il imite le style biblique dans sa prose, il imite l'allure biblique dans sa peinture. Selon Anni Salem Otto, Gibran utilise la méthode parabolique dans son art et dans sa peinture. Et il faut considérer que la parabole est une caractéristique des Saintes Écritures. Il importe de se souvenir que, pour Gibran comme pour William Blake, la Bible a toujours été une source d'inspiration prophétique, offrant un récit visionnaire de l'existence de l'homme entre la création et l'apocalypse.

Loin de n'être qu'une collection de dessins au crayon ou de papiers peints à l'aquarelle, l'art de Gibran contient un message. Par le fond, par le trait, par les formes, par les nuances et par les ombres, ses tableaux décrivent des situations humaines concrètes. Ils racontent une histoire et comportent une morale. Il est typique de constater que son art ne représente que des formes humaines. Jamais Gibran n'a peint une pomme, une prairie ou un coucher de soleil, mais seulement des gens. Même dans les rares cas où le symbole du dessin doit représenter un «rocher» ou «la terre», Gibran dessine des corps humains de telle manière qu'ils soient une représentation de l'objet matériel. (40) Et pourtant, d'autre part, notre auteur emprunte, dans ses poèmes en prose, d'amples métaphores de la nature pour représenter un sentiment ou une pensée humaine. Voici quelques expressions qu'il utilise : «L'arbre de mon cœur est lourd de ses fruits». «Mon cœur est submergé par le vin des âges», etc... (41) Son art et sa poésie confirment ce que j'ai dit précédemment de sa *Weltanschauung* anthropomorphique. En tant que mystique appartenant à une école différente de Platon ou des ascètes, il ne considère pas que la matière soit inférieure à l'impalpable spiritualité. La nature a des formes humaines et, vice-versa, l'homme prend les formes de la nature. *Le Jardin du Prophète* est plein de ces visions anthropomorphiques de la réalité.

> Toi et la pierre ne fîtes qu'un. La seule différence est dans les battements de cœur. Ton cœur bat un peu plus vite, n'est-ce pas, mon ami ? Oh, oui, mais il n'est pas tellement tranquille. (42)

À ce stade, nous devrions nous souvenir que William Blake défendait une philosophie de l'art et une philosophie de la poésie assez semblables. Northrop Frye, dans sa longue introduction à Blake, insiste à de nombreuses reprises sur le fait que son « art est la tentative d'un esprit humain entraîné et discipliné pour présenter cette vue de la réalité concrète, simple et outrageusement anthropomorphique. » (43) Quant aux vrais mobiles qui expliquent l'art anthropomorphique de Gibran, il faut les chercher dans son écologie cosmologique et dans son respect de l'environnement, à peu près comme ce qui se passe de nos jours. Son amour pour la nature et sa conviction que la nature et l'homme sont tous deux des créations de Dieu, expliquent pourquoi il a esquissé dans son art et dépeint dans ses poèmes la coexistence de l'homme et de la nature. Les écologistes et les défenseurs de l'environnement pourront considérer que *La Nature et l'Homme* est un essai de grande importance. En voici quelques extraits.

> L'une des fleurs releva sa douce tête et murmura : « Nous pleurons parce que l'Homme va venir nous cueillir pour nous offrir en vente sur les marchés de la ville »...

Et j'ai entendu le ruisseau se lamenter comme une veuve qui pleure son enfant mort, et je lui ai demandé : « Pourquoi pleures-tu, mon pur ruisseau ? »

Et le ruisseau répondit : « Parce que je suis obligé d'aller à la ville où l'Homme me méprise, me dédaigne pour des boissons plus fortes, fait de moi un égout pour ses détritus et transforme ma pureté en crasse. »

Et j'ai entendu les oiseaux gémir, et j'ai demandé : « Pourquoi pleurez-vous, mes beaux oiseaux ? » Et l'un deux vola jusqu'auprès de moi, se percha au sommet d'une branche et dit : « Les fils d'Adam viendront bientôt dans ce champ avec leurs armes mortelles et ils vont nous faire la guerre comme si nous étions leurs pires ennemis... »

...« Pourquoi l'Homme doit-il détruire ce que la Nature a construit ? » (44)

À côté des portraits de nombreux personnages éminents, Gibran a peint tout un tas de nus. Il n'a jamais dessiné un corps vêtu. Lorsque miss Haskell lui demanda pourquoi, il répondit :

Parce que la vie est nue. Un corps nu est le symbole de la vie le plus vrai et le plus beau. Si je dessine une montagne comme un tas de formes humaines, ou si je peins une cascade sous formes de corps humains en chute, c'est parce que je vois dans la montagne un tas de choses vivantes et dans la cascade un courant de vie qui se précipite. (45)

Ce que l'existentialiste allemand Karl Jaspers a dit de l'art — « Les Beaux-Arts font que notre monde visible nous parle » — s'applique parfaitement à l'art de

Gibran. La mission de l'art authentique, selon notre auteur, n'est pas d'apporter des satisfactions à l'artiste, mais d'exprimer des ambitions culturelles, historiques et éducatives. D'abord, l'artiste « existe » et « vit » dans un contexte historique. Son art rapporte et projette le « climat de l'époque » dans laquelle il vit. Ensuite, le travail de l'artiste a pour but, professionnellement, d'influencer les pensées des spectateurs et il contribue ainsi, avec les politiciens et les hommes d'affaires, à façonner l'Histoire. Cela signifie que l'artiste influence les modes, les styles, et, dans une certaine mesure, le comportement d'un peuple. Par exemple, les films, les dessinateurs de mode, les compositeurs de musique, les peintres et les architectes ont une influence sur la conduite des gens. L'art est *créateur* de quelque chose de neuf qui n'a jamais existé. Gibran écrit :

> Si vous réfléchissez plus profondément au sujet, vous découvrirez que l'art reproduit et influence les coutumes, les styles, les traditions religieuses et sociales, en fait, tous les aspects de notre existence. (46)

Ailleurs, Gibran déclare explicitement que l'art ne peut être imitatif, sans quoi la créativité s'efface. Copier, c'est répéter ce qui existe déjà, mais la créativité signifie originalité.

> L'art apparaît lorsque la vision secrète de l'artiste et la manifestation de la nature s'accordent pour trouver de nouvelles formes. (47)

La vision secrète de l'artiste n'atteint pas les apparences phénoménales de l'enveloppe de la réalité, mais regarde le noumène de la nature. Pour chaque niveau de

phénotype existe un génotype ; à chaque surface correspond un fond ; derrière chaque manifestation phéno-
ménale existe une révélation nouménale. L'art pénètre
l'immanence de la nature de manière à dévoiler ce que
nous ne pouvons voir à l'œil nu. Cela s'appelle la *signification* de l'existence.

De plus, le but de l'art est d'amener le public à
découvrir Dieu, le Créateur. L'art reproduit la beauté de
l'humanité et la réalité pour révéler la présence du
Créateur de la Beauté, quoique, parfois, les intentions
de l'artiste puissent être différentes. Il faut du courage
et de la foi pour expérimenter à travers l'art l'existence
du métempirique. Gibran écrit :

L'Art est un pas de la nature vers l'Infini. (48)

Et aussi :

L'Art est un pas du Connu vers l'Inconnu. (49)

Enfin, lorsque Gibran publia *Vingt Esquisses* en
1919, miss Alice Raphaël écrivit une introduction dans
laquelle elle reconnaissait que l'art de Gibran constituait
une tentative d'unifier l'Orient et l'Occident. Il
s'engage, en effet, dans la lutte menée pour réconcilier
l'Ancien et le Nouveau, les modes anciennes et actuelles,
les traditions et les nouveautés. De même, selon l'opinion de miss Raphaël, le travail de notre artiste «doit
plus aux découvertes de da Vinci qu'à aucun de nos
révoltés modernes». (50) Cependant, ceci ne limite pas
le champ de ses recherches de thèmes nouveaux et de ses

réalisations. Si nous avions à le classer dans une école artistique, il serait sur la «ligne médiane entre l'Orient et l'Occident, entre les symbolistes et les idéationistes». (51) Bien sûr, en tant que symboliste, c'est un artiste intuitif qui suit son flair instinctif pour la vérité. Alors que son art est intéressé par l'existence du *moi* intérieur, il implique une leçon morale. Mais comme idéationiste, ou pré-raphaélite, il entre dans les plus petits détails de la situation dans laquelle l'être humain en question est imbriqué, avec un esprit de sincérité et une grande délicatesse de finition. Voici le long texte de miss Raphaël :

Les qualités de l'Orient et de l'Occident se mêlent en lui avec un singulier bonheur d'expression, de sorte que s'il est un symboliste dans le véritable sens du mot, il n'est pas lié à l'expression traditionnelle, comme ce serait le cas si son travail créatif se faisait à la manière de l'Orient. Quoiqu'il puisse raconter une histoire de façon aussi précise que n'importe quel pré-raphaélite, c'est sans aucune fanfare de circonstances historiques et aucun accompagnement d'accessoires symboliques. Dans son art, il n'existe pas de conflit pour savoir si l'émotion va balayer la pensée. L'une et l'autre sont établies sur des bases tellement égales que nous ne pouvons constater si l'une ou l'autre est dominante. Elles coexistent dans une parfaite harmonie et il en résulte une expression de pure beauté dans laquelle la pensée et le sentiment sont également mélangés. Dans cette vision de deux tendances opposées, l'art de Gibran dépasse les conflits d'école et se situe au-delà des conceptions figées de la tradition classique ou romantique. (52)

LES DIVERSES FACETTES DE LA BEAUTÉ

Dans tous les portraits de Gibran, aussi bien que dans ses écrits, la *Beauté* est la force stimulante et l'arbitre final de ses productions. Quel est l'apport esthétique et métaphysique du beau sur son esprit ? Gibran donne, de la Beauté, de nombreuses et diverses définitions. Il l'appelle « vérité », « un langage hors du temps », dit qu'elle « résoud le problème de l'existence humaine », qu'elle est « l'ouvrage visible, manifeste et parfait de Dieu » etc. Cependant, ces définitions de la Beauté s'écartent de toute définition étymologique ou nominale des manuels de logique. À parler franc, Gibran ne croit pas que l'essence de la Beauté puisse être saisie au moyen de la méthode logique de définition. Seul le processus de description phénoménologique peut dévoiler la signification de la Beauté. Dans les textes de Gibran, j'ai découvert diverses approches du problème en appliquant la méthode phénoménologique de Husserl. Trois principales conceptions méthodologiques au moins y sont élaborées. D'une part, Gibran parle de la Beauté en termes de psychologie ; de l'autre, il en entreprend l'analyse du point de vue de la théodicée ; enfin, il appréhende le sujet sous une perspective métaphysique.

Du point de vue psychologique, la Beauté est un objet de sensation, de sentiment et d'expérience. La Beauté parle au cœur et à l'esprit sans se servir du langage de la preuve ou de l'analyse.

Seuls nos esprits peuvent comprendre la beauté, ou vivre et croître avec elle. Elle embarrasse notre intellect : nous sommes incapables de la décrire avec des mots ; c'est une sensation que nos yeux ne peuvent voir... (53)

De plus, l'expérience esthétique dans la philosophie de l'art de Gibran n'est pas seulement un privilège d'artiste. Chaque mortel peut en jouir. « La Beauté est... un langage hors du temps, commun à toute l'humanité. » (54) Chacun de nous est, à un certain moment, un artiste à sa façon. Les artistes professionnels sont simplement ceux qui ont une plus longue expérience de la Beauté que le commun des mortels et qui sont capables d'en projeter les formes dans la peinture, dans la musique ou dans l'architecture.

En tant qu'expérience psychologique, la Beauté peut être le résultat de la joie, ou naître du chagrin. Les films heureux comme les films tristes nous émeuvent toujours profondément. C'est pourquoi, pour Gibran, la Beauté se trouve dans une combinaison de larmes et de sourires. « La Beauté est cette harmonie entre la joie et le chagrin qui commence dans notre Saint des Saints et se termine au-delà des limites de notre imagination. » (55)

Contrairement à Leibnitz, Gibran ne professe pas un optimisme exagéré. Il ne croit pas que notre monde soit le meilleur possible. Et contrairement à Schopenauer, il n'enseigne pas le pessimisme en prétendant que notre monde est le pire qui soit. La philosophie de Gibran est réaliste. Il sait que la vie est un mélange de bonheur et de souffrance. Mais ceux-ci ne sont pas contradictoires l'un envers l'autre, ils sont plutôt complémentaires. C'est pourquoi la Beauté, expression de la vie, est :

une magnifique combinaison de peine et de joie, c'est l'invisible que l'on voit, l'Imprécis que l'on comprend, et le Muet que l'on entend — c'est le Saint des Saints qui commence en soi-même et qui se termine bien au-delà des limites de l'imagination terrestre. (56)

D'une manière générale, Gibran convient, avec les philosophes de l'esthétique, que la valeur esthétique est *subjective*. Aussi la Beauté est-elle interprétée et définie de différentes manières selon chaque conception individuelle. Dans *Le Prophète*, Gibran attribue ces variations d'expérience aux intérêts pragmatiques que chaque individu possède dans l'existence. À ce stade, la Beauté devient un moteur émotionnel pour « les besoins insatisfaits ». (57) En d'autres mots, sur le plan psychologique, la valeur que l'on attribue à un objet, à un événement ou à une personne est une projection inconsciente du moi intérieur. « L'apparence des choses change en fonction des émotions et ainsi, nous voyons en elles de la magie et de la beauté alors que la magie et la beauté sont véritablement en nous. » (58) Cela signifie que la laideur est également une qualité subjective. Comme le dit un vieil adage, la Beauté et la laideur sont dans les yeux de celui qui regarde. « La Beauté n'est pas sur le visage. La Beauté est dans le cœur. » (59) Ce qui est communément appelé laid est un sentiment dans un cœur esclave des préjugés, de l'orgueil et de l'égoïsme.

Ce que vous appelez laideur, n'est-ce pas ce que vous n'avez jamais tenté d'atteindre ou dans le cœur de qui vous n'avez jamais désiré entrer ?

En vérité, si la laideur est quelque chose, ce sont les écailles sur nos yeux et la cire dans nos oreilles.
Il ne faut rien traiter de laid, mon ami, sinon la crainte d'une âme en face de ses propres souvenirs. (60)

Finalement, pour Gibran, l'expérience esthétique, outre qu'elle apporte un plaisir et une satisfaction immédiate en révélant certains aspects empiriques de la réalité, peut aussi, par essence, nous diriger dans les différentes voies qui nous permettent de rencontrer les exigences pratiques de l'existence. La Beauté est *thérapeutique*. Elle nous stimule ou elle nous calme. Elle change le rythme de nos battements de cœur, renouvelle notre esprit, nous excite et nous donne le courage de surmonter le vide existentiel qui s'empare de nous dans les moments de désespoir. Dans *Les Ailes Brisées*, Gibran nous raconte qu'après que son ami lui ait donné certaines informations sur les malheurs que Selma Karamy rencontrait dans sa vie, celui-ci «tourna la tête vers la fenêtre comme s'il allait tenter de résoudre les problèmes de l'existence humaine en se concentrant sur la beauté de l'Univers». (61)

D'un *point de vue métaphysique*, Gibran adopte, comme les philosophes scolastiques, la thèse selon laquelle la Beauté est un prédicament transcendental de l'être. «Lorsque vous touchez au cœur de la vie, vous trouvez la beauté en toutes choses, même dans les yeux qui sont aveugles à la Beauté.» (62) Ceci revient à dire que ce qu'on appelle «laid» n'est qu'une émotion psychologique subjective née de la présence d'une physiologie déformée ou due à quelques indispositions personnelles. Cependant l'existence *qua* est de la «beauté». En d'autres termes, la vraie Beauté n'est pas essentiellement ce que nous expérimentons par des perceptions sensorielles, car celles-ci peuvent être imparfaites et fournir ainsi de fausses informations sur la réalité, comme par exemple, la cécité, le daltonisme ou la surdité. Ce point est particulièrement important car la philosophie de Gibran se concentre plus sur la délimitation de la signification métaphysique de la Beauté que sur son effet psychologique. Dans la parabole intitulée «*Visage*», il écrit :

Je connais les visages car je regarde au travers du
tissu que tissent mes propres yeux en maintenant la
réalité sous moi. (63)

Dans un autre passage, il explique que la Beauté est
dans l'être, autant que l'être est dans la Beauté. Il distingue également entre la Beauté physique et la Beauté
ontologique, estimant que cette dernière est supérieure à
l'autre. Comme je l'ai déjà dit, si la Beauté est seulement définie en termes d'appréciations sensorielles,
elle laisse la place à de possibles erreurs, car les sens sont
arbitraires et très subjectifs. En vérité, plutôt que
d'élargir notre horizon de la connaissance, la Beauté
saisie par les sens peut nous rendre esclaves et, ultérieurement nous torturer. Par exemple, ceci est le malheur
dont souffrent ceux qui définissent l'amour en terme de
beauté physique. Selon les mots poétiques de Ronsard,
la beauté physique est momentanée, la rose ne sera pas
toujours rose : un jour elle se fanera, ce qui entraînera
des désappointements, des frustrations et de l'infidélité.
Dans le langage de Kierkegaard, la Beauté sensible
appartient au stade esthétique. Cependant, d'autre part,
la Beauté que l'on observe à travers les lunettes de la
métaphysique est une attitude résignée de l'esprit qui accepte l'existence pour ce qu'elle est. Une Beauté de ce
genre nous libère des charmes de la domination des con-
tours physiques de la Beauté. Ici, c'est le cœur qui est
concerné, c'est-à-dire la pensée-sentiment spontanée en
opposition à la pensée calculatrice et aux sens.

Une grande beauté me ravit, mais une beauté plus
grande encore me libère même d'elle-même.

La beauté brille d'un plus vif éclat dans le cœur de

celui qui la désire que dans les yeux de celui qui la voit. (64)

Une autre manière de montrer la relation transcendentale entre l'être et la Beauté consiste à relier celle-ci à la Vérité. Dans l'essai *La Nature et l'Homme*, nous lisons : « La Vérité est-elle Beauté ? La Beauté est-elle Vérité ? » (65). Ici, Gibran ne met pas tellement en doute la relation entre la Beauté et la Vérité. Dans son esprit, pour employer la terminologie d'Aristote, la relation n'est pas prédicamentale, mais transcendentale. Un terme prédicamental signifie qu'il est restreint dans son application à une certaine « sorte » de choses, alors que le transcendental s'applique inconditionnellement à « toutes » les existences et est interchangeable avec l'existence (l'être). Quoique Gibran ne fasse pas usage d'un langage technique, c'est pourtant cette signification qu'il donne lorsqu'il écrit, dans le poème *Chant de Beauté* : « Moi (Beauté) je suis une Vérité. Oh, oui, bonnes gens, une Vérité. » (66) Et aussi dans l'essai *Devant le trône de la Beauté*, Gibran insiste sur le fait que la Beauté mène à la Vérité celui qui la cherche. « Une beauté... est une marche qui fait monter le sage au trône de la vérité vivante ». (67)

Il vaut la peine de réfléchir sérieusement à la signification de ces mots pour mettre en lumière la profondeur de la philosophie de Gibran. La métaphysique de la Beauté, contrairement à celle de la fausseté, affirme que l'esprit assume la réalité pour ce qu'elle est. Car ce qui existe est ce qui est en soi, et non différent de soi. L'être est harmonieux, et conforme à soi-même. Reconnaître la réalité pour ce qu'elle est, c'est véritablement la connaître. Or, ce qui est véritablement soi-même ne comporte ni contradiction, ni illogisme envers soi-même, mais est bien ordonné et harmonieusement structuré dans son essence même. Il en résulte que c'est quelque chose de Beau, car la Beauté « est » harmonie, ordre et véracité. Telle est la clé de voûte de la logique de Gibran : elle proclame que la « laideur » est, métaphysiquement, une hypertension psychologique et émotionnelle, et ne constitue jamais une possible caractéristique de l'existence. La Beauté objective n'appartient pas à la région des perceptions sensorielles.

La Beauté... n'est pas l'image que vous pourriez voir, ni la chanson que vous pourriez entendre, mais plutôt une image que vous voyez quoique vous fermiez les yeux et une chanson que vous entendez quoique vous ayez les oreilles bouchées. C'est... un jardin qui fleurit *toujours* et une troupe d'anges qui vole pour l'éternité. (68)

Finalement, la troisième approche de Gibran vers la Beauté s'opère du *point de vue de la théodicée*. Il est évident pour le mysticisme de Gibran, comme ce le fut pour Platon, que la Beauté que l'on découvre dans la nature est l'œuvre de Dieu. Dans un court essai intitulé *Création*, Gibran explique le mystère de la création comme un acte divin de Beauté. « Le Dieu a séparé de lui un esprit, et l'a façonné en forme de Beauté » (69). La Beauté sur la Terre est une réminiscence de Dieu l'Invisible. Si quelqu'un demande une preuve de l'existence de Dieu, déclare Gibran, montrez-lui la Beauté. Et si après cela, il doute encore de la véracité de Dieu, alors, poursuit Gibran, laissez-lui adopter la Beauté comme sa nouvelle religion. Adorer la Beauté, c'est adorer Dieu.

Êtes-vous troublé par les nombreuses lois que professe l'Humanité ? Êtes-vous perdu dans la vallée des croyances en conflit ? Croyez-vous que la liberté de l'hérésie est moins lourde à porter que le joug de la soumission, et que la liberté du dissentiment est plus sûre que l'emprise de l'acquiescement ?

Si tel est le cas, alors, faites de la Beauté votre religion, et adorez-la comme votre Dieu. Car elle est l'œuvre visible, parfaite et manifeste de Dieu. Rejetez ceux qui ont joué avec la divinité comme s'il s'agissait d'un spectacle mêlant l'avidité et l'arrogance, mais croyez plutôt à la divinité de la Beauté qui est à la fois le commencement de votre adoration de la vie, et la source de votre faim du bonheur. (70)

Je rappelle au lecteur que cette citation ne plaide pas pour une religion naturaliste à la Rousseau. Gibran propose plutôt, comme Pascal, une preuve de l'existence de Dieu en jouant le jeu du « gage ». Il vaut mieux, en fin de compte, adorer la Beauté dans la nature que d'être un athée arrogant qui perdrait tout après la mort si Dieu existait. Cette citation suggère aussi une preuve de l'existence de Dieu à la manière des anciens philosophes grecs qui croyaient au divin à cause de leur étonnement et de leur admiration devant l'harmonie et la Beauté qu'ils découvraient dans les systèmes céleste et terrestre. L'intention de Gibran étant de tirer au clair la présence de Dieu, nous comprenons maintenant pourquoi il poursuit la recherche de la Beauté dans tout son art et dans sa littérature. La Beauté est la mise à l'épreuve de l'existence de Dieu.

LA PHILOSOPHIE DE GIBRAN SUR LE DROIT ET LA SOCIÉTÉ

Pour la plupart des poètes contemporains, et pas seulement pour Sartre, la littérature doit être *engagée*. La

littérature qui n'est pas engagée, n'est pas une littérature. En tant que poète « engagé », Gibran a composé de
nombreux poèmes et des paraboles qui ont un sens
social profond.

Il a surtout développé une exégèse de la loi dans laquelle il dépeint le pathétique de la société contemporaine. Cependant, du point de vue méthodologique,
Gibran préfère illustrer son étude du légalisme au
moyen d'événements concrets.

Mais Gibran a aussi un mobile historique et nationa-
liste pour traiter du problème de la « justice » telle
qu'elle est pratiquée dans les activités législatives du
gouvernement. Sa lucide étude de la légalité tend à attaquer les lois décadentes que les Turcs ottomans impo-
saient à son pays natal, le Liban.

Pour présenter correctement la pensée de Gibran, je
diviserai ce chapitre en 3 sections :
1) Le contrat social humaniste ;
2) Le problème du Droit ;
3) Paraboles sur l'autorité politique.

1° Le contrat social humaniste

LE *ZEITGEIST* (esprit du siècle)
DE LA SOCIÉTÉ MODERNE

Comme Jean-Jacques Rousseau dans *Le Contrat
Social*, Gibran était loin d'exalter notre comportement
social. Il lui était facile d'agir ainsi. La mission du critique n'est pas de vanter les qualités acquises mais
d'exhorter les gens à faire en sorte que les imperfections
soient supprimées.

Gibran, en philosophe social, au lieu de consacrer sa

polémique aux maux de la technologie comme le font la plupart des philosophes existentialistes, comme Heidegger, Jaspers, Marcel et Erich Fromm, préfère attaquer le comportement social des gens. Il s'accorde cependant avec les existentialistes pour dire que la technologie est si mal employée que la machine n'est plus, de nos jours, un moyen d'atteindre mieux nos buts, mais est devenue la valeur suprême et que l'homme, son inventeur, est devenu l'esclave de sa propre invention. Plus précisément, Gibran ne suggère pas que nous devrions fermer les usines, comme si la technique était mauvaise en soi ou le progrès technologique la vraie raison de toutes les espèces d'inégalités sociales et un péché contre la pure Mère Nature. Au contraire, prétendre que ceci serait la solution de la crise qui envahit l'humanité et son environnement serait retomber dans les habitudes de superstition de nos ancêtres. Le véritable reproche ne doit s'adresser qu'à l'Homme qui abuse intentionnellement des bienfaits de la technologie pour satisfaire ses désirs égoïstes. Ainsi, l'esprit de la technocratie affecte psychologiquement la *Weltanschauung* du technocrate. Dans ses rapports avec les autres, il les traite comme des subordonnés qui ont moins de valeur économique que son installation industrielle. Dans sa relation avec le Créateur, il désire occuper la place de Dieu, répéter ses hauts faits, réorganiser un cosmos conçu par l'Homme selon les lois humaines de la raison, de l'efficacité et de la prévision. Telle est l'ambition du technocrate du XXème siècle, et Gibran la dénonce avec véhémence quand il écrit :

Lorsque l'homme invente une machine, il la dirige. Puis, c'est la machine qui commence à le diriger, et il devient l'esclave de son esclave. (1)

Un des méfaits qu'il attribuait à l'abus des inventions technologiques était la fabrication d'armes technologiques. Il déplorait vivement leur invention et il considérait qu'elles constituaient un retour vers le primitivisme. Le fait de s'entre-tuer n'est pas signe de progrès, de civilisation ou d'éducation, mais une manifestation directe de la régression vers un état de barbarie.

Ce monde est retourné à la sauvagerie. Ce qu'ont créé la science et l'éducation est en train d'être détruit par les nouveaux primitifs. Nous sommes maintenant comme l'homme préhistorique des cavernes. Rien ne nous distingue de lui, sinon nos machines de destruction et nos techniques de massacre améliorées. (2)

Pour Gibran, philosophe chrétien, le monde du technocrate a rejeté le théocentrisme et l'a remplacé par l'anthropocentrisme. Par exemple, ce que la religion nous enseigne à propos de la « procréation », le technocrate le remplace par la « fabrication ». Dans le jargon contemporain, « idolâtrie », « pantechnique », « autolâtrie », « technolâtrie » et « technomie » sont des termes qui décrivent le comportement du technocrate.

Mais à côté des méfaits des technocrates, Gibran décrit l'absence de spiritualité de la société moderne. Dans un court essai intitulé *La Tempête*, nous lisons l'histoire d'un homme appelé Youssif El Fakhri qui, à trente ans, se retira du tumulte de la société et s'établit dans un ermitage loin de la ville. Le nom de Youssif devint un sujet de conversation parmi les citoyens, spécialement parce que Youssif ne quitta plus jamais sa solitude. Un jour, un jeune homme, entendant les récits colportés par les bavards de la ville, décida d'aller rendre visite à Youssif. Alors qu'il était en route, une tempête de pluie, de vent et de tonnerre s'éleva. Plutôt que de s'en décourager, le garçon estima que ce serait une bonne excuse pour demander refuge dans la maison de Youssif. Lorsqu'il atteignit l'ermitage, il frappa à la porte et demanda à pouvoir entrer en attendant que la tempête se calme. Après avoir été reçu assez froidement par Youssif, l'adolescent lui demanda pourquoi il avait fui la société. La réponse de Youssif fut franche et explicite : il nia d'abord s'être retiré du monde pour méditer sur la religion ou sur Dieu. On peut adorer Dieu n'importe où, même au milieu des tumultes de la ville. Par ce témoignage, Youssif, qui s'identifia à Gibran, refuse de se faire passer pour misanthrope. (Il importe de se souvenir de ce point, car aucun des héros de Gibran ne hait la compagnie des hommes. Sur ce point, Gibran s'accorde avec le philosophe danois Soren Kierkegaard : « Il est dangereux de trop s'isoler et de se dégager des liens de la société. » (3)

Cependant, les raisons énumérées par Youssif à son visiteur inattendu sont les mêmes que celles qui irritent les existentialistes contemporains d'Europe, et plus particulièrement Kierkegaard, Dostoïevsky, Tolstoï, Gabriel Marcel et Franz Kafka, à savoir l'absence de spiritualité, de compréhension humaine et de responsabilité de la part du peuple. Ainsi, Youssif s'exclame :

J'ai fui la civilisation parce que j'ai découvert que c'était un vieil arbre corrompu, terrible et puissant, dont les racines se perdent dans l'obscurité de la terre et dont les branches montent au-delà des nuages. Mais ses fleurs sont l'avidité, le mal et le crime, et ses fruits la douleur, la misère et la crainte...

...Non, mon frère, je n'ai pas cherché la solitude pour des motifs religieux, mais seulement pour éviter le peuple et ses lois, ses enseignements et ses traditions, ses idées, ses clameurs et ses gémissements.

J'ai cherché la solitude pour éviter de voir les visages de ceux qui se vendent eux-mêmes et qui achètent pour le même prix ce qui vaut moins qu'eux sur le plan spirituel et matériel.

...J'ai déserté le monde et j'ai cherché la solitude parce que j'en avais assez de me montrer courtois envers ces multitudes qui croient que l'humilité est une sorte de faiblesse, et la pitié une espèce de lâcheté, et la morgue une forme de force.

...J'ai fui ces politiciens qui cherchent à se placer et qui détruisent la destinée des gens en leur jetant aux yeux de la poudre d'or et en emplissant leurs oreilles de bavardages qui ne veulent rien dire.

J'ai quitté les ministres du culte qui ne vivent pas en conformité avec ce qu'ils prêchent et qui demandent aux gens ce qu'ils n'exigent pas d'eux-mêmes.

...Je suis venu dans ce coin perdu du domaine de Dieu car je désirais ardemment apprendre les secrets de l'Univers, et m'approcher davantage du trône du Seigneur. (4)

Cette lucide litanie des maux de la société proclamée par Gibran est pertinente en elle-même parce qu'elle décrit les déviations de notre culture et qu'elle fait écho aux reproches de notre jeunesse. Pour m'en tenir à un seul lieu géographique, je vois, par exemple, de grandes similitudes entre le Gibranisme et la jeunesse d'aujourd'hui, complètement insatisfaite de l'échelle des valeurs traditionnelles de ses ancêtres. Les jeunes des États-Unis sont à la recherche de valeurs spirituelles, contrairement aux aspirations matérielles des générations précédentes, au risque d'enfreindre les lois sociales établies depuis des siècles et de trancher, si c'est nécessaire, leurs liens de parenté.

N'admettrez-vous pas que nombre de ces sincères hippies ressemblent à Youssif ?

Dans un autre récit, *Khalil l'hérétique*, on nous raconte qu'un jeune homme a abandonné la vie de couvent parce qu'il était mécontent de « cet âge de fausseté, d'hypocrisie et de corruption » (5) mis en pratique par les prêtres eux-mêmes qui sont supposés être les envoyés de Dieu. Gibran dit de la société de son temps qu'elle est « malade ». (6) Ailleurs, il dépeint de manière imagée la société avec ses inventions et ses masques comme « des dents gâtées ». (7) Le terrible jugement qu'il porte a trouvé un terrain chez de nombreux philosophes. Ainsi Buber, un contemporain, reconnaît que ce qui ne va pas dans notre société, c'est le phénomène du « mensonge » que l'homme moderne a inventé et « introduit dans la nature » (8) comme synonyme de la vérité.

LA NATURE CONTRE LES ARTIFICES

Jusqu'à présent, j'ai comparé l'analyse sociale de Gibran au mode de pensée des existentialistes à propos de notre monde technologique. Cependant, d'un point de vue historique, Gibran est plus proche de Rousseau que de tout autre philosophe lorsqu'il s'agit de son exégèse du *Zeitgeist* de la société actuelle. Je puis même dire, sans craindre de commettre une erreur historique, que Gibran a été profondément inspiré par Rousseau dans sa critique de la société. En vérité, plusieurs de ses contemporains furent eux-mêmes influencés par la philosophie sociale de Rousseau. Par exemple, Léon Tolstoï et Feodor Dostoïevski, que j'ai déjà cités précédemment, furent des adeptes et des admirateurs de Rousseau, ainsi que l'a déclaré l'historien russe V.V. Zenkovski. (9) Gibran également a souvent exprimé dans ses lettres(10) son admiration pour Rousseau. Et chaque fois qu'il rêvait de retourner à Paris une seconde fois, il exprimait son désir d'être « éclairé par les études sociales... dans la capitale des capitales du monde où vivait... Rousseau. (11)

C'est dans *La Procession* que l'on sent le plus l'inspiration de Rousseau. Dans cette œuvre, nous retrouvons l'esprit de deux ouvrages très connus de Rousseau : *Discours sur l'origine et les fondements de l'inégalité parmi les hommes*(1758), et *Le Contrat social*(1762). À ce stade, il est bon d'introduire un bref commentaire sur cet auteur français du Siècle des Lumières et de tirer un parallèle entre le Rousseauisme et le Gibranisme.

En 1749, l'Académie du Dijon annonçait qu'elle décernerait un prix au meilleur article sur la question de savoir si les sciences et les arts avaient contribué à épurer ou à corrompre les mœurs. Jean-Jacques Rousseau leur soumit alors son *Discours sur les Sciences et les Arts* qui remporta le prix. Au lieu de vanter le progrès des sciences et des arts, Rousseau avait utilisé sa plume à attaquer la soi-disant société civilisée, qu'il nommait « une vie sociale artificielle ». Dans une telle société, la nature humaine n'est pas fondamentalement meilleure que dans les temps primitifs. Or, écrit-il, « on n'ose plus paraître ce qu'on est ; et dans cette contrainte perpétuelle... etc. »(12). Cette « contrainte perpétuelle », ce sont les masques que fabrique la société artificielle sous prétexte de conventionnalisme, et elle nous impose une seconde nature destinée à remplacer notre nature originelle. Avant la civilisation artificielle, l'homme était *l'homme de la nature,* assouvissant sa faim sous le premier chêne et étanchant sa soif dans le premier ruisseau, trouvant sa couche au pied de l'arbre qui lui avait fourni son repas, et se voyant de la sorte octroyer tout ce qu'il désirait. (13) Cet homme primitif errait dans la forêt, sans habitation et sans industrie, et il était aussi étranger à la guerre qu'à la violence. Sa nature originelle était la bonté. Le mal est venu plus tard avec l'établissement et le développement des cultures. Aux yeux de Rousseau, la transition entre l'état de nature et l'état de civilisation se situe dans le phénomène de la « propriété privée ». Celle-ci est la suppression de l'égalité et la cause de l'inégalité entre les hommes. Et avec l'avènement de l'insécurité et des autres maux introduits dans l'existence par la « propriété privée », Rousseau avance l'argument que les hommes ont créé les gouvernements, les états et les institutions politiques, poussés par le désir de préserver leur liberté. Mais, ajoute-t-il, les institutions ont tissé d'autres liens pour les pauvres et ont apporté de nouveaux pouvoirs aux riches, elles ont irrévocablement détruit la liberté naturelle, fixé pour l'éternité les lois de la propriété et de l'inégalité, converti l'usurpation intelligente en droit inaliénable et, pour le profit de quelques individus, soumis toute l'humanité au travail perpétuel, à l'esclavage et à la misère. (14)

Deux siècles plus tard, Gibran attaquait avec la même vigueur les institutions de la société, et développait sa logique des maux de la civilisation de la même manière que Rousseau. Par exemple, il met aussi en opposition les deux types de nature appelés « originelle » et « artificielle ». On en trouve la meilleure illustration dans le dialogue du Jeune et du Sage, dans *La Procession.* Le jeune décrit constamment la vie dans la nature sauvage

comme dépourvue d'illusions, de confusion, d'incrédulité, d'injustices, d'esclavage, de malheurs, de désespoir
et de mort. « Dans la forêt », il n'y a qu'amour, éternité,
fertilité, espoir et liberté. Le sage, de son côté, se plaint
des mauvaises manières sociales que la civilisation a in-
troduites dans le comportement des gens des villes. La
loi primordiale de l'existence « en forêt » est la croyance
dans la bonté originelle de la nature, tandis que la philosophie de la culture reprend l'axiome de Plaute, développé par Thomas Hobbes : *Homo homini lupus*,
l'homme est un loup pour l'homme. L'épilogue du
vieux sage qui souhaite rejoindre le jeune dans la liberté
de la nature est particulièrement significatif :

Si je pouvais enserrer les jours dans mes mains
    C'est dans la forêt que je les jetterais,
Mais les circonstances nous conduisent
    Par les étroits sentiers tracés par Kismet.

Car le Destin a des voies que nous ne pouvons
    changer,
    Alors que la faiblesse s'empare de notre Volonté ;

Nous soutenons notre moi de nos excuses,
    Et nous aidons le Destin à nous assassiner. (15)

Je voudrais souligner ici que les concepts de « forêt »
et de « nature » que Gibran oppose l'un à l'autre ne doivent pas être compris dans leurs strictes dénominations
nominales, comme si notre auteur plaidait pour un
retour à la vie paysanne ou exaltait une attitude de
misanthropie. Gibran est conscient de la corruption
dont est nourrie la société, mais cela n'implique pas une
renonciation totale à la société, ni une retraite dans un
ermitage de la forêt. Au contraire, comme il l'écrivait à
sa bienfaitrice miss Haskell le 15 avril 1914 :

Personnellement, je peux m'arranger avec les deux chaînons extrêmes de la chaîne humaine, l'homme primitif et celui qui est hautement civilisé. Le primitif est toujours élémentaire et le civilisé plein de sensibilité.

                                        (B.P. pages 182-183)

La nature humaine, par sa structure ontologique, découvre l'*a priori* de la « sociabilité ». Les hommes sont condamnés à vivre ensemble. Comme je le montrerai plus tard lorsque j'aborderai le sujet de l'intersubjectivité dans le chapitre de l'Amour, Gibran insistait vivement sur l'idée qu'aucun individu ne peut vraiment accomplir sa personnalité entièrement par lui-même, car l'autre partie de son moi se trouve chez son prochain. Aussi n'est-ce pas la « mise ensemble » que critique Gibran. Il exprimait plutôt son antagonisme contre la fausse vie communautaire. Et c'est la raison pour laquelle il se sert *symboliquement* du concept « forêt » pour caractériser une existence morale simple, innocente, pure, libre, non corrompue et sans préjugés. À l'opposé, la notion de « société » avec sa « culture », et sa « civilisation » signifie symboliquement les conduites existentielles sans authenticité que le conformisme, les traditions, les coutumes et les lois humaines introduisent dans l'économie vitale de l'individu. L'existence humaine oscille entre deux comportements existentiels diamétralement opposés. L'un est l'authenticité qui a un parfum de fraîcheur, de pureté et de naturel semblable aux senteurs qui prolifèrent chez Mère Nature. L'autre, la non-authenticité, n'est pas en accord avec les inclinations naturelles de la bonté mais constitue une déviation de la nature. Dans un essai intitulé *Votre Liban et le mien*, Gibran établit un parallèle phénoménologique entre l'esprit (*Geist*) de ces deux sortes de comportement.

...Votre Liban, ce sont deux hommes : l'un qui paie les impôts, et l'autre qui les collecte.

Mon Liban c'est quelqu'un qui repose la tête sur son bras à l'ombre des Cèdres sacrés, et qui oublie tout sauf Dieu et la lumière du soleil.

...Votre Liban, ce sont des salariés, des employeurs et des directeurs.

Mon Liban, c'est la croissance de la jeunesse, la résolution de la maturité et la sagesse de l'âge.

Votre Liban, ce sont des déguisements, des idées reçues et de la tromperie.

Mon Liban, c'est la vérité simple et nue.

Votre Liban, ce sont des lois, des règlements, des documents et des papiers diplomatiques.

Le mien est en contact avec le secret de la vie qu'il connaît sans en avoir conscience...

Votre Liban est un vieil homme qui fronce les sourcils, qui se caresse la barbe et qui ne pense qu'à lui-même.

Mon Liban, c'est la jeunesse, droite comme une tour, souriante comme l'aube et pensant aux autres comme elle pense à elle-même.

...Mais qui sont les fils de votre Liban ?

...Ce sont des réformateurs libres et ardents, mais seulement dans les journaux ou du haut d'une tribune.

...Ils ne connaissent d'autre faim que celle qu'ils sentent dans leurs poches. Lorsqu'ils rencontrent quelqu'un dont la faim est spirituelle, ils le ridiculisent et se moquent de lui en disant : « Ce n'est qu'un esprit qui se balade dans un monde de fantômes »...

...Maintenant, permettez-moi de vous montrer les fils de mon Liban.

Ce sont les paysans qui transforment le terrain rocailleux en vergers et en jardins.

...Les fils de mon Liban sont les vignerons qui pressent le raisin pour en faire du bon vin.

Les pères qui cultivent les mûriers et les autres qui tissent la soie.

Les maris qui récoltent le froment et les femmes qui rassemblent les gerbes...

...Ils marchent d'un pied assuré vers la vérité, la beauté et la perfection. (16)

Le Liban, dans ce texte, n'est pas nécessairement le lieu géographique et ethnographique, mais il représente symboliquement les voies des comportements communautaires authentiques et inauthentiques.

À vrai dire, la philosophie sociale de Gibran n'est pas aussi détaillée que celle de Rousseau. Néanmoins, comme son prédécesseur, il sait comment dégager la vraie cause de tout le traumatisme social. À ses yeux, le superego de la civilisation trouble l'équilibre naturel de la psyché parce qu'il est en conflit avec les aspirations originelles de la bonté. Si pour Rousseau, la « propriété privée » engendre les inégalités, et si Nietzsche attribue la réalité de la déspiritualisation à la volonté de puissance, Gibran résume en un mot tout le mauvais pathos du superego culturel : *hypocrisie.* C'était le seul vice humain qu'il ne pouvait tolérer. Il reprochait à la société, à la culture et à la civilisation de l'avoir créé. L'hypocrisie est à la racine des inégalités, des injustices, de la lutte des classes, du matérialisme, de l'irréligion, de l'égoïsme, des entraves à la liberté, etc.   L'hypocrisie se déguise sous les vêtements des lois humaines, des coutumes et des traditions corrompues.

Des points de vue littéraire, psychanalytique et socio-culturel, il est intéressant de noter que Gibran assimile tous les riches à l'esprit d'hypocrisie quoiqu'il ait admis que les pauvres aussi étaient capables de cacher leurs intentions corrompues derrière d'aimables sourires, des mots doux et des gestes aimants. Dans ses essais, ses romans et ses poèmes, il dépeint les riches comme des êtres égocentriques qui ne sont même pas satisfaits de la richesse qu'ils ont volée aux pauvres. Après tout, il est vrai que l'argent nourrit les pires comportements sociaux. Cependant, il y eut un seul personnage riche dont il parla avec compassion : le père de Selma, Farris Effandi, qui n'était pas atteint par la maladie de l'hypocrisie.

Je ne connais pas un autre homme à Beyrouth que la richesse ait rendu gentil et que sa gentillesse ait fait riche. Il appartient au petit nombre de ceux qui apparaissent dans ce monde et le quittent sans avoir fait de mal à personne, mais les gens de cette sorte sont généralement malheureux et opprimés parce qu'ils ne sont pas assez intelligents pour échapper à la perversité des autres. (17)

En bref, comme Rousseau, Gibran condamnait la philosophie sociale des Pharisiens. Et comme le dit sa biographe Barbara Young :

Il n'était intolérant qu'envers les hypocrites. Il acceptait toutes les autres formes d'injustices ou de méfaits comme explicables ou stupides. Et il en disait : « Laissez-les se produire. » Mais l'hypocrisie le faisait enrager. (18)

On a dit de Rousseau qu'à un certain moment, il avait

été tellement dégoûté de la décadence de la vie sociale qu'il avait rejeté tous les vêtements qu'il tenait de la société et qu'il s'était retiré dans les montagnes. Certains adeptes de Rousseau, découvrant eux aussi les maux de la société, ont décidé de vivre en ermites. Tolstoï, par exemple, refusa de manger et de boire, et se consacra à des méditations dans le désert. Gibran éprouva également les mêmes symptômes de malaise. Il est vrai qu'il passa le reste de ses jours dans la trépidante ville de New York. Cependant, il lui arrivait de s'isoler des jours et des nuits dans son studio. Et en 1922, il écrivit confidentiellement à son ami, le philosophe Mikhaïl Naimy, qui vivait alors dans un ermitage du mont Sanin, au Liban :

Votre idée de « répudier » le monde est exactement comme la mienne. Pendant longtemps, j'ai rêvé d'un ermitage, d'un petit jardin et d'une source d'eau. Vous souvenez-vous de Youssif El-Fakhri ? Vous souvenez-vous de ses obscures pensées et de son étincelant réveil ? Vous rappelez-vous ce qu'il pensait de la civilisation ? Je vous le dis, Micha (surnom de Mikhaïl) l'avenir nous placera dans un ermitage au bord d'une des vallées libanaises. Cette fausse civilisation a resserré les liens de notre esprit jusqu'au point de rupture. Nous devons partir avant qu'ils ne se rompent. Mais nous devons rester patients jusqu'au jour du départ. Nous devons être tolérants, Micha. (19)

L'ÉVEIL SPIRITUEL EST UN REMÈDE

Selon Gibran, l'homme moderne vit dans l'ombre et non dans une véritable réalité. Ce qu'il croit être vrai n'est qu'une projection de ses désirs malsains. L'homme moderne croit qu'il est éveillé et agit consciencieusement dans chaque situation concrète, mais c'est une illusion. Comme l'homme de Platon, l'homme moderne se trouve au plus profond d'une grotte où ne l'atteignent que les ombres de la Vraie Lumière. Il vit sa vie, mais pas dans sa plénitude ou dans sa vérité. L'hypocrisie masque et entrave le cours naturel de sa croissance sociale. Quoique conscient de la condition présente de notre société, notre auteur n'adopte cependant pas une *attitude nihiliste*. Il existe un remède pour la société. Elle peut se sauver si elle se réveille du sommeil et de la demi-mort dans lesquels l'a plongée la fausse civilisation. La nature d'un tel réveil est le retour de la croyance dans le spirituel. Ce qui distingue l'homme, dans sa structure existentielle, du domaine des organismes, ce n'est pas la biologie, mais l'esprit. C'est pourquoi, pour être soi-même, on doit accepter son existence ontologique telle qu'elle a été structurée et vivre selon les voies auxquelles la nature a voué l'homme. Cela signifie que l'existence et les comportements de l'homme doivent se concentrer sur le spirituel. «L'éveil spirituel est ce qu'il y a de plus important dans la vie d'un homme, et c'est le seul objet de l'existence.»(20) Cet éveil spirituel dont parle Gibran est une chose qu'on ne peut atteindre par les cinq sens. C'est un type de conscience qui n'est ni logique ni mathématique, mais de communion. C'est «l'amour», *l'Agape*, la règle d'or contre Eros. Et il nous donne ici son expérience personnelle sur la manière dont agit l'amour, cet éveil spirituel.

L'homme éprouve...du plaisir... par l'intermédiaire des cinq sens. Mais l'âme de Gibran a déja dépassé ce stade pour atteindre un état de joie plus profond qui n'exige pas l'intervention des cinq sens. Son âme voit, entend et sent, mais non par les yeux, les oreilles ou les doigts. Son âme parcourt le monde entier et elle revient sans utiliser les yeux, les pieds, ni les bateaux. Je vois...dans un lointain proche et je perçois tout ce qui se trouve autour... comme l'âme regarde de nombreux autres objets invisibles et sans voix. Les plus subtiles beautés de notre vie ne se voient ni ne s'entendent. (21)

Ce ne sont ni les révolutions sanglantes ni le contrôle communiste des inégalités qui sauveront l'humanité, mais cette conscience spirituelle que l'on appelle «amour» lorsqu'elle devient générale et se pratique dans toutes les sociétés. Pour découvrir «l'amour», nous ne devons pas le chercher au moyen d'instruments technologiques compliqués. Car un tel éveil spirituel n'est pas du domaine du raisonnement scientifique et philosophique. Il se trouve dans la région du sentiment avec l'ensemble du corps et de l'esprit. Le succès de ce sentiment est le retour à la nature où réside la beauté. Et la beauté de la Nature s'éveille elle-même dans l'amour. L'amour, la compréhension entre les peuples et le respect mutuel, tel est le remède que propose Gibran pour guérir les déficiences de la société moderne. Historiquement, Gibran n'est pas le premier philosophe à faire de «l'amour» la fondation inébranlable sur laquelle on peut bâtir d'authentiques sociétés. Depuis des temps immémoriaux, des philosophes, des religieux, des poètes et des politiciens ont plaidé et défendu avec habileté la puissance de l'amour.

Ici, l'exégèse de la société, chez Gibran, trouve de nombreux appuis chez beaucoup de personnages importants du monde. Par exemple, j'ai été personnellement fasciné de voir l'énorme ressemblance qui existe entre son Contrat Social et les théories sociales du philosophe

mexicain Antonio Caso (1883-1946) qui, entre parenthèses, était né la même année que notre auteur avec qui
il a probablement eu des contacts. Comme chez Gibran
la philosophie de Caso distingue deux types d'existence,
à savoir : *La existencia como economia* (l'existence en
tant qu'économie) et *La existencia como caridad* (l'existence en tant que charité). Dans la première situation,
l'individu noue des relations avec les autres dans l'espoir
de les employer pour favoriser ses propres intérêts. De
plus, il ne fait rien qu'il n'ait d'abord calculé en éva-
luant d'avance ce que ses actes lui rapporteront. Pour
employer des termes simples, c'est un économiste.
Dans le langage de Caso, les gens qui vivent de la sorte
sont des «primitifs» même s'ils habitent un environnement technologique hautement concentré. Car, après
tout, penser toujours en termes de «gains maximums
pour un effort minimum» (22), c'est en revenir à la loi
primitive qui consiste à se préserver du principe biologique de l'homéostasie en évitant la souffrance. Ce qui
est catastrophique dans la société de l'*existencia como
economia*, c'est que les relations humaines dégénèrent
en pur égoïsme.

D'autre part, la *existencia como caridad* est typique
de la vie désintéressée. Dans une telle situation, l'individu transcende son égoïsme biologique limité et spatio-
temporel pour déployer une attitude sympathique à
l'égard des autres. Il est comme l'artiste, car «l'art n'est
pas une activité économique,» (23) mais un désintéressement inné qui s'exprime dans des intuitions sympa-
thiques de la nature et de l'essence des autres, et du
point de vue des autres. La société de la *existencia como
caridad* engendre une société humaine spirituelle composée de personnes dont chacune traite les autres avec
respect, et suit le précepte de «l'effort maximum avec

un minimum de profit» (personnel) (24). La devise de
son existence revient à ceci :

> *La table des valeurs humaines est la suivante : plus*
> *vous sacrifiez la vie purement animale dans des*
> *buts désintéressés, et plus il vous est difficile de*
> *vous sacrifier jusqu'à l'héroïsme en partant de la*
> *contemplation esthétique et des simples bonnes ac-*
> *tions, plus vous êtes noble.* (25)

La conclusion à laquelle nous arrivons répète ce que
nous avons déjà dit tout au long de ces pages à propos
de l'internationalisme et de l'ingéniosité du Gibranisme.
Comme beaucoup d'autres humanistes, Gibran est un
penseur du *nœud des problèmes* qui se préoccupe surtout du bien-être de la société. Il ne se contente pas de
critiquer ce qui ne va pas, mais il explique aussi ce qu'il
faut faire pour combattre les méfaits. Heureusement, la
solution qu'il propose est exactement la même que ce
que le Christ, l'aile droite de l'existentialisme, Antonio
Caso et un tas d'autres humanistes ont enseigné à propos de «l'amour», l'éveil spirituel. Dans le chapitre suivant, je m'étendrai davantage sur le problème de
l'amour, rétablissant par là le message social du Gibranisme.

IMPLICATIONS HISTORIQUES

Aucun des écrits de Gibran ne s'inspire de contes de
fées, et c'est surtout vrai pour les récits de ses essais
philosophiques. Il appartenait au mouvement de la
«littérature engagé». C'est particulièrement évident
dans ses articles sur les idées sociales. En gros, notre
auteur développait son Contrat Social à cause d'événe-

ments historiques contemporains qui affligeaient sa société.

Dans les pages précédentes, j'ai abstraitement fouillé la signification de la société authentique et inauthentique. Le moment est venu de rétrécir le concept à son pays natal et de mettre à jour tous les faits historiques qui l'ont conduit à prononcer sa terrible condamnation de la culture des temps modernes.

Les recherches sur ce thème n'ont pas été faciles, car Gibran apparaît, ici et là, sous différentes personnalités qui créent la confusion et qui confondent le lecteur. Joseph Sheban a fait une estimation fort juste lorsqu'il a dit de Gibran qu'il avait une « double personnalité ».(26) Plutôt que de définir cette accusation, montrons comment Gibran, avec sa double personnalité, a réagi passionnément à l'égard des sociétés du Moyen-Orient.

LA CORRUPTION OTTOMANE ET L'EXPÉDITION FRANÇAISE

Le lecteur ne doit pas perdre de vue que Gibran était arabe, qu'il connaissait parfaitement sa langue maternelle et qu'il était toujours informé des développements politiques au Moyen-Orient. Or, la situation au Moyen-Orient était très différente de la vie en Amérique. Les Turcs avaient conquis les pays arabes dès le XVème siècle, et ils y furent les seuls maîtres jusqu'à la Première Guerre mondiale. L'invasion des Ottomans n'avait jamais été favorable aux Arabes, qu'il s'agisse de la situation militaire, intellectuelle, économique, géographique, sociale, ou en matière de légalité. La gloire passée de l'Empire arabe, la sagesse arabe, les connaissances arabes en matière de mathématiques, d'astronomie, de philosophie, de médecine et d'architecture, qui avaient éclairé l'Europe dans son âge sombre, tout cela fut mis en péril et éclipsé avec l'apparition de l'écrasante masse de l'ignorance, du manque d'instruction et de la sauvagerie des Turcs. Pendant cinq siècles, le monde arabe avait souffert du lourd fardeau des injustices turques, de leur usurpation, de leur ignorance et de leur oppression. Le Destin changea légèrement lorsqu'un Pacha turc révolté, Mohammed Ali, envoyé en Égypte en 1779 pour apaiser l'insurrection des indigènes, se retourna contre son propre gouvernement. Mohammed Ali est considéré aujourd'hui comme le libérateur de l'Égypte. Cependant, le Liban, la Syrie et de nombreux autres pays arabes ne furent pas aussi heureux dans leur résistance au joug turc que l'Égypte, qui n'était d'ailleurs pas devenue tout à fait libre.

L'arrivée de Napoléon en Égypte en 1798 constitua une éclaircie pour les Égyptiens et pour les pays environnants. L'expédition constitua un heureux événement. Les connaissances européennes, calquées jadis sur l'érudition arabe, furent ramenées au peuple avec un trésor beaucoup plus riche d'aperçus littéraires philosophiques et scientifiques. De plus, la première imprimerie arabe que Napoléon avait saisie au Collegio Propaganda de Rome permit de publier des traductions du français en arabe. L'Europe tira le Moyen-Orient de son sommeil. Cependant, cet éveil provoqua diverses réactions chez les quelques penseurs qui existaient alors.

1. Chez les conservateurs *ulema* (instruits), il ne provoqua qu'une réaction, c'est-à-dire le sentiment que l'Islam est plus important que n'importe quelle autre culture car il est seul à posséder le Coran, qui est la Vérité incarnée. Ces traditionnalistes s'attachèrent à ressusciter la pensée islamique primitive

comme bouclier contre l'intrusion des idées occidentales modernes. Politiquement, ils demeurèrent fidèles au Sultan Turc.

2. Pour les réformistes *ulema*, l'arrivée des Français sur la scène les incitèrent à revoir leurs pensées traditionnelles dans un esprit de réforme. Ils rejetèrent la pensée stagnante (*taqlid*) des conservateurs et prônèrent le *ijtihad*, ou jugement indépendant. Les dirigeants de ce mouvement furent Jamal ad-Din al Afghani (1839-1897), Muhammad Abdu (1849-1905), Muhammad Rashid Rida (1865-1935) et Abd al-Qadir al-Mughrabi (1867-1956). L'Occident leur fournit de nombreuses idées sur les réformes sociales et les rendit surtout conscients de la nécessité de combattre la politique décadente des Ottomans qui, selon eux, était la cause de la dégradation de la foi musulmane. À cause de leur opposition politique, les réformistes furent souvent exilés comme le fut Gibran lui-même. Ils insistaient surtout sur la réforme de la spiritualité contre le matérialisme culturel des Ottomans et de l'Europe (un peu comme Gibran, sauf que Gibran était chrétien). Al-Afghani écrit à ce sujet : «Chaque musulman est malade, et son seul remède est dans le Coran» — «La décadence musulmane n'a pas été causée par l'Islam mais plutôt par l'ignorance qu'avaient les musulmans de sa vérité.» (27) Le nouveau système politique qu'ils cherchaient à instaurer était la réunification de tous les États islamiques sous la bannière du pan-islamique.

3. Pour un troisième groupe de musulmans *ulema*, l'Europe avait éveillé en eux une ferme position d'intellectualisme laïque. Ils proclamaient que la

raison était le seul agent de la vérité. Contrairement aux musulmans réformistes, les laïques n'avaient pas d'orientation religieuse. Ils faisaient appel à des règles et à des normes séculières, spécialement en politique. La liberté politique ne consistait pas à demander le secours de la religion, mais à combattre la tyrannie et l'oppression par la lumière et par l'éducation. La connaissance dissipe les craintes politiques. L'un des axiomes séculiers de la réforme culturelle était l'équilibre économique et la juste répartition des biens entre les pauvres et les riches. Ils s'opposaient aussi avec violence aux traditions mauvaises. (À noter la ressemblance avec le Contrat Social de Gibran). Qasim Amin (1863-1908) le pionnier, écrit : « Parmi les causes de nos souffrances, il faut compter le fait que nous basons notre vie sur des traditions que nous ne comprenons plus, et que nous ne conservons que parce qu'elles nous ont été transmises... » (28)

4. Pour les Chrétiens arabes, l'Occident les rendit totalement libre-penseurs. À cette époque, la plupart des Chrétiens étudiaient dans les Universités de Paris, et à la Propagande de Rome (l'école maronite). Chez eux, ils furent une source d'inspiration pour les musulmans laïques. Au point de vue politique, ils étaient contre la corruption ottomane. Sur ce point, l'étude du Contrat Social de Gibran s'indique pour deux raisons : d'un côté, il nous informe clairement sur les sociétés arabes ; d'un autre côté, il exprime plus ou moins les mêmes sentiments que ceux qu'expriment envers le Moyen-Orient les Chrétiens arabes des débuts du XXème siècle.

LES DENTS GÂTÉES

Gibran avait de nombreux points communs avec les réformistes et les laïques *ulema*. Il convenait avec les premiers que les nations arabes devaient être malades pour accepter bénévolement les oppressions sans tenter de changer leur destin ou de cultiver la richesse spirituelle de leurs ancêtres. Son pamphlet politique *Les Dents gâtées* dénonce le sommeil dans lequel avait sombré le peuple syrien (N.B.: le Liban et la Syrie étaient alors unifiés). L'essai décrit les injustices, les hypocrisies et les méfaits dont souffraient les Syriens sous le gouvernement ottoman. Ironiquement, il appelle son pays «une rangée de dents pourries, noires et sales qui suppurent et qui puent». (29) Et il donne ensuite quelques exemples dans lesquels cette détérioration apparaît le mieux.

Si vous voulez apercevoir les dents gâtées de la Syrie, visitez ses écoles dans lesquelles les garçons et les filles d'aujourd'hui s'apprêtent à devenir les hommes et les femmes de demain.

Visitez les tribunaux et observez les actions des pourvoyeurs de justice, filous et corrompus. Voyez comme ils jouent avec les pensées des gens simples comme le chat joue avec la souris.

Visitez les maisons des riches où règnent la tromperie, la fausseté et l'hypocrisie. Mais ne négligez pas pour autant d'aller dans les cabanes des pauvres où vivent la crainte, l'ignorance et la lâcheté.

Allez voir ensuite les dentistes aux doigts lestes (métaphoriquement les dirigeants). Ils possèdent de

délicats instruments, du ciment dentaire et des tranquillisants, et ils passent leur temps à fermer les
cavités des dents pourries de la nation pour en masquer le délabrement. (30)

Ce qui irritait le plus Gibran, c'était que les Syriens
étaient satisfaits de la saleté dans laquelle ils vivaient.
Au lieu d'extraire les « dents gâtées », ils préféraient les
cacher sous des plombages en or. En d'autres mots, les
Syriens dissimulaient leur moi intérieur sous les atours
de l'hypocrisie. »

Et si vous leur suggérez de les extraire, ils vous rient
au nez parce que vous n'avez pas encore appris le
noble art dentaire qui dissimule la maladie. (31)

Dans un autre essai, *Narcotiques et couteaux de dis-
section*, Gibran prend une fois de plus une position of-
fensive contre les faiblesses de l'Orient, à la manière des
réformateurs et des laïques musulmans. La plus grande
menace de décadence de la nation arabe, il la voit dans
les soi-disant dirigeants arabes qui, au lieu de tenter
d'améliorer leur destin, aident les oppresseurs à admi-
nistrer des narcotiques (métaphoriquement parlant) de
manière à maintenir l'Orient dans son assoupissement.

L'Orient est malade mais il est devenu tellement
habitué à ses infirmités qu'il a fini par les
considérer comme des qualités naturelles et même
nobles qui le distingue des autres...

Nombreux sont les dirigeants sociaux de l'Orient
mais nombreux aussi sont leurs parents qui ne
sont pas soignés tout en ayant l'air d'être
soulagés de leurs maux parce qu'ils sont sous

l'effet de narcotiques sociaux. Mais ces
tranquillisants ne font que masquer les
symptômes. (32)

Les dirigeants qu'il blâme ainsi sont les politiciens locaux et les chefs religieux. Il reconnaît que les premiers
commencent bien lorsqu'ils se révoltent contre leurs
supérieurs turcs. Mais il doit avouer aussi que nombre
d'entre eux prostituent ultérieurement leurs idéaux.
L'argent et les promotions officielles que leur offrent
leurs ennemis achètent leur silence. (Ceci se produisait
fréquemment dans tout le Moyen-Orient).

Un groupe ou un parti se révolte contre un gouvernement despotique et réclame des réformes politiques... Mais un mois plus tard, on apprend que le
gouvernement l'a...fait taire (le chef du groupe)
en lui donnant une importante situation. Et on n'en
entend plus parler. (33)

D'autre part, les chefs religieux du Moyen-Orient
n'étaient pas épargnés par ses critiques. Gibran les rendait souvent responsables de l'ignorance, des taxes exorbitantes et des injustices légales auxquelles étaient
soumis leurs fidèles. Historiquement, à cette époque, le
clergé bénéficiait de nombreux privilèges de la part des
Ottomans.

Il est clair, d'après ce qui a été dit jusqu'à présent,
que Gibran réclamait des changements drastiques. Et le
ton de ses appels n'était pas aimable. C'était plutôt celui
d'un conseiller social exaspéré. Évidemment, la colère
faisait partie de sa personnalité. (34) Dans ses essais
politiques, nous le voyons *en rage contre ses compatriotes* parce qu'ils avaient peur de changer leur triste
existence. Le poème *Mes compatriotes* fut écrit dans un

grand mouvement d'humeur contre son propre peuple.

J'ai pleuré sur votre humiliation et sur votre soumission et mes larmes ont coulé comme des perles de cristal, mais elles ne peuvent guérir votre stagnante faiblesse...

Mes larmes n'ont jamais atteint vos cœurs pétrifiés, mais elles ont nettoyé l'obscurité de mon moi intérieur...

Vos âmes se glacent sous la poigne des prêtres et des sorciers, et vos corps tremblent entre les griffes des despotes et de ceux qui répandent le sang, et votre pays tremble sous le pas rythmé de l'ennemi conquérant...

L'Hypocrisie est votre religion, la Fausseté est votre existence, le Néant est votre fin...

Je vous hais, mes compatriotes, parce que vous haïssez la gloire et la grandeur... (35)

En dépit de tout cela, Gibran n'en était pas moins un vrai *Habbibi* (aimable) ; la traîtreuse misère qui s'abattait sur ses chers compatriotes l'attristait. Qu'il se soit montré à la fois furieux et aimable est une indication de sa double personnalité. De toute manière, il exprima sa vive sympathie pour son peuple lorsque, au début de l'hiver de 1916, la population dut affronter la famine et que le pays tout entier devint le paradis des germes de maladie à la suite de la Première Guerre mondiale, les Turcs exportant les biens de consommation de la nation et laissant ses habitants mourir de faim. Gibran, qui était alors aux États-Unis, fonda un Comité de Secours avec d'autres émigrés, et il en fut nommé secrétaire. Ce comité devait envoyer au peuple du Mont-Liban de la nourriture et des biens de consommation. Lorsque le gouvernement turc interdit une telle entreprise, Gibran et les autres demandèrent à Washington d'intervenir. Finalement, le 17 décembre 1916, avec l'aide de la Marine des États-Unis et de la Croix-Rouge américaine, le navire *Caesar* emmena vers le Liban pour environ 750,000$ de nourriture. Gibran écrit à ce propos :

> C'est une grande responsabilité, mais je dois l'assumer. Les grandes tragédies agrandissent le cœur. Je n'avais jamais eu l'occasion de servir mon peuple de cette manière. Je suis heureux de pouvoir apporter ma modeste contribution et je sens que Dieu m'aidera. (36)

La même année, Gibran écrivit son fameux poème *Mon peuple est mort* dans lequel il déplorait les misères, les maladies, la famine et la mort de ses concitoyens. Il se sentait coupable d'être épargné par la famine, et ce sentiment le poussa, dans une sorte de délire, à souhaiter être « un épi de maïs », « un fruit mûr » ou « un oiseau dans le ciel » de manière à pouvoir apaiser la faim de certains :

> Mon peuple s'en est allé, mais j'existe encore...
> Les monticules de mon pays sont submergés par les larmes et le sang, car mon peuple et ceux qui me sont chers s'en sont allés, et moi je suis ici...

> Mon peuple est affamé, et celui qui n'est pas mort de faim a péri par l'épée ; et moi, je suis ici dans ce pays lointain...

> ...Mon peuple a été frappé d'une mort pénible et honteuse, et moi, je vis ici dans l'abondance et dans la paix... (37)

Ce qui est étonnant chez Gibran en tant que spécialiste social — et ici, j'atteins plus profondément sa double personnalité, — c'est que même dans ses moments de sympathie à l'égard de son peuple souffrant, il pouvait éclater de colère contre lui en regrettant qu'ils ne soient pas morts en révoltés, l'épée à la main, en combattant courageusement leurs oppresseurs. (36)

En général, l'un des résultats directs que Gibran essayait d'obtenir par ses écrits sociaux, c'était de réveiller ses compatriotes et de les pousser à la révolte. Je ne crois pas me tromper beaucoup en estimant qu'il souhaitait une révolution sanglante. À vrai dire, il utilisa même souvent le mot « révolution ». C'est ainsi qu'en 1913, certains Syriens de New York lui ayant demandé d'être leur représentant auprès d'une Conférence Européenne Internationale qui se tenait à Paris et où on allait discuter d'une nouvelle Constitution pour la Syrie et le Liban, il déclina l'invitation parce qu'on lui demandait d'être patient, aimable et diplomate dans ses propos sur le régime turc. Personnellement, il souhaitait la révolution et la guerre à tout prix. Cette idée de révolution le poussa à vouloir organiser à New York une « Conférence de Juillet entre certains des hommes de Paris et des dirigeants syriens de ce pays » au cours de laquelle on établirait les plans d'une campagne militaire contre la Turquie. Les troupes auraient été commandées par « Damascène Eresi (ou un nom de ce genre) » et par son bon ami le général Giuseppe Garibaldi, le petit-fils du héros italien. Bien entendu, cette réunion n'eut jamais lieu (B.F. p. 127-129).

Mais la sorte de révolution qu'il prêchait était surtout une réforme sociale. Comme ses voisins, les musulmans laïques égyptiens, il souhaitait introduire dans l'attitude des Orientaux une large ouverture d'esprit à l'égard de l'Occident. (39) C'est la raison pour laquelle il entreprit de critiquer vivement les inégalités de classe et de demander une réforme de l'économie. Après tout, il n'est rien que les riches puissent revendiquer comme leur appartenant. Le produit ne provient jamais du travail exclusif du propriétaire ; les employés contribuent à sa production. (40) Mais comme les réformateurs et les laïques musulmans, Gibran voulait également que les traditions et les coutumes orientales soient soumises à un examen attentif et révisé, en rejetant celles qu'il estimait trop vieux jeu. Par exemple, les mariages contractés pour des raisons de décorum, pour des apparences sociales, ou sur la base du seul consentement des parents sans se préoccuper de savoir si les partenaires s'aimaient ou quel était leur âge respectif. Gibran déclarait que de tels mariages étaient adultérins, irréligieux et immoraux, même s'ils étaient contractés à l'église.

Pour parler simplement, Gibran condamnait ce que son maître Nietzsche appelait « une morale d'esclave » ou « la moralité du troupeau ». Voici la fameuse inspiration nietzschéenne que l'on trouve chez Gibran :

J'ai découvert l'esclavage aveugle qui relie le présent du peuple au passé des ancêtres et qui le pousse à se plier aux traditions et aux coutumes, introduisant ainsi l'esprit ancien dans des corps neufs.

J'ai découvert l'esclavage obligatoire, qui lie la vie d'un homme à une femme qu'il abhorre, et couche le corps de la femme dans le lit d'un mari qu'elle hait, ce qui représente la mort de leurs deux esprits.

J'ai découvert l'esclavage sourd, qui étouffe l'âme et le cœur et par lequel l'homme n'est plus que l'écho vide d'une voix et l'ombre pitoyable d'un corps.

J'ai découvert l'esclavage infirme, qui place le cou de l'homme sous la domination d'un tyran et qui soumet les corps vigoureux et les esprits faibles aux fils de l'Avidité qui s'en servent comme instruments de leur puissance.

J'ai découvert l'esclavage laid, qui descend avec l'esprit des nourrissons du spacieux firmament pour entrer dans la demeure de la Misère où le Besoin vit de l'Ignorance et où l'Humiliation cohabite avec le Désespoir. Les enfants grandissent en misérables, vivent comme des criminels et meurent comme des gens qui n'existent pas, que l'on méprise et que l'on rejette.

J'ai découvert l'esclavage subtil, qui donne aux choses d'autres noms que les leurs — appelant ruse une intelligence, et vide une connaissance, et faiblesse une tendresse, et lâcheté un ferme refus.

J'ai découvert l'esclavage tortueux qui fait trembler de crainte les langues des faibles et les fait parler contre leurs sentiments. Ils feignent de méditer sur leurs devoirs, mais ils deviennent comme des sacs vides que même un enfant peut plier et suspendre.

J'ai découvert l'esclavage détourné, qui impose à une nation de subir les règles et les lois d'une autre nation, et cette distorsion grandit de jour en jour.

J'ai découvert l'esclavage perpétuel qui couronne les fils des monarques et n'accorde pas un regard au mérite.

J'ai découvert l'esclavage noir qui marque du sceau

de la honte et déshonore pour toujours les innocents fils des criminels.

Quand on contemple l'esclavage, on constate qu'il possède le pouvoir vicieux de se perpétuer et de contaminer. (41)

Un jour, ses amis arabes le prièrent très sérieusement de retourner au Liban pour y devenir un chef politique. En réponse, Gibran s'exclama : « Je ne suis pas un politicien, et je ne veux pas l'être. Non. Je ne peux répondre à leur désir. » (42) Souvent cependant, ils réagissaient négativement à ses sévères critiques contre les Orientaux. Et durant sa jeunesse (1903), les autorités gouvernementales et l'Église maronite publièrent un communiqué conjoint proclamant son exil et son excommunication. Gibran souffrit d'être rejeté par sa patrie. Analysant sa propre philosophie sociale, il se désole :

...Si les hommes et les femmes devaient suivre les conseils de Gibran sur le mariage, les liens de la famille seraient rompus, la société serait en péril et le monde deviendrait un enfer peuplé de diables et de démons...

Voilà ce que les gens disent de moi, et ils ont raison car il est vrai que je suis un fanatique et que je suis poussé à détruire autant qu'à construire. Il y a de la haine dans mon cœur pour ce que mes détracteurs idolâtrent et de l'amour pour ce qu'ils rejettent. Et si je pouvais déraciner certaines des coutumes, des croyances et des traditions du peuple, je le ferais sans hésiter... (43)

Revenons-en maintenant aux « dents gâtées » et à la « société malade », et demandons à Gibran comment la loi se comporte moralement à l'égard du citoyen individuel. Ceci nous amène à notre seconde section.

2° le problème du Droit

SCEPTICISME ENVERS LES LOIS HUMAINES

Après ce que l'on aura dit de Gibran-et-des-lois-établies, nous ne douterons pas que notre auteur ait eu une personnalité belliqueuse ni que sa philosophie soit anarchiste. En vérité, de nombreux écrivains contemporains ont vigoureusement attaqué l'inefficacité des lois humaines. Prenons, par exemple, le cas du romancier allemand Franz Kafka qui, après avoir obtenu un diplôme de droit et avoir travaillé quelque temps dans une société d'assurances, abandonna sa profession parce qu'il la trouvait tout à fait corrompue. Or, la philosophie de Kafka sur le Droit est très semblable à celle de Gibran. Une brève présentation de Kafka montrera comment je l'entends.

Les écrits de Kafka ont pour thème central la problématique de l'autorité. Dans son roman *Le Procès*, Kafka, en affichant une bonne connaissance des procédures légales, montre ce qui se passe vraiment hors des tribunaux et en leur sein, et comment, la plupart du temps, les autorités légales causent à l'homme plus de dommages qu'elles ne le protègent. *Le Procès* a été écrit dans le seul but de montrer l'absurdité de l'autorité légale. Dans sa parabole *Devant le Droit* également, Kafka démontre l'ignorance et les injustices dont se rendent coupables toutes les autorités constituées. La parabole décrit le cas d'un homme qui s'en vint un jour demander conseil au Droit. Arrivé devant son domicile, il trouva un portier. Il lui demanda la permission de franchir la porte. Mais le portier, de son côté, déclara que l'homme ne pouvait être reçu en ce moment. Après un moment de réflexion, l'homme demanda s'il pouvait voir le Droit plus tard. La réponse du portier fut affirmative. À la suite de cet échange de répliques, l'homme demanda s'il pouvait attendre devant la porte. Le portier lui offrit une chaise où il puisse s'asseoir jusqu'au moment de pouvoir entrer. Cependant, à la surprise du visiteur, des jours, des semaines, des mois et des années passèrent, et il attendait toujours d'être reçu par le Droit. Finalement, Kafka conclut :

Ses yeux s'assombrirent, et il ne sait pas si le monde s'obscurcit vraiment autour de lui ou si ce sont ses yeux qui le trompent. Mais dans l'obscurité, il perçoit alors un rayon immortel qui jaillit de la porte du Droit. Maintenant, sa vie arrive à son terme. Avant qu'il ne meure, tout ce qu'il a éprouvé durant tout le temps de son séjour se concentre en son esprit sur une seule question, qu'il n'a jamais posée au portier. Il fait signe à celui-ci, parce qu'il ne peut plus soulever son corps raidi. Le portier doit se pencher très bas pour pouvoir l'entendre car la différence entre leurs tailles n'a cessé de grandir au détriment de l'homme. « Que désirez-vous encore savoir ? » demande le portier. « Vous êtes insatiable ! » — « Chacun cherche à atteindre le Droit, répond l'homme, alors, comment se fait-il que pendant toutes ces années personne d'autre que moi n'a demandé à être reçu ? » Le portier se rend compte que l'homme est au bout de ses forces et que son ouïe disparaît, aussi lui hurle-t-il à l'oreille : « Personne d'autre que vous ne peut franchir cette porte, car elle a été faite à votre intention. Maintenant, je vais pouvoir la fermer. » (44)

L'implication factuelle de cette parabole suggère que

ceux qui cherchent la justice dans les lois humaines meurent avant d'avoir obtenu leurs droits. Le portier représente les avocats et les lois écrites codifiées qui prétendent les uns et les autres qu'ils ont été investis de l'autorité par le Droit Tout-puissant que personne n'a vu. Kafka demande alors ce qui nous garantit que les lois humaines sont nées du Droit, puisque personne n'a entendu parler de lui ? Le portier n'a jamais reçu son emploi immédiatement et directement du Droit. C'est un autre portier, appartenant aussi au tribunal, qui lui a procuré cette situation. Ce que Kafka réprouve le plus, c'est que la justice humaine traite l'individu de manière impersonnelle. Kafka, qui était lui-même avocat, sait que les lois sont faites pour les riches.

Les lois ont été faites, dès le début,
à l'avantage des nobles,
qui se tiennent eux-mêmes au-dessus des lois,
et c'est pourquoi les lois ont été
exclusivement entre leurs mains. (45)

À mon avis, la véhémente critique des codes humains par Kafka explique pourquoi tous ses personnages sont à la recherche de leur propre identité dans une société conduite par les lois stéréotypées.

Quoique n'étant pas avocat de profession comme Kafka, Gibran a dénoncé de manière identique l'absurdité des lois humaines.

Dans *Le Cri des Tombeaux,* Gibran nous raconte l'histoire de trois hommes différents qui sont condamnés à mort par une autorité humaine en raison des bonnes actions qu'ils ont accomplies. *Le premier cas* est celui d'un être chevaleresque qui, en légitime défense, a tué l'un des officiers de l'Emir qui tentait d'abuser d'une jeune fille appartenant une famille pauvre. *Le second cas* est celui d'une jeune femme accusée d'adultère par un mari âgé simplement parce qu'elle a rencontré un jour sans le vouloir l'homme qu'elle aimait vraiment et qu'elle lui a parlé. *Le troisième cas* est l'histoire d'un vieil homme qui était devenu malade et âgé après avoir consacré de nombreuses années de durs labeurs dans un couvent. Un jour, il demanda aux prêtres un peu de pain pour ses enfants, mais il fut repoussé. Pour satisfaire la faim naturelle des siens, il décida de voler la nourriture du couvent. Malheureusement, il fut pris. Le prêtre qui l'avais pris au piège l'accusa devant le juge d'avoir volé un vase consacré.

Dans chacune de ces trois histoires, Gibran se révolte contre l'Emir qui a condamné trois innocents sans donner à aucun d'eux la chance d'un juste procès. La raison pour laquelle on refuse l'argument de la légitime défense est que les accusateurs sont tous nobles et que les accusés appartiennent à une classe économique défavorisée. Et cependant, comme l'a dit Kafka, « le Droit, c'est ce que font les nobles ». (46) Dans l'esprit de Gibran, les procureurs sont bien plus criminels que les criminels. Aussi, comme Kafka, Gibran rétorque avec scepticisme.

> Qu'est-ce que le Droit ? Qui l'a vu jaillir avec le soleil des profondeurs du ciel ? Quel être humain a-t-il vu le cœur de Dieu et compris sa volonté ou son but ? En quel siècle, les anges ont-ils erré parmi les gens en prêchant et en disant : « Défendez aux faibles de jouir de la vie, tuez les hors-la-loi du tranchant de l'épée et piétinez les pêcheurs avec des pieds d'airain ? » (47)

ABSURDITÉ DES SANCTIONS LÉGALES

La morale du châtiment est absolument fausse et surtout, elle se contredit elle-même car la loi répond au mal

par le mal, et elle punit les criminels en se faisant criminelle elle-même. « Devons-nous rendre le mal pour le mal
et dire que c'est la loi ? Allons-nous combattre la corruption par une corruption plus grande encore et dire que
c'est la règle ? Allons-nous extirper le crime par plus de
crimes, et dire que c'est la justice ? » (48)

Même si un homme est coupable, la société n'a pas le
droit de lui infliger une dure condamnation. L'homme
n'est pas un homme à cause de ses actes, mais parce qu'il
est né homme. La personnalité est une valeur intrinsèque
et elle caractérise essentiellement et existentiellement la
nature de l'homme. La valeur de la personnalité n'est pas
quantitative en ce sens qu'elle pourrait croître ou
décroître. De même, il n'est pas vrai qu'une personne
« ait » plus de valeur qu'une autre. Oserait-on dire qu'un
arriéré mental est moins humain qu'un être normal ? Ou
un pauvre moins qu'un riche ? Pour reprendre les idées de
Nicolai Hartmans et de Max Weber, la personnalité est
une valeur en soi, et la plus haute dans l'échelle. C'est
l'idée que nous retrouvons dans *Khalil l'Hérétique* lorsque
Rachel et Miriam sauvent, en plein nuit, un homme perdu
dans la neige. Miriam craint d'abord qu'il ne s'agisse d'un
criminel. Mais Rachel lui répond : « Qu'il soit moine ou
criminel ne fait aucune différence. Sèche-lui bien les pieds,
ma fille. » (49)

Il faut que je dise ici que la morale de Gibran n'autorise
pas la sanction de la peine capitale. Pour lui, aucune loi
n'a le droit de prendre volontairement et avec prémédi-
tation la vie de quelqu'un d'autre. Ce dont les meurtriers
ont besoin, c'est d'une réhabilitation mentale et sociale.
La logique contenue dans ces affirmations est triple :

1. Chaque homme constitue en lui-même un mystère
   unique. Pour pouvoir vraiment juger ses actes, une
   personne extérieure devrait avoir de lui et des circons-

tances qui l'ont fait une connaissance absolue — « Et vous qui comprenez la justice, comment le pouvez-vous si vous ne considérez pas tous les faits dans leur pleine lumière ? » (50) — ce qui est une utopie : aucun esprit ne peut avoir une compréhension parfaite des idiosyncrasies de quelqu'un d'autre. Aussi, écrit Gibran, « vous ne pouvez juger aucun homme au-delà de la connaissance que vous en avez, et cette connaissance est minime. » (51)

2. Lorsqu'un bon juge commence à examiner scrupuleusement toutes les circonstances qui entourent l'acte du criminel, il découvre que ces circonstances ont « forcé » et « conditionné » l'accusé à accomplir cet acte. De plus, l'analyse démontrera que le défendeur n'est pas le seul responsable du crime, mais que la société, avec ses justes, doit porter sa part de reproches. Aucun homme n'est une île. S'il est vrai que les succès de l'un sont partiellement dus à la contribution des autres, il est également vrai que les crimes se font avec leur participation. Le Prophète dit :

La victime d'un meurtre doit des comptes
Pour son propre assassinat.

Et le volé n'est pas exempt de reproches
Pour avoir été volé.

Les justes ne sont pas innocents
Des méfaits des méchants...

Ainsi le malfaiteur ne peut pas faire le mal
Sans votre volonté cachée à tous. (52)

3. Finalement, la valeur « personnalité » ne connaît

qu'un critère externe : c'est Dieu, le Créateur de la personne. Quant à l'autorité des lois humaines, Gibran est sceptique, car elle voit des différences dans la valeur de la personnalité. Et cependant, « la vie d'un homme pèse d'un poids aussi lourd dans la balance de Dieu que la vie d'un autre. » (53)

C'est pourquoi, toutes les formes de sanctions légales sont injustes. En cela, Gibran s'appuie davantage sur la morale évangélique que sur des arguments philosophiques théoriques. Somme toute, il ne fait qu'imiter le Christ lorsqu'il disait à la foule furieuse qui conspuait Madeleine, la femme adultère : « Que celui qui se croit le cœur pur lui jette la première pierre ». Sur quoi, la foule se dispersa, car elle n'était composée que de pécheurs. C'est le même message que Gibran nous transmet dans la parabole *Le Saint*. Un brigand vint un jour trouver le Saint et lui demanda de l'absoudre des innombrables crimes qu'il avait commis. À sa surprise, le Saint refusa d'être son juge devant Dieu et répondit :

Moi aussi, j'ai commis des crimes sans nombre...
Alors le brigand se leva et... descendit la colline en gambadant.
À ce moment, nous l'entendîmes chanter au loin, et l'écho de son chant emplit la vallé de joie. (54)

Le voleur était heureux parce qu'il avait découvert que même les Saints pèchent au moins sept fois par jour. La morale de cette parabole implique aussi qu'aucun homme n'est un ange. Comme le disait Blaise Pascal : « Qui veut faire l'ange, fait la bête. » (55) Ainsi Gibran, lui aussi, définit l'homme comme un microcosme dont la perfection est limitée. Il n'y a pas de honte à n'être pas la Perfection, sans quoi nous devrions avoir honte d'être des hommes.

Le poème *Perfection* souligne que l'homme atteint à la perfection lorsqu'il accepte volontairement ses faiblesses au lieu de se vanter de ce qu'il n'est pas. (56)

LES LOIS HUMAINES ET LE PRÉTEXTE DE L'UNICITÉ

Sans crainte d'être contredit, je crois que les héros de Gibran se révoltent contre les règles de conduite stéréotypées et institutionnalisées parce qu'ils considèrent tout simplement que ces lois compromettent le développement de leur personnalité. Cependant, aucun d'entre eux ne prétend suivre la voie idéologique d'un Abbie Hoffman ou d'une Angela Davis. Ce ne sont pas des anarchistes, et Gibran lui-même n'était pas un révolté social. Il dit un jour à ses compatriotes libanais nés en Amérique qu'ils devaient devenir de bons citoyens, loyaux envers les États-Unis en dépit de leur ascendance libanaise. « Je crois qu'il vous appartient d'être de bons citoyens... Vous devez être fiers d'être Américains... » (57)

Les héros de notre auteur plaident pour la liberté de la personnalité, et leur discussion est basée sur les mêmes prémices philosophiques que celles que l'on trouve dans les écrits de Tolstoï, de Kafka, de Dostoïevski et de Blake.

En bref, selon Gibran, les lois humaines infligent de sérieux dommages à l'individu en lui imposant des règles de conduite fixes et en veillant à ce qu'il suive littéralement cette manière de penser ou d'agir. Et il est bien vrai que les lois humaines visent à avoir un large champ d'application sans aucune considération de la situation idiographique dans laquelle vivait la personne au moment où elle a accompli son acte. L'expression toujours utilisée par la police, les politiciens, les avocats ou les bureaucrates : « C'EST LA LOI ! » montre à quel point les lois humaines sont absurdes lorsque l'accusé essaie de justifier ses actes.

Le sentiment psychologique qui se fait jour chez un homme qui sent sa personnalité opprimée et alourdie par les codes institutionnels promulgués soit par la société, soit par l'Église, est celui des «statistiques». Il a l'impression d'être «un numéro parmi d'autres». Gibran se rend compte que l'esprit de statistique domine dans notre société technologique. Les gens sont de moins en moins individualisés. Quant à l'éducation, elle fait de son mieux pour nous façonner dans le conformisme et le totalitarisme. Et pourtant, pour Gibran, le but de l'éducation est, au contraire, de permettre à chacun de développer ses dons innés, donc sa propre identité. «L'éducation ne plante pas des semences en vous, mais elle *fait croître vos propres semences.*»(58)

Gibran reproche à deux catégories d'oppresseurs de dérober le caractère subjectif des individus. Ils ont en commun le privilège d'être riches et de faire des lois auxquelles les pauvres sont obligés de se plier alors qu'eux-mêmes en sont exemptés. Quant aux différences, l'un porte une soutane, on l'appelle prêtre et ses règles sont religieuses. L'autre est un laïque qui vit dans des palais construits avec les larmes et l'argent des pauvres, et ses lois sont des lois de société. Dans le langage particulier de Gibran, les prêtres sont comme le lierre qui s'élève haut vers le ciel tandis que ses racines plongent dans l'aimable ignorance des pauvres pour leur voler, au nom de Dieu, leur individualité et leur argent. «J'ai contemplé les prêtres, rusés comme des renards ; et les faux messies qui trichent avec le peuple.»(59)

Les conséquences des lois établies par les hommes sont préjudiciables à l'unicité et à la dignité de l'homme. Comme son ami, le psychanaliste suisse Carl Jung, dont il peignit le portrait, Gibran reconnaît que dans un

monde où la loi des statistiques prévaut, la moralité tend
à décroître Jung écrit :

> De plus en plus, l'individu est privé du droit moral de
> décider comment mener sa propre vie. Au lieu de
> quoi il est dirigé, nourri, habillé et éduqué comme
> une unité sociale, logé dans une habitation appro-
> priée et distrait selon les règles qui donnent du plaisir
> et de la satisfaction aux masses. (60)

De même, Gibran considère la décadence de la moralité
comme le résultat d'une « morale institutionnalisée ». Par
exemple, il s'attaque à la moralité de *Superego* de la politique du jour. « Le devoir politique organisé » est une
fausse moralité parce qu'il définit le bien et le mal selon
des critères inventés par les politiciens. L'exemple en est le
patriotisme au nom duquel les peuples s'entredéchirent
dans la guerre. Je rappelle au lecteur que Gibran ne confond pas le « patriotisme » avec « l'amour du pays
natal ». (61) Selon lui, le patriotisme qui se développe au
prix de la vie humaine est une construction sans fondations concrètes. C'est un sentiment d'attachement au pays
qui a été fabriqué de toutes pièces. C'est une rumeur
répandue par les politiciens. Cependant, « l'amour du
pays natal » n'a pas de connotation ethnologique, sociale,
juridique, géographique, politique ou religieuse. Mon
pays natal est la planète Terre où survivent les humains et,
finalement, tout l'Univers dans lequel je suis né et dont je
fais partie. « L'amour du pays natal » est une inclination
naturelle qui, cependant, ne peut surpasser « l'amour
pour/ou des autres », qui se situe plus haut dans l'échelle
des valeurs. »

> Prends garde, mon frère, au dirigeant qui dit :
> « L'amour de l'existence nous oblige à priver le peuple

de ses droits ! » Je n'ai qu'une chose à te dire :« La
protection des droits d'autrui est l'action humaine la
plus noble et la plus belle. Si mon existence m'oblige
à tuer d'autres hommes, alors la mort me paraît plus
honorable et... je n'hésiterai pas à prendre ma vie de
mes propres mains pour le salut de l'Éternité avant
que l'Éternité ne vienne. » (62)

Et aussi :

Si le devoir chasse la paix entre les nations, et si le
patriotisme fait fi de la tranquillité de l'homme, alors
foin du devoir et du patriotisme ! (63)

Mais la moralité est réduite en miettes parce que l'individu, poussé par un comportement codifié, abandonne sa
liberté existentielle pour assumer une responsabilité sociale
et religieuse générique. « J'ai vu... la vraie liberté se promener toute seule dans la rue, cherchant refuge sur le pas
des portes et repoussée par les gens. » (64) Dans l'analyse
finale, s'il faut blâmer quelqu'un pour la détérioration du
moi intérieur et de la liberté, ce quelqu'un, c'est seulement
l'homme qui

a promulgué une loi limitée et terrestre de son invention pour l'âme que Dieu nous a donnée. Il s'est
donné à lui-même des règles strictes. L'homme a
construit une étroite et pénible prison dans laquelle il
a enfermé ses affections et ses désirs. Il a creusé une
tombe profonde dans laquelle il a enterré son cœur et
ses desseins. (65)

LES LOIS NATURELLES
CONTRE LES LOIS DE L'HOMME

D'après les pages qui précèdent, on pourrait croire que Gibran est un anarchiste. Cependant, pour un philosophe attentif, il apparaît réellement comme un garant des lois. Ce n'est pas seulement évident dans son œuvre, mais aussi dans sa vie. Gibran n'a jamais été emprisonné pour avoir enfreint un code social et il n'a jamais participé à une manifestation. Lorsqu'il attaque les lois de l'homme, il ne le fait pas par caprice mais à cause de son souci de ses semblables. Il s'oppose tout simplement aux lois de l'homme parce qu'il a le sentiment que ces règles compromettent la quête de l'individu vers « l'éveil spirituel » qui mène au bonheur. Après tout, il accepte le caractère absolu de la « loi éternelle » (66) et de son corollaire, la loi naturelle. Un bref commentaire sur ces lois révélera la pensée de Gibran.

La distinction que Gibran établit entre la loi naturelle , la loi éternelle et la loi humaine est généralement acceptée par la plupart des moralistes, spécialement par les thomistes. En ce qui concerne la loi éternelle, Gibran y fait allusion dans de nombreux passages. (67) La loi éternelle est la règle de la sagesse divine, qui est éternelle, qui ordonne toutes choses en vue de leur fin, l'homme y compris. Selon les propres termes de Thomas d'Aquin :

...Si l'on admet que le monde est gouverné par la divine providence... toute la communauté de l'Univers est dirigée par la raison divine. C'est pourquoi le véritable mécanisme du gouvernement des choses par Dieu, maître de l'Univers, a la nature d'une loi. Et comme la conception des choses par la raison divine n'est pas soumise au temps, elle est fondée sur l'attribut divin de la sagesse de Dieu. Dieu oriente les créatures vers lui, qui est le Plus Grand de tous les Biens. De plus, cette loi éternelle peut être universellement connue par l'homme. C'est pourquoi, elle ne constitue pas une prérogative des prêtres ou des gens instruits. Quiconque vit dans les voies de l'Amour, de la Beauté et de la Vérité accomplit la loi éternelle.

Quant à la loi naturelle, elle est la participation de la loi éternelle à la fois dans la nature rationnelle et dans la nature irrationnelle, par le truchement des inclinations naturelles. De plus, chez l'homme, la loi naturelle participe à la loi éternelle par les premiers principes de la raison pratique. La lumière de la raison est une inclination naturelle propre à l'homme. La nature de l'homme est rationnelle et lui seul découvre la loi naturelle à la lumière de la raison naturelle en tirant des conclusions de sa propre nature. Selon Gibran, Dieu promulgue la loi naturelle pour l'homme à travers le don de la nature rationnelle. C'est pour ainsi dire écrit dans notre être lui-même. La loi de l'univers est une réplique de la loi éternelle. « Même les lois de la Vie obéissent aux Lois de la Vie. » (69) Et le précepte primordial de la nature est « l'Amour » en même temps que les vertus qu'il entraîne, comme la compassion, le pardon, la magnanimité. La Justice est une sorte de bienveillance.

Et qu'en est-il de la loi des hommes ? Dans la terminologie de Gibran, il s'agit de la loi décrétée par les gouvernements législatifs religieux ou politiques. Mais selon lui, ces lois ne découlent pas de la loi naturelle, et ne sont pas dictées par la loi éternelle. En opposant l'une à l'autre la loi naturelle et la loi des hommes, Gibran s'exclame : « La seule autorité à laquelle j'obéisse est celle qui naît du fait que je suis d'accord avec la Loi Naturelle de la Justice ». (70)

Ses mobiles pour considérer les lois organisées comme

contraires à la loi naturelle ou éternelle se rattachent au fait qu'il existe une discordance entre les lois humaines et la « justice ». Très lucidement, il se rend compte qu'il n'y a pas d'interdépendance entre elles dans la société présente, même chez les garants de l'application de la loi. Les avocats essaient de gagner la cause de leur client non tant dans l'intérêt de la justice que pour leurs ambitions sociales personnelles ou leur devoir professionnel. J'entends souvent moi-même dire que les avocats ont un devoir professionnel à l'égard de leurs clients sans qu'il soit tenu compte de la valeur de leurs actes. Ce fossé infranchissable est parfaitement défini dans le poème satyrique de Gibran *La Procession* (traduit parfois par *le Cortège*). C'est un long dialogue entre un sage vieillard et un jeune homme sur les différences entre l'autorité terrestre et la loi naturelle. Le sage représente un homme qui a passé toute sa vie dans les tumultes de la ville et qui se sent plein d'amertume envers la société à cause de la corruption, de la diffamation, de la profanation, des injustices et des hypocrisies que les lois humaines ont apportées dans la vie des citoyens. Le jeune, d'autre part, symbolise l'innocence qui n'a pas été gâtée par les astuces immorales des lois sociales. La seule loi à laquelle le jeune soit fidèle est celle de la nature.

LE SAGE

La justice sur la terre ferait hurler
le Lutin tant le mot est mal employé.
Et si les morts en étaient témoins
Ils tourneraient en dérision l'impartialité de ce monde.

Oui, nous offrons la mort et la prison
à ceux qui enfreignent légèrement les lois,

Mais nous accordons à de plus grands pirates
l'Honneur, la richesse et le respect...

LE JEUNE

Il n'est pas de justice dans la Nature
Et on n'y trouve pas de châtiment.
Lorsque les saules répandent leur ombre
sur le sol sans en avoir la permission,
on n'entend pas le cyprès dire :
« Cet acte est contraire à la loi et au droit ! »
Comme la neige, la Justice humaine
fond de honte sous le soleil brûlant ! (71)

Pour résumer ce que nous avons dit, répétons que notre
auteur adopte une position dure contre les lois des hommes pour la seule raison que leurs directives de vie sont
inflexibles, établies sur des coutumes vicieuses, sur des
pratiques de corruption, qu'elles sont en conflit avec les
idiosyncrasies de l'individu et qu'elles fournissent aux
masses des individualités dépersonnalisées. Dans une lettre
écrite à son cousin germain en 1908, après l'incident de
l'autodafé de ses *Âmes en révolte* sur la place du Marché
de Beyrouth, Gibran avouait :

Le peuple prétend que je suis l'ennemi des lois justes,
des liens familiaux et des vieilles traditions. Ces gens
disent vrai. Je n'aime pas les lois des hommes et
j'abhorre les traditions que nous ont léguées nos
ancêtres. (72)

Une situation qui se nourrit des lois humaines et que
Gibran critiquait vivement était celle des mariages en
Orient. À l'époque de Gibran, beaucoup plus que de nos
jours, les mariages dans les pays méditerranéens étaient

célébrés presque toujours pour des raisons matérielles sans qu'il existe aucune sorte d'amour entre les conjoints. Ou bien les parents promettaient la main de leur fille alors qu'elle était encore enfant, ou l'un des partenaires donnait son consentement à l'autre à cause de sa richesse. Or, d'après la loi érigée par l'Église, une fois le mariage consacré devant le prêtre, il ne pouvait y avoir de divorce, et les deux conjoints étaient *légalement* mariés. À cela, la morale de Gibran réplique : peut-on acheter l'amour ? L'amour est-il une simple formalité administrative ? Quelle différence y a-t-il entre une prostituée et la personne qui a des rapports sexuels la nuit qui suit la signature de certains documents officiels qu'elle a trouvée bénéfiques ? (73) C'est là une manière de montrer l'absurdité des codes institutionnalisés.

Je voudrais ici émettre une idée personnelle qui reflète les intentions de Gibran. L'objectif de tout type de loi est d'aider l'individu à développer sa personnalité jusqu'à son summum. Le succès de la loi réside dans sa compréhension de tous les événements concrets qui contribuent à faire la situation concrète d'un individu unique. La loi ne devrait jamais devenir bureaucratique. Mais, comme le dit Gibran:« La bienveillance devrait être la source de toute loi sur la Terre, car la bienveillance est l'ombre de Dieu dans l'homme. » (74) Sans quoi, la loi ne serait plus qu'une lettre morte que l'on trouve dans des livres sur l'étagère d'une bibliothèque. Telle est l'idée que développe Almuhtada dans ses sermons *Sur les Martyrs de la loi des hommes*. (75)

En conclusion, il est évident, pour notre auteur, que celui qui se repose sur la loi éternelle et sur la loi naturelle peut atteindre le bonheur moral et une liberté semblable à celle des oiseaux. L'oiseau symbolise la liberté.

L'oiseau a un bonheur que l'homme n'a pas. L'homme vit dans les pièges des lois et des traditions qu'il s'est fabriquées. Mais les oiseaux vivent selon la loi naturelle de Dieu qui fait que la terre tourne autour du soleil. (76)

Paraboles sur l'autorité politique

L'objectif de cette section est double. D'une part, elle servira de *conclusion* à ce chapitre. D'autre part, elle examine les différentes formes de «l'autorité politique».

Sur ce point, Gibran distingue trois types de gouvernement. Ce sont :

1. un gouvernement faible ;
2. un gouvernement dépravé ;
3. un gouvernement coopératif.

Gibran se sert d'un style d'expression parabolique de manière à transmettre à ses lecteurs la morale de ses récits d'une façon amusante et directe.

UN GOUVERNEMENT FAIBLE

La parabole « Le Sage Roi » dans *Le Fou* représente un Roi qui gouvernait la ville de Wirani avec sagesse et puissance. Le Roi et ses sujets vivaient en bonne intelligence jusqu'à ce qu'une nuit, une sorcière entra dans la ville. Celle-ci versa sept gouttes d'un étrange liquide dans le seul puits qui fournissait de l'eau à toute la population, et elle jeta un sort : « À partir de maintenant, celui qui boira de cette eau deviendra fou. » (77)

Le lendemain, les habitants puisèrent leur eau au puits et en burent. Soudain, ils devinrent fous, comme l'avait prédit la sorcière. Cependant, le Roi et son lord chambellan ne furent pas affectés parce qu'ils n'avaient pas touché à l'eau. Leur comportement demeura le même.

Ce qui avait été la paix jadis tourna alors à la révolte. Car dans le courant de la journée, les citoyens se rassemblèrent par petits groupes et murmurèrent entre eux : « Notre Roi et son chambellan ont perdu la raison. Nous ne pouvons évidemment pas être gouvernés par un Roi fou. Nous devons le détrôner. » (78) Ils savaient que le Roi était fou, puisqu'il ne se comportait pas comme d'habitude, selon ce qu'ils en attendaient.

La rumeur qu'on voulait le détrôner parvint jusqu'au Roi. Celui-ci, craignant de perdre son trône et son pouvoir, ordonna à ses soldats de lui apporter de l'eau du puits dans un gobelet d'or. Il en but et en donna un peu à son chambellan. Dès ce moment, conclut la parabole « il y eut de grandes réjouissances dans cette lointaine cité de Wirani, car le Roi et son chambellan avaient retrouvé la raison. » (79)

Or, si nous réfléchissons sérieusement à la signification de ce conte, nous comprenons que le Roi, qui était à la fois « sage » et « puissant », décida finalement de vendre sa sagesse pour conserver son autorité. Il consentit à devenir fou comme tous ses concitoyens, plutôt que de chercher un remède pour guérir la folie de la ville. En d'autres mots, il y a de nombreux dirigeants politiques — suppose Gibran — dont les actes, la pensée et les décisions sont empreints de folie, dégradants, incivils, incultes et rétrogrades, enfermés dans les traditions, mais qui bénéficient du consentement général de leur peuple. Ces dirigeants se laissent mener par leur population « démente » au lieu de l'éclairer et de la guider selon les règles du progrès contemporain social, culturel et éducatif. Ils préfèrent la puissance, le pouvoir et l'autorité à la sagesse. Je crois qu'il existe dans les pays sous-développés certains gouvernements qui ressemblent au « Sage Roi de Wirani ».

UN GOUVERNEMENT DÉPRAVÉ

Dans la parabole « La Fille du Lion », Gibran décrit une autre version de l'autorité, celle que l'on appelle autocratique, tyrannique, despotique et dictatoriale.

L'histoire concerne quatre esclaves éventant leur vieille reine qui dort sur son trône, un chat sur les genoux. Alors qu'elle est profondément endormie, les esclaves se moquent de sa vieillesse, de sa laideur et regrettent qu'on ne la destitue pas. De son côté, le chat tente de sortir les esclaves de leur état de servitude et d'assoupissement. Le dialogue entre le chat et les esclaves atteint son sommet lorsque la Reine hoche la tête dans son sommeil et que « sa couronne roule sur le sol ». (80) À ce moment, l'un des esclaves s'écria : « C'est un mauvais présage ! » (81) Et les autres l'approuvèrent unanimement. Mais le chat intervint : « Le mauvais présage pour l'un peut être un bon présage pour d'autres » (82) voulant dire ainsi que si les esclaves le souhaitaient, ils pouvaient se révolter contre la Reine qui était faite aussi de chair et de sang. La couronne, qui symbolise l'« autorité », n'est pas une qualité, un privilège ou un droit auquel seule la Reine pourrait s'identifier. En fait, la couronne qui constitue son autorité était fragile et pouvait lui être retirée. Elle était tombée par terre.

Mais, fait surprenant, les esclaves se mirent d'accord pour remettre la couronne sur la tête de la Reine. Ils avaient peur que la Reine ne se réveille et, voyant la couronne à ses pieds, les punisse en croyant qu'ils avaient rejeté son sceptre. Le chat murmura alors aux esclaves : « Seul un esclave rend la couronne qui est tombée. » (83)

En bref, Gibran prétend que dans une situation politique de despotisme, ce n'est pas le dictateur qu'il faut blâmer parce qu'il exerce sa tyrannie, mais le peuple lui-

même qui permet à son mauvais gouvernement d'exister.   Le refus du peuple de se révolter pour changer son
destin doit être condamné. Mais il faut admettre
qu'aucune révolution politique ne peut réussir sans
qu'un peu de sang soit versé. Pour Gibran il vaut cependant mieux « mourir pour la liberté... que de vivre dans
l'ombre de la faiblesse et de la soumission. » (84)

LE GOUVERNEMENT DU PEUPLE

La philosophie politique de Gibran repousse les deux
premières formes de gouvernement en les déclarant inefficaces et contraires au bien-être du peuple. À son avis
seul un gouvernement qui se préoccupe du peuple, qui
est élu par lui et qui fonctionne par son intermédiaire
mérite de poursuivre son existence. Lorsqu'on lit sa
parabole «*Le Roi*», on a l'impression qu'il l'écrivit sous
l'inspiration de l'Adresse de Gettysburg du Président
Lincoln (19 novembre 1863). Gibran, comme Lincoln,
est un farouche partisan du gouvernement « du peuple,
par le peuple, pour le peuple». Ce point est parfaitement souligné dans l'histoire du monarque qui dirigeait
le Royaume de Sadik.
Un jour, le peuple de la ville s'approcha du palais et,
d'une voix unanime, se mit à huer le Roi de Sadik. Sa
majesté apparut aussitôt et salua le peuple d'une manière amicale. Après quoi, sans la moindre résistance, il
leur tendit sa couronne et son sceptre et dit : « Mes amis,
qui n'êtes plus mes sujets... je serai l'un de vous... Je
travaillerai avec vous dans les champs et les vignes...
Maintenant, chacun de vous est Roi. » (85)
Cependant, poursuit le récit, le Royaume de Sadik ne
trouva pas la paix et la justice lorsque le Roi eut abdi-
qué. Au contraire, le mécontentement populaire s'ac-

crut de jour en jour, parce que les gens étaient maintenant trahis par leurs maîtres, les riches. Ainsi, comme ils
l'avaient détrôné, ils souhaitèrent rétablir le Roi en lui
conférant le droit de les gouverner. «Gouverne-nous,
lui dirent-ils, avec puissance et justice.» (86) Le Roi
répliqua : «Avec puissance, c'est possible, car tout
homme est capable de réaliser cette ambition. Mais avec
justice, c'est plus difficile, car la justice est une qualité
divine et un don du ciel.»

Durant les jours qui suivirent, le peuple formula ses
griefs auprès du Roi à propos de ses maîtres. (Notez
soigneusement les répliques du monarque et son sens de
la justice.) La première personne que les plébéiens firent
comparaître était un baron. Ils reprochaient au défen-
seur de les traiter en esclaves et non en êtres humains.
Aussitôt, le Roi prononça sa sentence : «La vie d'un
homme pèse autant dans la balance de Dieu que celle
d'un autre. Et comme tu ignores comment peser les vies
de ceux qui travaillent dans tes champs, (87) je te bannis
du Royaume». Ensuite, le peuple se plaignit de la
cruauté d'une comtesse. Le Roi ordonna qu'elle fut
amenée devant son tribunal. Il la bannit également,
pour la raison suivante : «Ceux qui cultivent nos
champs et qui soignent nos vignes sont plus nobles que
nous qui mangeons le pain qu'ils préparent et qui
buvons le vin de leurs pressoirs.» (88) Enfin, le peuple
dénonça son évêque en disant qu'il était inhumain et
avide, car il leur faisait construire une cathédrale sans
les rémunérer pour leurs heures de travail. Sur ce, le Roi
convoqua le prélat et l'admonesta vivement en disant :
«La croix que tu portes sur la poitrine devrait signifier
que tu apportes la vie. Mais tu as pris la vie de la vie et tu
n'as rien donné. C'est pourquoi tu quitteras ce
Royaume pour n'y plus revenir.» (89)

Depuis ce jour — ajoute la parabole — le peuple

vécut dans la joie parce que son Roi était toujours de son côté.

Pour conclure l'ensemble de ce chapitre, je crois que le Contrat Social de Gibran ainsi que son système de philosophie légale et politique ne plaident pas pour l'idéologie de la démocratie ; car selon ce que je comprends, la démocratie est une utopie qui, dans la pratique, mène au capitalisme et à la lutte des classes. Je prétends que Gibran penche davantage vers le socialisme ; mais non vers un socialisme de type communiste, mais plutôt de type humaniste. Car le communisme engendre l'athéisme et favorise secrètement les inégalités entre les gouvernants et les gouvernés. Ce n'est que dans le cadre d'un *socialisme authentique* que les lois humaines se conforment aux préceptes divins. Une indication de cette concordance entre les lois humaines et la volonté divine se trouve dans cet axiome éternel auquel Gibran souscrit de tout son cœur, à savoir : *vox populi, vox Dei*(La voix du peuple est la voix de Dieu.) En vérité, Gibran souligne cet argument de concordance humaniste-socialiste-divin dans sa parabole *Le Roi* dont nous venons de parler. Selon les paroles du Roi qui est le héros de l'histoire, c'est le peuple lui-même qui est le véritable dirigeant : « C'est vous qui êtes le Roi ». Quant à lui, il n'est qu'une pensée dans l'esprit de « chacun d'eux et il n'existe que par leurs actes. » « Il n'existe pas de gouvernant. *Seuls les gouvernés existent pour se gouverner eux-mêmes.* »(90)

L'AMOUR, LA QUINTESSENCE
DE L'EXISTENCE HUMAINE

Tout grand système de pensée tourne autour d'une notion fondamentale de base. Grâce à cette notion clé, l'auteur essaie d'expliquer l'existence et tous les aspects de la vie. Dans son esprit, l'idée fondamentale devient une thèse en trois parties :

1. Une description *métaphysique* de l'existence.
2. Un impératif catégorique *éthique* pour mener
   une vie morale.
3. Un conseil *psychologique* destiné à mûrir
   la personnalité.

Dans la philosophie de Gibran, l'*amour* occupe la place la plus importante. Dans les pages qui précèdent, nous avons déjà montré la pertinence de l'amour, à la fois comme référence à la mission du poète et pour l'établissement d'une société authentique. Il nous reste maintenant à asseoir les fondations sur lesquelles se base la construction de la théorie de Gibran et de bâtir tout son système de pensée tel qu'il ressort véritablement de la dynamique de l'amour. C'est pourquoi, sa doctrine consiste essentiellement en ceci : la signification de l'existence humaine est la manifestation consciente et progressive de ce principe ou de cette source de toutes choses, manifestation caractérisée en nous par l'amour. Ainsi, l'amour est le noyau de la vie humaine et la suprême loi divine qui doit nous guider et soutenir la loi naturelle.

De nos jours, alors que les conflits nationaux et internationaux font si facilement éclater les relations humaines, on parle beaucoup de l'amour comme d'un remède efficace pour diminuer l'incompréhension entre les nations et les individus. Cependant, en raison des nombreuses versions qui nous sont proposées par une myriade de théologiens professionnels, de philosophes, de psychiatres, de sociologues, d'éditeurs de revues et d'esprits littéraires, la vraie signification de l'amour ne nous apparaît plus. C'est pourquoi, le but qu'espère atteindre ce chapitre est de nous rétablir et de nous rééduquer dans l'amour véritable. Sur ce plan, Gibran est un Grand Maître, et son interprétation mérite de retenir l'attention.

Fondamentalement, Gibran distingue deux sortes d'amour qui correspondent aux deux régions de l'existence humaine, à savoir le corps et l'esprit. Pour ma part, je leur attribue les noms grecs familiers d'*Eros* et d'*Agapè*. Pour plus de clarté, je signalerai ici que ces deux termes ne sont pas contradictoires aux yeux de Gibran. Cependant, il n'écarte pas la possibilité d'un mauvais usage d'Eros. Dans ce cas, l'une des formes d'amour peut entrer en conflit avec l'autre. En partant de là, je diviserai ce chapitre en deux sections, pour des raisons méthodologiques :

1. Eros (l'érotisme) ;
2. Agapè (l'amour spirituel).

1° Eros

CRITIQUE DES FAUSSES CONCEPTIONS QUI PRÉDOMINENT

En suivant le tracé de la pensée de Gibran, je ne définirai pas le concept Eros dans un sens freudien. D'une manière large, il signifie « *amour sensuel* ». En conséquence, la personne tire son plaisir de sensations corporelles, et *sexe* est l'expression qui convient. Cependant, en ce qui concerne Eros, Gibran parle d'actes acceptables et d'actes pervers. Quelques mots suffiront à définir la position de notre auteur.

En ce qui concerne l'amour charnel, j'ai le sentiment que Gibran a élaboré sa théorie parce que les philosophies antérieures de l'érotisme ne le satisfaisaient pas. Il se pose en juge des deux écoles dominantes extrêmes que l'histoire a retenues et, au cours de son argumentation, il développe sa position en ce qui concerne « l'Eros acceptable ». Ces extrêmes enseignent, l'un, une extravagante mortification des sens, l'autre une extravagante satisfaction de la chair. Gibran adopte une position médiane. Sa compréhension d'Eros comporte la compréhension des notions corrélatives de « corps-esprit », de « plaisir » et de « souffrance ». Comment ? Je crois que la meilleure manière de comprendre sa position est de tracer les différences respectives entre ses idées sur l'érotisme et celles des deux approches historiques dont on vient de parler.

1.   À vrai dire, de nombreux ascètes d'inspiration mys-

tique platonicienne jugent que la notion « sexe-eros » est un sujet tabou. Ils méprisent le corps qu'ils considèrent comme une prison dans laquelle l'âme est enchaînée par des impulsions psychologiques. Qu'on se rappelle, par exemple, le fameux texte de Platon :

> Quiconque recherche la sagesse sait que... son âme est un prisonnier sans défense, pieds et poings liés dans le corps, contraint de regarder la réalité non pas directement, mais à travers les barreaux de sa prison et croupissant dans une totale ignorance. (1)

Historiquement, le mysticisme de Platon allait séduire les premiers Pères de l'Église qui craignaient que leurs inclinations corporelles ne les poussent à rechercher un bonheur terrestre. « Ils étouffèrent tous les plaisirs de peur de négliger ou d'offenser l'esprit. » (2) Ce fut la période des ermites, des moines et des cloîtrés. Mais jusqu'à nos jours, nous trouvons des ascètes qui mortifient leurs sens et qui flagellent leur corps comme le font encore certains moines chrétiens, notamment les Trappistes. Cependant, avec le bons sens qui le caractérise, Gibran ne voit aucun mal dans les fonctions biologiques du corps. Après tout, l'existence humaine n'est pas le fait d'un pur esprit comme les anges ni de simple chair comme les animaux. L'être de l'homme est psychosomatique. De plus, rien de ce que Dieu a créé n'est scandaleux, pas même le sexe. « Dieu a fait de nos corps les temples de nos âmes. » (3)

En outre, Gibran, qui était familiarisé avec la psychanalyse de Freud (4) et la psychologie de Jung, déclara à diverses reprises que l'homme ne pouvait pas éliminer, étouffer ou renier ses pulsions corporelles sans devenir névrosé. Il savait que le rejet extrême d'un désir corporel ne supprimerait pas le désir mais « le rejetterait dans l'inconscient jusqu'au jour où il éclaterait à la surface, causant de sérieux dommages à la *psyché* de l'individu. Nous trouvons, dans *Le Prophète*, ce texte psychanalytique :

> Souvent, en vous refusant un plaisir vous ne faites
> que l'entreposer dans les profondeurs de votre être.
> Qui ne sait que ce qui est négligé aujourd'hui attend
> son lendemain ?
> Même votre corps connaît son héritage et ses justes
> besoins, et il ne veut pas qu'on le déçoive.
> Et votre corps est la harpe de votre âme.
> Et il vous appartient d'en tirer une douce musique
> ou des bruits confus. (5)

Le véritable problème est que ceux qui estiment que le sexe est un sujet tabou se trompent dans l'hypothétique pensée que le corps et l'esprit sont deux entités séparées. Gibran n'est pas d'accord avec ce spiritualisme exagéré, que j'attribue personnellement, en partie, à notre héritage du Manichéisme avec sa croyance dans la coéternité des principes du Bien et du Mal. Dans cette hypothèse, le corps est l'esprit du mal et l'âme l'esprit du bien, l'un étant en lutte contre l'autre. Gibran remarque avec lucidité :

> Il n'existe pas de lutte entre l'âme
> et le corps, sinon dans l'esprit de ceux
> dont l'âme est endormie et dont
> les corps sonnent faux. (6)

Qu'on se permette ici d'ajouter un commentaire personnel. Quoique Gibran n'ait pas personnellement utilisé les mêmes expressions que les existentialistes à propos de la signification du corps humain et de ses fonctions, nous avons l'impression qu'il répand les mêmes idées de base, c'est-à-dire que la relation de l'homme avec son corps n'est pas possessive, ce n'est pas une relation d'«avoir», mais d'«être». «Je suis mon corps» est une excellente expression linguistique qui rend justice à la philosophie de Gibran. Il faut cependant bien se mettre dans l'esprit que l'expression «Je suis mon corps» ne doit pas être interprétée comme si mon existence était seulement égale à mon corps, sans quoi nous nous serions fourvoyés dans le matérialisme qui ne connaît d'autres traits humains que les os, le sang et les activités physiologiques. Si l'on veut être fidèle à la ligne de pensée de Gibran, il faut considérer que l'expression «Je suis mon corps» signifie simplement que mon corps est l'incarnation de ma conscience et inversément que le moi informe, pénètre et envahit le corps, constituant ainsi une unité psychosomatique.

Répétons-nous : contrairement à la philosophie dualiste, l'homme par son existence métaphysique «est» un être sexuel. Et en raison de l'indiscutable fait biologique qu'un individu est mâle ou femelle, il apparaît clairement que le sexe est une réalité diffusée dans tout l'être de l'homme, et non dans certaines parties, quoiqu'il soit organiquement localisé dans certaines régions bien définies de l'organisme. Mais en tant qu'énergie, il envahit l'homme tout entier. Telle est la signification que nous transmet Gibran lorsqu'il écrit :

Oh, amour, la compréhension est nécessaire... Pour aimer, je dois comprendre — et même comprendre avec le *corps* aussi. Lorsque, par exemple, je vois une belle fleur, mon *corps* comprend sa beauté et est attiré vers elle. (7)

Et un jour, alors qu'il était importuné par une femme impertinente et trop curieuse qui n'arrêtait pas de lui demander : «Et vous, n'avez-vous jamais été amoureux ?», Gibran répondit sans vergogne :

Je vais vous dire une chose que vous ne savez peut-être pas. Les êtres les plus fortement sexuels de cette planète sont les créateurs, les poètes, les sculpteurs, les peintres, les musiciens — et il en a été ainsi depuis le commencement des temps. Et chez eux, le sexe est toujours beau. *Et il est toujours réservé. (8)*

Cependant, tout en affirmant qu'il existe un lien entre les impulsions physiologiques et les activités intellectuelles, et en justifiant la nécessité biologique innée du sexe, Gibran nous met en garde contre les abus de l'amour charnel. Ici, il dirige ses critiques contre le «playboy» qui se livre aux excès opposés à ceux des spiritualistes. Il semble même plus amer à l'égard de ces extravagances qu'envers les ascètes mystiques.

2. Historiquement, c'est le philosophe primitif grec Aristippe de Cyrène (± 435-355 avant J.-C.) qui affirma le premier que le but de la vie était la satisfaction complète des aspirations du corps. Sa théorie de l'hédonisme comportait trois principes qui sont encore professés de nos jours par les adeptes du sexe : *Un*, que le bonheur consiste à rechercher le plaisir au prix de la moins grande souffrance. *Deux*, que le plaisir est quantitatif et non qualitatif. *Trois*, qu'un homme ne devrait jamais laisser passer la chance de satisfaire ses besoins biologiques, et notamment les plaisirs du sexe, quelles qu'en soient les conséquences. Or, si l'on se place au point de vue de la morale, de la métaphysique et de la

psychologie de Gibran, les trois principes de playboy d'Aristippe sont existentiellement erronés.

Ainsi, en ce qui concerne le *premier principe*, le Gibranisme reconnaît que le plaisir est une partie essentielle de la vie, mais pas au point de le confondre avec son but qui est le bonheur. Assurément, Dieu désire que l'homme recherche le bonheur.(9) Mais le bonheur n'est pas synonyme de plaisir ni le contraire de la souffrance. Bien au contraire, le bonheur a besoin et de douleur et de plaisir.(10)

Les adeptes d'Aristippe «qui cherchent le plaisir comme si c'était tout,»(11) ainsi que le présume *Le Prophète*, espèrent en vérité en une utopie. Car toute tentative de tension-réduction qui est leur mobile directeur dans la recherche du plaisir absolu est vouée à l'échec et n'arrive en fait qu'à augmenter la tension. Cette constatation psychologique de Gibran est partagée par de nombreux conseillers humanistes. C'est ainsi que Victor Frankl, le fondateur de la troisième école viennoise de psychothérapie, écrit :

Je considère que c'est une dangereuse déformation d'hygiène mentale de prétendre que l'homme a besoin avant tout... d'un état dépourvu de tension. En réalité, il n'a pas besoin d'un tel état, mais au contraire, il doit lutter et se battre pour atteindre un but qui soit digne de lui.(12)

Pour parler avec réalisme, un homme ne peut échapper à l'irruption de la souffrance dans sa vie. Au lieu de tenter de minimiser ou d'échapper de façon névrosée aux coups de la souffrance, il ferait mieux de l'accepter et de découvrir la vraie signification qu'elle comporte. L'anxiété, l'échec et les frustrations sont des prédicaments existentiels de l'essence humaine, et lorsqu'on les accepte avec humilité, ils enrichissent la vie d'expériences authentiques. La joie et la souffrance se complètent mutuellement. C'est ce qui fait écrire à Gibran :

> Je ne voudrais pas échanger le rire de mon cœur pour la fortune des multitudes ; et je ne me satisferais point, à l'invitation de mon moi torturé, de convertir mes larmes en calme paisible. J'ai le fervent espoir de voir toute ma vie sur cette terre faite de larmes et de rire. (13)

Au surplus, Gibran estime que le plaisir n'est au mieux qu'un sous-produit ou un moyen, car il lui manque la profondeur et la hauteur d'un but concret. Dans *Le Prophète*, nous lisons :

> Le plaisir est un chant de liberté
> Mais il n'est pas la liberté...
> C'est une profondeur qui cherche à s'élever
> mais elle n'est ni le Profond ni le Haut.
> C'est une aile encagée
> Qui n'est pas entourée d'espace. (14)

En ce qui concerne le *second principe* de l'homme d'Aristippe, Gibran nous soumet de nombreux et lucides exemples qui prouvent qu'il n'est pas applicable. Il serait en effet très imprudent de notre part de sauter sur la première occasion de satisfaire nos besoins sexuels. En réalité, c'est quand le sexe devient une fin en soi et que l'acte sexuel est pratiqué sans frein que nous souffrons des pires désillusions de notre vie. Certaines études psychologiques nous montrent que les gens qui ont eu des tas de relations physiques finissent par ne plus atteindre le point culminant dans les relations sexuelles. Nous savons aussi que l'échec de nombreux mariages provient des intentions erronées des conjoints au sujet de l'amour. Ils se sont seulement mariés pour connaître une expérience sexuelle parce que leur religion et leur superego leur interdisaient d'avoir des relations sexuelles en dehors du mariage. Dans un récit intitulé *Madame Rose Hanie*, Gibran nous narre les désillusions d'un homme qui, après avoir cru que son bonheur se trouvait dans les satisfactions corporelles, se sentit frustré au point d'abandonner cet objectif et se consacra comme un avare à amasser des richesses. La qualité et la modération dans la sexualité sont les vertus d'un sain érotisme charnel.

Enfin, en ce qui concerne le *troisième leitmotiv* d'Aristippe qui réclame une sexualité inconditionnelle, Gibran rétorque qu'un tel principe donne une fausse image de l'existence humaine. Alors que les partisans de la mortification de la chair avaient une philosophie qui définissait l'essence de l'homme comme une « *res cogitans* », c'est-à-dire une substance spirituelle, l'approche du problème par le playboy est *matérialiste*, car il accorde au corps la suprématie sur l'esprit. De l'avis de Gibran, quiconque croit que la signification de l'existence se trouve dans la totale satisfaction des sens, sans se préoccuper du tort que l'on cause à autrui, a dégradé la nature humaine, est devenu un animal et n'a pas accompli sa condition d'homme. Notre auteur prononce un jugement terrible, assez semblable à celui de Soren Kierkegaard qui, dans *Le Banquet* décrit de façon péjorative le comportement de Don Juan. Gibran dit de l'érotisme perverti qu'il est « l'animal caché dans l'être humain ».(15) Si le sexe était tout ce qui caractérise l'homme, quelle différence y aurait-il entre l'être humain et l'animal ? Un chien est capable d'avoir des relations sexuelles ! Et l'espèce animale cherche sans cesse à satisfaire ses besoins physiologiques. Leur existence est réglée par la loi biologique de l'homéostase ! Dans ce cas, qu'y aurait-il de tellement unique chez l'homme ?

Mais Gibran rejette surtout le troisième principe d'Aristippe parce que ce principe immoral permet à l'individu de faire prévaloir ses intérêts sur ceux des autres. C'est ce qu'on appelle « l'hédonisme égotique ». La concupiscence empiète toujours sur la liberté d'autrui, et elle diffame la Beauté du corps humain. « La Beauté se révèle à nous... ; mais nous l'approchons au nom de la Concupiscence, nous lui arrachons sa couronne de pureté, et nous souillons ses vêtements de nos méfaits. » (16)

Il est intéressant de noter ici que Gibran fait porter à la noblesse et aux riches la responsabilité du retour des perversions sexuelles. Il présume que c'est parmi les gens fortunés que l'on trouve le plus de Don Juan. Un exemple classique des vices sexuels courants est celui de Marthe. Un jour, un jeune noble, chevauchant dans la forêt, vit une belle fille qui contemplait les fleurs et les arbres. Il s'arrêta et se mit à parler à Marthe d'une « manière qu'aucun homme n'avait utilisée avant lui ». Elle fut très impressionnée par la richesse et l'amabilité du prince charmant. Ce dernier alla jusqu'à promettre à Marthe de l'épouser. Malheureusement, après avoir abusé de la pauvre orpheline, il l'abandonna et s'en fut. Marthe, enceinte, devint plus tard une prostituée dans une ville du Liban, dans le seul but d'assurer le vivre et le couvert à son fils Fouad. Commentant ce récit, Gibran écrit :

Tout ce qu'il fit, il le fit en souriant,
cachant son appétit et son désir animal
sous de bonnes paroles et des gestes aimants. (17)

En rapport avec ce qui précède, j'ai trouvé certains

textes dans lesquels Gibran ressemble un peu aux Platoniciens dont j'ai déjà parlé. J'ai le sentiment personnel que Gibran n'a pas écrit ces lignes en contradiction avec les reproches qu'il faisait antérieurement aux ascètes platoniciens, mais simplement pour nous conseiller, contrairement aux adeptes d'Aristippe, de ne pas céder sans restriction à tous les caprices de la chair. Sans quoi, ces inclinations érotiques se déchaîneraient dans notre existence, nous rendant esclaves d'habitudes charnelles renforcées. Si cela arrivait, nous nous blesserions deux fois, et nous blesserions ceux que nous rencontrons, comme le montre l'histoire de Marthe. Ainsi, dans son poème *Aie pitié, mon âme*, Gibran montre qu'un corps devenu fort dans son désir est une prison pour l'âme devenue faible.

Toi, mon âme, tu es riche dans ta sagesse ;
Ce corps est pauvre dans sa compréhension.
Tu n'as pas affaire à sa clémence
et il ne te suit pas.
Ceci, mon âme, est le comble de l'infortune. (18)

Et ailleurs, il écrit : « ...mon esprit... s'est échappé de la prison de la matière vers le royaume de l'imaginaire... » (19)

Je le répète, ces extraits ne font pas de Gibran un philosophe qui sépare le corps de l'esprit ; ils nous rappellent seulement, contrairement aux principes d'Aristippe, que Gibran nous conseille de contrôler nos désirs corporels et de mener avec modération notre vie sexuelle. L'homme devrait considérer sa sexualité érotique non comme une fin en soi, mais comme un moyen d'expression de l'amour désintéressé. À ce stade, Eros se confond avec Agapè, et devient une version de l'amour vrai. En d'autres mots, le sexe se justifie dès

qu'il devient le véhicule de l'*amour-agapè*. Il est important de comprendre ce point car c'est uniquement de
cette manière que Gibran sanctifie le sexe.

En parlant d'*Eros-Sexe-Agapè*, j'ajoute que j'ai
découvert chez Gibran certaines conditions préalables
qui rendent acceptables les rapports physiques. Ce sont
« la modestie », (20) « l'honnêteté et la réalité » (21),
« l'honneur, la propreté et la décence » (22) et, par-
dessus tout, l'amour mutuel qui devrait être le mobile de
l'acte sexuel. Si un des partenaires n'a pas un véritable
attachement pour l'autre, alors l'acte n'est que prosti-
tution. Telle est la logique que Gibran développe à propos de ces mariages qui ont été contractés pour d'autres
raisons que l'*amour-agapè*. Selon lui, le fait de
signer les documents matrimoniaux ne donne pas
aux conjoints le droit de dormir ensemble s'il n'existe pas d'abord d'amour entre eux. L'amour n'est pas
une affaire de droit ou de légalité. Et l'amour sexuel
n'est pas limité aux situations matrimoniales.
Gibran admet l'amour en dehors du mariage pour
autant que les partenaires aient un attachement
mutuel. Haskell raconte :

> Il n'a d'autre code au sujet du sexe que l'honnêteté
> et la réalité. « Direz-vous, demandai-je, que si un
> homme ou une femme aimait sept personnes et
> vivait sexuellement avec les sept, ce serait bien ? »
> « Si tous les sept sont d'accord, oui », répondit-
> il. (23)

En conclusion, résumons les conclusions erronées de
l'amour déguisé. L'amour n'est pas synonyme de sexe
en dépit du fait que lorsqu'il est convenablement défini,
le sexe devient une manière d'exprimer l'expérience de
cette union ultime appelée « l'amour ». Le Gibranisme

n'interdit pas Eros, mais il le soumet à Agapè. De plus, l'amour authentique n'est pas un amour qui tient compte des intérêts personnels, comme les buts financiers ou le prestige social, et qui les trie.(24) Au contraire, Gibran a toutes les raisons de croire qu'un amour calculateur est un amour égoïste qui, sur le plan de la névrose, n'a jamais transcendé le stade primaire de narcissisme freudien d'un enfant masochiste.

LA VIE SEXUELLE DE GIBRAN

Dans son comportement quotidien, Gibran était-il sincère et conséquent avec la philosophie du sexe sanctifié qu'il prêchait aux autres ?

De nombreux biographes ont parlé de la vie sexuelle de Gibran. Selon moi, la plupart des choses qu'ils ont écrites manquent de vérification biographique. Je considère que certains de leurs dires sont purement spéculatifs ou incomplets, parce qu'ils n'ont connu notre auteur que pendant un court laps de temps. C'est pourquoi, j'estime qu'il est bon de revenir sur le sujet de la vie sexuelle de Gibran.

Le dernier livre qui ait été publié par Knopf *Les lettres d'amour de Khalil Gibran et de Mary Haskell, et son Journal Intime*(1972) apporte aux lettrés de nouvelles révélations sur Gibran. Et quoique miss Mary Haskell n'ait pas pu rapporter dans son journal tous les plus petits détails de la vie privée de Gibran, puisqu'elle vivait à Boston et qu'il habitait à New York, sa biographie n'en contient pas moins la clé qui permet de répondre à nos questions.

En lisant le Journal d'Haskell et la correspondance qu'ils ont échangée, j'ai l'impression que Gibran n'était certainement pas un impuissant sexuel. Au contraire, comme la plupart des grands esprits, il sembla avoir cru que le succès de la créativité artistique et littéraire nécessitait la présence d'une femme. Et, effectivement, il avait des rapports avec de nombreuses femmes. Il nous est impossible à nous, ses biographes, de dire avec exactitude combien de femmes ont été associées à sa vie privée. Néanmoins, je compte parmi elles une Française surnommée Micheline, qui le suivit de Boston à Paris en 1908 ; la biographe américaine Barbara Young qui demeura avec lui de 1823 à 1931 ; une « femme plus âgée » qui, à Paris, le recueillit chez elle « parce qu'il n'avait pas d'argent ; une femme est plus apte qu'un homme à donner de l'argent, et que de telles choses ne se font pas sans qu'on soit payé en retour ». (25) ; et, bien entendu, sa bienfaitrice, Mary Haskell. Sans compter tout un tas de modèles féminins qui posaient nues pour ses tableaux.

Gibran était-il un obsédé sexuel ? Pas du tout ! Haskell en témoigne et dit que « Khalil était absorbé par des choses plus importantes ». Il était « physiquement réservé » (26) et parfois ignorant des choses du sexe. Dans une lettre écrite à Haskell en 1917 en réponse à des cadeaux, dont un livre sur la sexualité, qu'elle lui avait adressés, il confesse qu'il était naïf à ce sujet :

Merci pour les sucreries et les livres. Je consommerai les deux avec beaucoup de soin. D'une certaine manière, je n'ai jamais été capable d'apprécier pleinement la lecture d'un livre sur la sexualité. Peut-être n'étais-je pas assez curieux, ou peut-être étais-je mentalement timide. Mais aujourd'hui, je désire savoir tout ce qui se passe sous le soleil, et aussi sous la lune. Car toutes choses sont belles en soi, et deviennent plus belles encore lorsque l'homme les connaît... (27)

Au lieu de dépenser son énergie sexuelle dans des rapports physiques, Gibran, selon Haskell, transformait le pouvoir de sa libido en production artistique. (28) Tout ceci vient confirmer ce que Freud disait des artistes, à savoir qu'ils « subliment » et « dirigent » leur chaleur sexuelle vers la créativité. (29) Je trouve intéressant qu'en 1912 et 1914, Gibran émit des affirmations semblables à celles de Freud sur l'économie sexuelle des artistes. C'est ainsi qu'il avait coutume de dire à Haskell : « Moi aussi, j'ai une vive chaleur sexuelle, mais je crois qu'une grande part de ma puissance en ce domaine passe dans mon œuvre. » (30)

En réalité, c'est parce qu'il se consacrait à l'écriture et au dessin qu'il refusa de se marier, quoique l'idée d'épouser Haskell le hanta de 1910 à 1912. (31)

Alors qu'on discutait de mariage dans son studio après qu'il eût lu le passage du mariage dans *Le Prophète*, un des nombreux invités lui demanda en souriant : Dites-nous, pourquoi ne vous êtes-vous jamais marié ? Souriant lui aussi, il répondit : « Voyez-vous... voici ce qu'il en est. Si j'avais une femme et si je peignais ou si j'écrivais un poème, il m'arriverait d'oublier son existence pendant des jours. Et vous comprenez certainement qu'aucune femme amoureuse ne supporterait très longtemps un tel mari. » (32)

Haskell nous révèle aussi que parfois, Gibran s'abstenait de relations sexuelles parce qu'il craignait les fâcheuses conséquences possibles (33) d'une liaison, c'est-à-dire la grossesse de la femme. Une autre raison qui le faisait renoncer à ses émotions sexuelles (34) était le respect et l'amour-agapè qu'il éprouvait pour la femme. « L'amour — le plus grand amour — est extrêmement prudent à propos des relations sexuelles, et il est corporellement réservé. » (35)

Je ne veux pas prouver par ces citations que Gibran sublimait toujours ses besoins sexuels. Et je ne veux pas davantage faire croire au lecteur que Gibran avait peu de relations sexuelles. Quiconque examine le Journal Intime de miss Haskell verra au contraire à quel point l'idée du sexe le troublait.

> Il avait dit qu'il y avait trois points centraux en chacun de nous : la tête, le cœur, le sexe. L'un ou l'autre, ou parfois deux d'entre eux, prennent une direction — pas toujours dans le même équilibre ni au même moment chez une même personne. « Chez moi, ajouta-t-il, le cœur et la tête m'ont dirigé jusqu'à quelques années d'ici. Et maintenant, le sexe... (36)

Prenons, par exemple, ses rapports avec Haskell. À aucun moment celle-ci n'a ouvertement déclaré qu'elle couchait avec Gibran. Mais elle a avoué qu'ils s'embrassaient et qu'ils s'attouchaient. (37) Un jour, elle se déshabilla même dans le studio, et Gibran, lui passant les bras autour du cou, lui embrassa les seins tandis qu'ils étaient debout. (38) Personnellement, je crois qu'il avait des relations sexuelles avec Haskell, comme avec beaucoup d'autres qui lui rendaient régulièrement visite dans son studio. Cependant, je crois aussi qu'il n'était pas un maniaque sexuel comme certains l'ont prétendu. Du fait que nous savons qu'il n'a jamais blessé personne, mais qu'il avait de la considération pour les autres, on peut dire que Gibran a sanctifié le sexe dans son existence et l'a transformé en Agapè. Un homme agit selon sa personnalité. La section suivante montrera que Gibran vivait selon les préceptes d'Agapè et qu'il les plaçait au-delà et au-dessus de ses impulsions érotiques.

2° Agapè

À l'origine, le mot fut créé par les Grecs pour décrire l'amour fraternel des premiers Chrétiens en souvenir de la dernière Cène. Avec le temps, le mot désigna l'amour évangélique par opposition à l'amour érotique ou la concupiscence. Chez Gibran, le mot est employé pour l'amour spirituel, mais pas nécessairement celui des Chrétiens, quoique Gibran soit fortement influencé par les sermons du Christ sur l'Amour. Le Gibranisme extrapole la philosophie d'Agapè illustrée dans le Nouveau Testament et en fait un phénomène universel et naturel, commun à toutes les croyances. C'est pourquoi, il n'est pas nécessaire d'être Chrétien pour pratiquer l'Agapè. Un tel amour constitue d'abord une donnée métaphysique et ses directives s'appliquent inconditionnellement à quiconque désire vivre selon les valeurs morales. C'est aussi une règle psychologique qui permet de développer une saine personnalité.

Pour pouvoir fournir au lecteur un exposé clair, je propose d'examiner point par point la phénoménologie d'Agapè chez Gibran, et d'y inclure à la longue les éléments éclectiques que développe notre auteur par rapport à l'amour.

L'AMOUR, L'ESSENCE DE L'EXISTENCE

Tous les profonds penseurs ont pour souci principal de chercher la réponse à la question de Shakespeare «Être ou ne pas être», c'est-à-dire, pourquoi y a-t-il l'être et pas le non-être ? En langage technique, nous appelons métaphysique ou ontologie la discipline qui consiste à rechercher la signification de l'existence. Jusqu'à ce jour, l'histoire de la pensée est pleine de diverses propositions métaphysiques. Gibran, lui aussi, a discuté de l'existence, mais sa théorie n'est pas aussi abstraite et théorique que les philosophies des savants académiciens. Le Gibranisme est une philosophie du peuple, ce qui est très différent d'une philosophie de philosophe. Néanmoins, son système est plein de bon sens.

Selon lui, la véritable essence de l'existence, c'est l'amour. Dans l'essai *Les Vainqueurs*, nous trouvons cette exclamation : Amour «tu es mon être véritable».(39) Quant au roman *Les Ailes brisées*, il appelle l'amour «la loi de la nature»(40), c'est-à-dire la *raison d'être* de l'existence. Et dans son poème *Chant d'Amour*, il déclare que l'amour est la véritable essence de la nature, de l'homme et des événements historiques. Le monde est guidé par les principes de l'amour. L'amour engendre, produit et parfois même détruit la vie, mais il soutient cependant toujours le monde dans son éternité.

> ...Je souris à Hélène, et elle détruisit Tarwada. Cependant, je couronnai Cléopâtre, et la paix régna dans la vallée du Nil. Je suis comme le cours des âges : construisant aujourd'hui et détruisant demain...(41)

Afin de comprendre pourquoi Gibran fait de l'amour la nécessité ontologique de l'existence, nous devons nous rappeler que, pour lui, l'existence exige un acte de «création» et non de «fabrication» ou de «génération». Sa métaphysique est celle d'un croyant. Dieu crée l'existence. «Dieu a séparé de lui l'esprit et l'a façonné en Beauté.»(42) Or, Dieu crée en vertu d'un acte d'amour. En outre, Gibran adopte la même idée métaphysique que les philosophes scolastiques lorsqu'il avance l'argument qu'entre les effets et la cause il existe un degré de proportionnalité dans l'existence. Ainsi, sa logique maintient que si «Dieu est amour»(43) — parce que «l'Infini ne conserve que l'Amour car il est semblable à lui,»(44) — les produits de Dieu «sont» faits d'amour.

La philosophie de l'existence, chez Gibran, est *monistique*, en ce sens qu'il croit en la réalité du Seul principe qui détermine la vie. Cette source de toutes choses est l'amour. «...Tout témoigne de l'amour.»(45) C'est en partant de là que Gibran répond à la question de Shakespeare : «Si l'existence n'était pas meilleure que le non-être, il n'y aurait pas eu d'être.»(46) L'adjectif «meilleure» à ce niveau est à prendre comme synonyme d'«amour». Ainsi l'amour est la quintessence de l'existence et «rien ne prévaudra contre lui».(47) Quant au second *nous* (esprit, en grec) des Platoniciens et des Manichéiens, qui est le Mal, Gibran conteste sa réalité autonome. Il prétend que si le mal existe, il n'est présent que dans les actions des hommes, et qu'il ne constitue jamais un principe indépendant qui gouvernerait le monde de la même manière que l'Amour.

Ici, je dois rappeler au lecteur que notre auteur n'est pas le seul penseur à émettre l'idée philosophique que l'amour est le noyau de l'existence. Nos existentialistes contemporains de l'aile droite, les théistes, partagent la thèse de Gibran. C'est ainsi que Kierkegaard, Marcel, Buber et Jaspers ont conclu que l'essence de l'être est l'amour. Ils enseignent aussi, de façon très semblable à Gibran, que le moi ne peut pas rencontrer véritablement la réalité si l'homme n'assume pas une attitude existentielle d'amour. Dans une telle attitude, l'homme ne fait pas de différence entre ce qu'il est et ce qu'il découvre en face de lui. Dans l'analyse finale, l'être de l'individu n'est pas différent des autres êtres parce que, à l'origine, la personne et le reste de l'univers sont issus de la même source, à savoir l'Amour de Dieu. En développant une telle attitude métaphysique, on se trouve dans la bonne voie pour découvrir la vérité et pour vivre en paix avec le monde. À l'affirmation de Marcel « esse » est « co-esse », Gibran attribue la signification suivante : « être, c'est être-avec-le-reste-du-monde ». Gibran illustre cette indissolubilité métaphysique de la manière suivante :

Tout dans la création existe en vous et tout ce qui est en vous existe dans la création. Il n'y a aucune frontière entre vous et les choses les plus proches, et qui plus est, la distance ne suffit pas à vous séparer des choses lointaines. Tout, du plus bas au plus élevé, du plus petit au plus grand, existe en vous sur un pied d'égalité. (48)

Entre le moi et le reste de la réalité, il existe un lien intime, ce qui s'explique par le fait que l'un et l'autre ont été appelés à l'existence en partant d'un même foyer : l'Amour de Dieu. Marcel, lui aussi, considère que l'amour est la meilleure attitude ontologique pour communiquer et pour entrer dans la sphère de l'existence :

L'amour, dans la mesure où il est distinct du désir ou opposé au désir, l'amour, traité comme une subordination du moi à une réalité supérieure, une réalité qui atteint mon plus profond et mon plus *véritablement moi* que moi-même — l'amour comme la rupture d'une tension entre le moi et les autres, m'apparaît à moi comme ce qu'on peut appeler la donnée *ontologique essentielle*. (49)

Si l'existence est formée d'amour, alors que doit *faire* l'homme pour conformer sa vie aux expectatives de l'amour ? Comment un homme, animé par l'Agapè, peut-il se comporter valablement *sur le plan moral* ? Quels sont les *critères* et les *normes* de l'amour véritable ? Les titres suivants tentent d'apporter une conclusion sincère à ces questions.

L'AMOUR EST DÉSINTÉRESSEMENT

Une des caractéristiques de *l'Agapè* est qu'il ne «calcule» pas et qu'il n'est pas «centré sur lui-même». L'Agapè est vivifié par l'esprit du «don» que l'on fait sans calculer ce qu'on reçoit en retour. Dans ce cas-ci, le moi donne généreusement aux autres sans chercher ce dont ils ont le plus besoin eux-mêmes, mais en se privant de ce dont il a personnellement le plus besoin. La sorte de «don» que défend Gibran est autre que celui des biens matériels. Almustafa, le poète, prêche que le don de soi-même est d'un type bien supérieur au don de ce que l'on possède. «Vous ne donnez que peu de choses lorsque vous donnez ce que vous possédez. C'est en vous donnant vous-même que vous donnez vraiment.» (50) Pour illustrer la signification profonde de cette affirmation, je voudrais citer le cas d'une dame que j'ai entendue un jour répondre à un appel de l'organisation de Saint-Vincent-de-Paul : «Eh bien, je suis tout à fait d'accord pour aider les malheureux. Je vous enverrai un chèque tous les mois mais je vous en prie, ne me demandez pas de passer mon temps à visiter les pauvres et les malades dans les hôpitaux...» Selon l'opinion du prophète, cette dame ne pratiquait pas le noble art de donner, car elle refusait de donner quelque chose d'elle-même. Il est facile de donner des richesses que l'on possède en abondance, mais l'acte vraiment méritoire, c'est de se rendre disponible pour les autres.

> La générosité ne consiste pas à me donner ce dont j'ai plus besoin que vous, c'est de me donner ce dont vous avez plus besoin que moi. (51)

Le véritable amour, dès lors, fait des sacrifices pour le bonheur de l'être aimé. Il n'est pas égoïste. Leibniz, le philosophe du XVIIIème siècle, disait : *Amare est gaudere felicitate alterius* (L'amour, c'est de se réjouir du bonheur de l'autre). Le roman *Les Ailes brisées* nous donne un exemple de ce désintéressement. Dans le chapitre «Le sacrifice», nous lisons que Gibran, sachant qu'elle devait épouser le neveu de l'évêque, avait demandé à Selma de s'enfuir avec lui dans un autre pays sans se préoccuper de la colère possible du prélat. Mais Selma refusa l'offre de Gibran de peur que son aimé ne soit un jour considéré par les villageois comme un adultère et un briseur de foyer. Elle pensait aux intérêts de Gibran, malgré le fait que la proposition lui aurait évité d'épouser un homme qu'elle n'avait jamais aimé. Voyez comment elle exprimait ses sentiments généreux :

> L'amour seul m'a appris à vous protéger, même de moi. C'est l'amour, purifié par le feu, qui m'empêche de vous suivre vers les pays lointains. L'amour tue mes désirs pour que vous puissiez vivre librement et vertueusement. L'amour limité exige la possession de l'être aimé. Mais l'amour illimité se satisfait de lui-même. (52)

L'AMOUR NE CONNAÎT NI TEMPS NI ESPACE

De nombreux esprits semblent accepter l'adage « loin des yeux, loin du cœur ». Cependant, rétorque Gibran, si l'oubli de la personne aimée résulte de l'absence ou d'un manque de contact physique, alors il faut admettre tout d'abord que l'amour véritable n'a pas planté de profondes racines dans le cœur des amants. Il est plus prudent de croire que leur amour n'était que romantisme. Paradoxalement, le prophète affirme que la distance et la fuite du temps accroissent l'amour. En étant loin de l'être aimé, l'amant apprend à mieux l'apprécier et il cesse de croire qu'il lui est dû. « L'amour ne connaît pas sa véritable profondeur avant l'heure de la séparation. » (53)

Au moment de la séparation, l'amour devient « un désir ardent » et un « espoir » qui inspire l'attente d'une réunion dans un proche avenir. Lorsque Almustafa revint dans sa patrie après douze ans, une femme, nommée Karima, qui avait assisté à la mort de sa mère, lui reprocha de s'être si longtemps caché aux yeux du peuple. Mais le prophète répondit :

Douze ans ? As-tu dit douze ans, Karima ? Je n'ai pas mesuré ma nostalgie avec une baguette magique et je n'en ai pas sondé la profondeur. Car lorsque l'amour a le mal du pays, il épuise la mesure et les sondages du temps. (54)

Lorsqu'on désire savoir si on est réellement amoureux, il faut subir pendant un temps l'épreuve de la séparation. Aujourd'hui, bien des conseillers recommandent une séparation à l'essai aux couples dont le mariage est sur le point d'être ruiné. L'idée, c'est qu'on comprend mieux la situation lorsqu'on s'est éloigné.

L'amour aussi a besoin de distance. Dans une lettre qu'il adressa à Haskell en 1911, Gibran écrit : « Pour comprendre le monde, il faut être loin, très loin du monde... Il faut se tenir à une petite distance des grandes choses pour bien les apercevoir. » (55)

Celui qui se sent le plus éprouvé durant les moments de séparation se rend compte que son amour dépasse les frontières spatiales et temporelles. Et, en effet, c'est la caractéristique d'Agapè de n'avoir pas de limites. Le prophète parle avec sagesse lorsqu'il dit :

> Qui d'entre vous ne sent pas que la puissance de son amour est sans limites ? ...Et le temps n'est-il pas égal comme l'amour, indivisible et sans étendue ? (56)

L'AMOUR EST PLUS FORT QUE LA MORT

En relation avec cette idée que l'amour est hors du temps et de l'espace, Gibran développe sa théorie de l'amour pour ceux qui sont séparés. Il réaffirme que la mort ne sépare pas l'amant de l'être aimé. La mort n'est pas la fin de l'aventure amoureuse. L'amour *per se* implique une relation de communication, d'intimité, qui ne peut jamais être brisée, même pas par la mort. Si l'amour avait une durée de vie, il serait futile, et l'existence comme telle serait absurde car il n'existerait aucune garantie de la valeur de l'acte d'amour. L'oubli est une indication qui concerne le désir d'amour, pas l'acte d'amour. Gibran fait remarquer :

> En vérité, la plus grande distance est celle qui sépare... ce qui n'est qu'un acte et ce qui est un désir... Car pour le souvenir, il n'existe pas de

distances. C'est seulement dans l'oubli que se creuse un fossé que ni votre voix ni votre regard ne peuvent combler. (57)

Ici, nous nous trouvons à la cime de l'Agapè. Par rapport à la mort, l'Agapè adopte des attitudes d'espoir, de fidélité et de complète disponibilité à l'égard des défunts. D'abord *l'espoir*, parce qu'une telle disposition renforce la volonté dans les moments de désespoir et de tristesse. L'amant se convainc que l'être aimé n'a pas disparu. Sa présence l'accompagne partout. D'où, à ce stade de l'amour, l'espoir devient une *fidélité* créatrice. Entre le survivant et le mort s'établit une relation dans laquelle le moi surpasse sa conscience d'ego solitaire. Il se voit lié par les souvenirs et les résolutions qu'il a prises quand l'être aimé était en vie. En d'autres termes, le moi éprouve une profonde *disponibilité* qui le pousse à se vouer à l'être aimé. Il demeure fidèle à l'image du défunt, non seulement le dimanche ou quelques heures chaque matin, mais jusqu'à la fin de sa vie.

Pour Gibran, l'amour apporte la preuve philosophique de *l'immortalité de l'âme*. Mais le seul fait que j'aime encore l'objet de mon amour, même après sa mort, n'est ni une hallucination, ni une phase psychotique. Mon amour est une réalité. Mon amour m'attend probablement quelque part où nous serons à nouveau réunis. L'Amour survit à la mort biologique. Dans les *Nymphes de la Vallée*, on nous explique que deux amants se retrouvent après deux mille ans dans le temple d'Astar, et réalisent finalement leur vœu qui était de se trouver ensemble, un désir dont la réalisation leur avait été refusée par les prêtres.

Astarté ramène à cette vie les âmes des amants qui étaient entrées dans l'infini avant d'avoir goûté les délices de l'amour et les joies de la jeunesse... Nous

nous retrouverons à nouveau, Nathan, et nous boirons ensemble la rosée du matin dans les corolles des narcisses, et nous nous réjouirons dans le soleil avec les oiseaux des champs. (58)

Tous ceux qui ont cru à l'amour ont souligné le rôle que joue *Dieu* en maintenant le lien entre les partenaires. L'amour est plus fort que la mort parce que l'amour est un don de Dieu. (59) Et Dieu lui-même est éternel. Après s'être juré fidélité et amour spirituel, en dépit du fait que Selma allait épouser légalement Mansour Bey, Gibran trouve sa consolation dans l'amour et répond à Selma : « L'amour, Selma chérie, restera avec moi jusqu'à la fin de ma vie, après la mort, la main de Dieu nous réunira ». (60)

Pour comprendre Gibran sur ce point, nous devrions être Gibran. Il est difficile pour un esprit scientifique et technocrate de comprendre la signification de ce sentiment. C'est une expérience personnelle ressentie par le moi. Comme le disent Max Weber et Nicolaï Hartman : ni l'intelligence ni les sens ne nous feront jamais découvrir une valeur réelle. La simple définition de l'amour n'apprendra pas grand-chose à celui qui n'a jamais aimé. Il est certain que cette valeur ne nous apparaît concrètement que dans la mesure où nous la vivons, et où nous la sentons pénétrer dans nos sentiments, dans notre volonté, dans notre intellect, dans notre liberté, etc..., en un mot, nous devons sentir sa présence nous envelopper entièrement.

Cependant, Gibran n'est pas le seul à proposer l'amour comme preuve de la véracité de l'Immortalité. Les existentialistes ont utilisé le même argument. Un personnage d'une des pièces de Marcel dit qu'aimer, c'est affirmer : « Toi au moins, tu ne mourras pas. » De même, dans une conférence intitulée *La mort et l'im-*

mortalité, Marcel, faisant allusion à la mort de sa femme, s'était exclamé : « Tu ne peux pas avoir simplement disparue. Si je le croyais, je serais un traître. » (61) C'est à dessein que je cite des philosophes classiques, afin de démontrer la pertinence de la philosophie de Gibran, même quand elle est exprimée par des mots simples.

L'AMOUR COMMANDE L'UNIVERSALITÉ

Une question qui est intimement liée au caractère illimité du sentiment de l'amour est l'idée que l'amour *per se* ne connaît pas de frontières nationales, culturelles ou politiques. Ou, pour parler net, que l'amour doit être *universel*. Souvent, notre auteur décrit l'amour comme un pouvoir inépuisable. (62) Il affirme par là que le cœur humain possède la *capacité naturelle* d'englober toute l'humanité. Agapè pousse l'homme à entrer en communion avec toute la création. « Qui d'entre vous ne ressent pas que son pouvoir d'aimer est sans limites ? » (63) Dans l'esprit de Gibran les valeurs culturelles, religieuses et politiques sont largement responsables des restrictions apportées au pouvoir de l'amour. Ainsi, nous savons que la politique endoctrine l'individu à ne s'occuper que de ceux qui sont nés dans le même milieu géographique que lui. La politique inocule dans l'esprit de ses citoyens des attitudes de discrimination, de ségrégation et de préjugés à l'égard des habitants d'autres nations. La politique réduit le champ d'expansion de l'énergie de l'amour. En réalité, toutes les valeurs sociales soi-disant extrinsèques constituent un obstacle à la croissance de l'esprit humaniste chez l'individu. C'est pourquoi Gibran réagit vivement à la division de la terre entre des gouvernements nationaux et place l'humanisme au-dessus du patriotisme.

> Les humains sont divisés en clans et en tribus, ils appartiennent à des pays et à des villes. Mais (pour)…moi… L'Univers est mon pays et la famille humaine est ma tribu…
>
> …Si mon peuple se levait, stimulé par l'idée du pillage et poussé au meurtre par ce qu'on appelle l'«esprit patriotique», et s'il envahissait le pays de mon voisin, alors je haïrais mon peuple et mon pays pour le voir commettre des atrocités contre les hommes…
>
> L'Humanité est l'esprit de l'Être Suprême sur la terre, et cet Être Suprême nous prêche l'amour et la bonne volonté. (64)

À l'occasion, Gibran prétendait que l'amour nous pousse à développer une «conscience universelle», (65) qui est un sens subtil significativement lié à l'humanité par les liens sacrés de l'existence. L'amour devient à ce moment un impératif catégorique universel qui guide notre conscience dans son comportement moral. Pour illustrer ce point, je voudrais me référer à un autre grand philosophe, Emmanuel Kant, qui a précédé Gibran avec cette maxime. Dans l'argumentation de Kant, une action possède une valeur morale si on peut vouloir qu'elle devienne une règle universelle que tout le monde devrait adopter. Dans le cas contraire, elle est mauvaise. Cela signifie que la droiture morale d'un acte est éprouvée lorsqu'on peut admettre qu'il devienne un exemple que chacun devrait suivre. Si on ne peut pas «vouloir» cela, alors le comportement est mauvais. C'est pourquoi le mensonge ne peut se justifier en aucune circonstance, parce qu'on ne peut pas vouloir qu'il devienne une pratique universelle à laquelle chacun devrait se soumettre. (66) La formule morale de Kant répète avec d'autres mots la règle d'or du Christ que Gibran lui-même a adoptée, c'est-à-dire : « Ne fais pas à autrui ce que tu ne voudrais pas qu'on te fît ». Bien entendu, le seul critère que nous possédions pour juger le pour et le contre d'une action est la loi de l'amour. C'est pourquoi, l'amour éveille en nous une « conscience universelle » parce que ses préceptes nous commandent au moins de respecter tous les hommes sans considération de race, de religion ou de classe socio-économique.

Dans cette même optique, Gibran ajoute que la pratique de l'amour universel développe en nous ce qu'il appelle « Le Plus Grand Moi ». (67) En conséquence, il existe deux « moi » qui se livrent une guerre civile incessante. (68) Le « petit moi » est égotiste et l'étendue de son « souci de l'homme » se limite au paroissialisme. Mais « le plus grand moi », par ailleurs, est motivé par l'amour spirituel et il aspire à une union cosmique avec l'univers. Les humanistes, les visionnaires, les mystiques et les philanthropes ont éprouvé la présence du « plus grand et du meilleur moi ». Miss Haskell, dans l'une des rubriques de son journal nous fournit une bonne description de ce qu'éprouvait le « plus grand moi » de Gibran et de la manière dont il se comportait.

« Avez-vous jamais regardé le présent avec les yeux de l'avenir ? » dit Khalil une nuit. « Aujourd'hui, je me suis familiarisé avec l'esprit humain — dans de nombreuses parties du monde — avec son attitude à l'égard des choses, ses réactions, ses tendances, ses façons de travailler. Et je sais comment il considérera les choses dans cent ans d'ici »...
« J'en suis arrivé à avoir le sentiment d'un moi plus

grand... Ce moi plus grand et d'une plus grande
longévité, je l'appelle mon Bouddha. Et maintenant, je prie pour qu'il se prête à des buts plus
élevés...» Il y a, dans Khalil, un être qui désire simplement qu'on l'autorise à aimer, à se prodiguer, à
exprimer ce qu'il y a au plus profond de lui, à être
plus proche que ne peuvent le concevoir les âmes
intérieures — en un mot, une indicible sensibilité.(69)

L'AMOUR, LA HAINE, LE PARDON

Comment Gibran concilie-t-il l'état d'animosité avec
le précepte de l'amour universel ? J'avoue que, je
trouve la morale amoureuse de Gibran très réaliste à
propos de la notion de « haine ». Il n'est pas plein d'optimisme comme Leibnitz, ni influencé par le pessimisme
de Hobbes. Il sait qu'il existe des sadiques qui éprouvent
du plaisir à blesser les autres. Cependant, il soutient que
l'Agapè transcende la sclérose de la haine. « *Pardon* »,
« *tolérance* » et « *pitié* » constituent la force secrète de
l'amour assailli par l'animosité. Et plutôt que d'af-
faiblir la dynamique de l'amour, l'hostilité des autres est
une source bénéfique qui nettoie le cœur, qui renouvelle
notre humanisme, et c'est surtout une occasion bénie de
pratiquer l'amour universel. S'il n'y avait pas d'inter-
férences extérieures négatives, le cours de l'amour serait
une question de routine mécanique, une habitude condi-
tionnée et monotone. Par bonheur, la vie nous donne
l'occasion de nous prouver à nous-même que nous
sommes capables d'aimer, même nos adversaires.

Ce n'est qu'en étant poursuivi que vous devenez
rapide.(70) Celui qui est vraiment bon, c'est celui
qui fait un avec tous ceux que l'on juge

mauvais. (71)
L'amour qui ne jaillit pas sans cesse est sans cesse
mourant. (72)

La personne qui est « métamotivée » par Agapè —
pour adopter un concept de la psychologie d'A. Maslow
— comprend avec lucidité qu'elle ne peut pas toujours
obtenir de ses voisins qu'ils lui rendent son amour. Elle
doit vivre sur elle-même avec ses ennemis. À l'égard de
ses adversaires, elle assume une attitude de « pardon » et
de « bienveillance » qui est « l'ombre de Dieu dans
l'homme ». (73) Or, c'est cet amour « universel », c'est-
à-dire le sens de sentiments reliés sans restriction à la
totalité de l'Être, qui pousse l'individu à accepter avec
résignation les souffrances, le ridicule et les rebuffades
que lui infligent ses ennemis. Après tout, l'amour n'est
pas rose, ses voies sont « dures et escarpées ». (74) « Car
de même que l'amour vous couronne, il vous crucifiera.
De même qu'il contribue à votre croissance, il vous
émonde. » (75) Bien sûr, Gibran ne nous conseille pas de
courir après nos ennemis pour leur donner l'occasion de
nous frapper de manière à pouvoir éprouver en nous les
préceptes de l'amour. Ce serait du masochisme et non
de l'héroïsme.
    Qu'advient-il de la « haine » dans la métaphysique de
Gibran ? Peut-on lui octroyer un statut d'existence
indépendante ? La métaphysique de la haine est cruciale.
Comprendre la place qu'elle occupe dans le système de
Gibran nous aide à expliciter deux thèses :
1° Pourquoi il affirme avec insistance que l'amour est
tout dans l'existence et que, par conséquent, il est, par
essence absolu, hors du temps et hors de l'espace.
2° Pourquoi il pense que l'amour est la seule attitude
existentielle qui permette de rencontrer la réalité et d'en
acquérir une parfaite connaissance. (76)

Dans l'argumentation de Gibran, l'existence humaine et toutes les existences ne peuvent avoir été façonnées par la haine. Seuls l'Amour et la Vie sont identiques. (77) Cependant, les vieux philosophes persans voulaient nous faire croire à l'égalité des principes du Bien et du Mal. Gibran repousse le principe du Mal pour la raison que la Vie est Beauté, Harmonie, Vérité. Si le principe du Mal avait prévalu, nous aurions rencontré la confusion, la contradiction et le désordre dans l'existence. Gibran va même jusqu'à nier qu'il puisse exister un mal *per se* dans les actions humaines, et que l'homme soit capable de faire le mal pour le mal. En d'autres mots, l'homme ne peut pas rechercher le mal comme une fin en soi. Le Mal n'est jamais perçu pour lui-même, en lui-même ou par lui-même. Ce qui est appelé mal, l'individu le perçoit comme un bien, dont l'accomplissement, croit-il, lui permettra d'atteindre le but désiré. Ainsi, le voleur ne vole pas dans le but de faire le mal. Il estime plutôt que le vol est un moyen désirable de se procurer des biens. Les philosophes scolastiques disaient que le mal est un bien transformé. De même, Gibran maintient que le mal n'est qu'un désir paré des traits du bien.

> Je peux parler du Bien qui est en vous, mais non du mal.
> Car qu'est-ce que le mal sinon le bien torturé par sa propre faim et sa propre soif ?...
> Vous êtes bon d'innombrables façons, et vous n'êtes pas mauvais quand vous n'êtes pas bon, vous ne faites que traîner et rôder. (78)

Chaque fois que Gibran parle de haine, il le fait d'un point de vue psychologique. J'ai découvert chez lui trois affirmations psychologiques à propos de la haine :

1° La haine est une *émotion* dont le pouvoir est proportionnel à l'énergie de l'amour. Chronologiquement, il faut avoir aimé d'abord pour pouvoir haïr ensuite. D'où haïr n'est que de l'amour changé en haine. Ou aussi, comme le dit Mikhaïl Naimy, un ami intime de notre auteur : « Et qu'est la Haine sinon un amour réprimé ou un amour refoulé ? » (79) Gibran illustre cette transformation de l'amour en haine dans sa parabole *Le Chant d'amour*. Un jour, un poète composa une belle chanson sur l'amour et en envoya un exemplaire à toutes ses connaissances, y compris à une dame qu'il venait de rencontrer. Un peu plus tard, un messager vint inviter le poète à rendre visite aux parents de la dame pour qu'ils puissent parler de la préparation des fiançailles. Mais le poète répondit : « Mon ami, ce n'était qu'un chant d'amour... chanté... à toutes les femmes. » Immédiatement, la dame devint agressive et s'exclama : « À partir de maintenant jusqu'à ma mort, je vais haïr tous les poètes à cause de toi. » (80)

2° D'un autre point de vue psychologique, seuls les faibles utilisent la technique de la haine comme stratégie protectrice afin de conserver l'estime de soi. La haine devient un « *mécanisme freudien d'auto-défense* » contre l'anxiété et l'inconfort environnants. Ceci se produit chez des personnalités dont l'Agapè n'est pas devenue universelle. Elles réagissent violemment contre les obstructions externes en se servant du bouclier de la haine. Or, ceux qui ont étudié Freud se souviendront que l'emploi de mécanisme de défense est un symptôme de névrose. Gibran écrit : « Souvent, j'ai haï dans un réflexe de défense. Mais si j'avais été fort, je n'aurais pas utilisé une telle arme. » (81)

3° Finalement, Gibran nous déconseille la haine pour des raisons de santé mentale. La haine détruit notre hygiène mentale. Elle affaiblit nos facultés de pensée, de sentiment et de volonté. Elle fait monter notre tension et, à la longue, elle peut précipiter le moment de la mort. Il faut noter que Freud aussi attribuait notre mort biologique à l'hyperagressivité refoulée en nous. Dans notre contexte, l'agressivité est synonyme de haine. Gibran, à son tour, assimile la haine et la mort. « La haine est une chose morte. Qui de vous voudrait être un tombeau ? » (82)

La conclusion à laquelle nous arrivons souligne que dans l'amour, dans le pardon et dans la bienveillance, le moi préserve sa santé et auto-actualise sa personnalité, parce que le moi apprend ainsi à surmonter avec réalisme les frustrations et les chagrins au lieu de chercher à y *échapper*.

L'AMOUR APPORTE
UNE DÉLICIEUSE SOUFFRANCE

À la suite de ce qui a été dit dans les sections précédentes, il est clair que l'histoire de l'humanité se déroule en épisodes de joie et de tristesse. Aucun homme n'est à l'abri de la désolation. Cependant, tout le monde ne semble pas accepter avec résignation cet impératif de la destinée de l'homme. Les pessimistes prétendent que, puisque la souffrance est inévitable, l'existence est absurde et que Dieu est notre exécuteur. Et de nombreux athées sont devenus incroyants parce qu'ils n'arrivaient pas à réconcilier intellectuellement le retour périodique de la souffrance, qu'elle soit physique, morale ou psychologique, avec l'idée d'un être omnipotent *Summum Bonum Deity* (83). Cependant, selon Gibran, il est possible de justifier les misères humaines. Son argument n'est pas scientifique, c'est un argument de bons sens. Je crois que quiconque y adhère y trouvera à la fois l'accomplissement de son humanisme et sa foi dans la divinité. L'argument de Gibran se développe comme suit : plutôt que d'empêcher la croissance de son identité propre, les appréhensions renforcent la connaissance de soi. Alfred de Musset a écrit : « *Nul ne se connaît tant qu'il n'a pas souffert.* » Dans le langage de Gibran, cela pourrait se traduire par : « La perplexité est le commencement de la connaissance » (84). La vie serait très ennuyeuse, et la personne serait une marionnette, s'il n'existait pas de situations tragiques pour nous tirer du sommeil de la routine. Le moi devient plus conscient et plus concerné lorsqu'il doit faire face à l'affliction. De même, lorsqu'il s'agit d'événements positifs de l'existence, comme le bonheur, la joie, le contentement, le moi ne pourrait assez les *apprécier* s'il n'était pas soumis de temps à autre aux souffrances, à la douleur et à l'inconfort. « Celui qui n'a pas vu la tristesse ne verra pas la joie » (85). Aussi, au lieu de se plaindre et de blâmer Dieu, Gibran voit le bien même dans le pire.

En réalité, c'est l'esprit d'Agapè qui explique l'attitude de résignation de Gibran devant les contrariétés. Vers 1903, lorsque notre auteur perdit progressivement sa mère, sa sœur et son demi-frère, il commença à voir que la douleur et les souffrances étaient des conditions nécessaires, qu'il fallait mêler à l'Agapè pour que ses fondations deviennent indestructibles dans le cœur de l'individu. Un amour qui doit verser des larmes pour prouver qu'il existe est un véritable amour. « L'amour qui est lavé par les larmes sera éternellement pur et beau. » (86)

L'adage dit qu'il n'est pas de roses sans épines. Il en va de même pour l'amour. Aimer, c'est accepter de subir des sacrifices. Et, de fait, lorsqu'on aime, on prend sur soi les infortunes, les déficiences et les chagrins de l'être aimé. La *responsabilité* qui accompagne l'amour peut parfois provoquer de la migraine. En vérité, l'amour ne fait qu'un avec les larmes. Il existe cependant des larmes de « pénible joie ». (87) « La souffrance qui accompagne l'amour... et la responsabilité peut aussi apporter du plaisir. » (88) Écoutons une fois de plus le sermon du prophète Almustafa :

Lorsque l'amour te fait signe, suis-le,
même si ses voies sont dures et escarpées.
Et lorsque ses ailes t'enveloppent, cède-lui,
même si le glaive caché sous ses ailerons
te blesse.
Et lorsqu'il te parle, crois en lui,
même si sa voix anéantit tes rêves
comme le vent du nord ravage le jardin. (89)

En bref, Gibran nous enseigne que l'amour est un « *comportement moléculaire* ». Il le compare à un atome avec ses électrons : « Le chimiste qui peut extraire de son cœur les éléments de compassion, de respect, de désir, de patience, de regret, de surprise et de pardon, et qui peut les réunir en une seule unité, est capable de créer cet atome que l'on appelle AMOUR. » (90) Et dans *Les Ailes Brisées*, il affirme avec lucidité que l'amour peut pénétrer le moi tout entier. Il énumère également les trois formes de présence de l'être aimé : dans l'esprit, dans le cœur, et la nuit dans les rêves. « Elle (Shelma) devint une pensée suprême, un beau rêve et une émotion dominante installée dans mon esprit. » (91)

L'AMOUR DÉVELOPPE DE VÉRITABLES LIENS D'INTERSUBJECTIVITÉ

L'être humain ne pourrait pas survivre s'il ne pouvait

compter que sur ses instincts et ses capacités. Psychologiquement et biologiquement, la personne a besoin de l'aide des autres pour se développer sainement et réaliser en elle-même son potentiel de naissance. Pour employer les termes de nos philosophes européens contemporains, l'homme est un *être relationnel* par la nature même de son existence. Cette simple vérité fut découverte et exprimée il y a plus de vingt siècles par le Stagirite Aristote dans sa phrase fameuse : « L'homme est un animal social ». Gibran a également répété que l'homme est une créature *communautaire.* Aucun homme n'est une île. Franchement, le moi doit aux autres ce qu'il possède, de même que la manière dont il se comporte sur le plan existentiel. « En vérité... vous devez tout à tous les hommes. » (92) À aucun moment et en aucun lieu, le moi ne peut séparer son existence de la présence d'autres esprits. Le moi est en quelque sorte condamné (qu'on me pardonne l'expression) à vivre sa vie, toujours et partout, même dans la solitude, en rapport avec d'autres « moi ».

> Votre vêtement le plus rayonnant a été tissé par quelqu'un d'autre.
> Votre repas le plus savoureux est celui que vous mangez à la table d'autrui.
> Votre lit le plus confortable est dans la maison d'un autre.
> Alors, dites-moi, comment pourriez-vous vous séparer des autres. (93)

« Être ensemble » est une loi de l'existence. C'est pourquoi, Gibran nous conseille d'entretenir de bonnes relations avec les autres au lieu d'adopter une attitude sociale négative. C'est dans une saine intersubjectivité que le moi gagne tout. Au contraire, il perd tout dans le cas contraire, y compris son bien-être psychologique, comme nous l'avons montré précédemment à propos de la haine. Sur ce point, Gibran adopte le principe de la fraternité et de l'amour comme moyen d'établir d'authentiques contacts interpersonnels. Une fois de plus, le prophète Almustafa nous prêche :

Nous vivons l'un de l'autre, selon une loi ancienne et hors du temps. Laissez-vous vivre ainsi en aimante bienveillance. Nous nous cherchons les uns les autres dans notre solitude et nous marchons sur la route quand nous n'avons pas de foyer auprès duquel nous asseoir. Mes amis et mes frères, la route la plus large, c'est votre semblable. (94)

Si nous réfléchissons sérieusement à ces dernières citations, nous admettrons, avec Gibran, qu'à notre naissance, nous ne sommes que *la moitié* de nous-même . L'autre moitié est en dehors de nous, et elle ne peut être découverte et appréciée que dans nos rapports d'amour avec les autres. Gibran illustre cette idée dans le conte intitulé *Les Vainqueurs*. Un pauvre fellah était tombé amoureux à la vue d'une jolie fille. Mais on ne lui permit pas de l'épouser parce qu'elle occupait un haut rang dans la société : c'était la fille de l'Emir. Alors qu'il était pensif et mélancolique, la princesse vint vers lui et, d'une voix aimante, s'écria : « Vous êtes apparu dans mes tristes rêves, et votre image a mis fin à ma solitude. Vous êtes la compassion de mon âme perdue, et vous êtes *l'autre moitié de moi-même*, dont j'ai été séparée en venant au monde. » (95) L'histoire se termine en disant qu'ils se sont enfuis tous deux vers un autre village.

Gibran n'a pas du tout tort lorsqu'il prétend que l'amour vrai développe la personnalité. Dans la vie pratique, on ne peut découvrir son moi, on ne peut l'accomplir et on ne peut le connaître tant qu'on n'a pas consenti à partager sa vie avec un autre moi. Et c'est précisément l'appel de l'autre moi qui m'aide à me dégager de mon égocentrisme et à me libérer de moi-même. Dans mes rapports interpersonnels quotidiens, l'appel de l'autre me révèle une toute nouvelle dimension de mon être, que je ne soupçonnais peut-être absolument pas. C'est par rapport à lui que je trouve la réponse à la question de Socrate : « Qui suis-je ? » Suis-je une personnalité patiente ou impatiente ? Suis-je capable de fidélité dans le mariage ? Ai-je été conditionné socialement à haïr les nègres, les juifs, les communistes, etc. ?

L'idée que la nature humaine est paradoxale comme l'ont affirmé de nombreux penseurs semble vraie. Le sujet dont nous discutons en ce moment montre la véracité du paradoxe. Bien sûr, nous savons, *d'une part*, que l'homme individuel est un sujet, un être qui existe pour lui-même, une présence pour lui-même, un être qui se règle lui-même. L'homme est une individualité. Cependant, *d'autre part*, la vie montre que l'homme n'est une individualité qu'en se confondant avec le non-moi. Cet aspect énigmatique de l'existence humaine est encore mis davantage en relief par l'amour. L'amour, comme je l'ai déjà souligné précédemment dans le paragraphe « l'amour envers les morts » est la *disponibilité* de mon être, comme le dit Marcel, son appartenance au sujet qu'est l'autre. C'est en me donnant et en me rendant que je comprends ce qu'est vraiment mon individualité. Gibran fait bien comprendre cette vérité. « On dit que quand on se comprend soi-même, on comprend tout le monde. Mais je vous le dis, quand quelqu'un *aime les gens*, il apprend quelque chose de *lui-même* ». (96)

Il apparaît clairement, d'après la citation qui précède, que la connaissance de soi et que la perception de soi (Qui suis-je ?) dépend de notre acceptation de l'existence des autres, et non l'inverse. L'autre, tel qu'il est découvert par l'amour et non par les perceptions sensorielles, est la condition préférable de son établissement propre. Quant aux relations contraires, comme la haine, l'hostilité, la jalousie, etc., elles paraissent souvent compromettre la maturité de sa propre identification. Une vraie connaissance de soi ne peut venir que de relations amicales. Dans son essai intitulé *La Philosophie de la logique*, Gibran décrit avec ironie le cas d'une connaissance de soi qui n'a pas été acquise au moyen de l'amour. Un jour, Salem Effandi Daybiss, poussé par le désir de trouver une réponse personnelle au mot de Socrate « Connais-toi toi-même », se plaça devant un miroir et se regarda. Mais la seule image qu'il put voir dans le miroir fut la forme de son corps. Alors, il se mit à comparer son nez à celui de Voltaire et de George Washington, sa stature à celle de Napoléon, ses yeux à ceux de l'apôtre saint Paul et de Nietzsche, son cou à celui de Marc-Antoine. À la fin, Salem Effandi résuma ses pensées en criant : « Me voilà, moi ! Voilà ma réalité ! Je possède toutes les qualités des grands hommes depuis le début de l'Histoire jusqu'à nos jours. Un jeune homme qui possède de telles qualités est voué à une grande réussite. » (97) Cependant, lorsqu'il s'agit de décider par quel genre de réussite il allait commencer, il éprouva une certaine confusion, ne sachant quels « hauts faits » il allait accomplir tout d'abord. Aussi alla-t-il se coucher « dans ses vêtements sales sur son lit malpropre » comme il le faisait toujours. La morale de l'histoire conclut que Salem n'apprit pas la véritable signification de l'existence. Sa connaissance de soi s'était limitée à la connaissance de sa physionomie, parce qu'il avait essayé de se connaître par la méthode des comparaisons et non par une rencontre d'amour.

Pour nous résumer, Gibran soutient que l'amour, l'«intermédiaire», est la meilleure réussite de l'homme pour la réalisation de notre identité propre, contrairement à l'inauthentique intersubjectivité professée par Jean-Paul Sartre et Simone de Beauvoir. Ces derniers philosophes nient les racines ontologiques du besoin de relations interpersonnelles. Ils prétendent que «l'autre est mon enfer», que «l'autre est ma déchéance», que «l'autre tue mes potentialités et me vole ma subjectivité». Mais Gibran, lui, croit avec les existentialistes théistes que l'individu établit son individualité dans la mesure où il croit réellement «à l'existence des autres et où il permet à cette conviction d'influencer son comportement.»(98) C'est la raison pour laquelle Gibran tient à appeler l'autre mon «demi-moi», et ailleurs «mon autre moi».(99) En vérité, l'autre personne est votre moi le plus sensible auquel on a donné un autre corps.(100)

Un jour, dans son studio, Gibran dit à Barbara Young : «Nous ne nous comprendrons jamais l'un l'autre tant que nous n'aurons pas réduit le langage à sept mots.»(101) Après un silence, il demanda à miss Young de deviner quels pouvaient être ces sept mots. Cette dernière hésita. Alors Gibran parla lentement, presque dans un souffle : «Voici mes sept mots : Vous, Moi, prendre, Dieu, amour, beauté, Terre.»(102) Et les combinant, il en fit un poème :

Amour, prends-moi.
Prends-moi, Beauté.
Prends-moi, Terre.
Je vous prends,
Amour, Terre, Beauté,
Je prends
Dieu,(103)

L'AMOUR GARANTIT LA PAIX

Une relation interpersonnelle qui ne se développe que par la connaissance de l'autre sans amour, une telle relation peut finalement priver l'autre de son individualité et limiter sa *liberté*. Selon les termes existentiels et psychanalytiques de Jean-Paul Sartre, une telle rencontre est fondée sur le *regard*, par lequel la personne que l'on regarde devient un être-à-l'usage-de-celui-qui-regarde. (104) Gibran est d'accord avec Sartre sur ce point. Le 8 juillet 1914, il confiait à Haskell :

J'ai toujours soutenu, avec mon *Fou*, que ceux qui nous comprennent (sans amour) nous rendent partiellement esclaves. Ce n'est pas le cas avec vous. La manière dont vous me comprenez est la plus paisible liberté que j'aie connue. (105)

C'est lorsque l'amour n'accompagne pas la connaissance que l'on peut avoir de la personnalité d'un autre que l'intimité de cet autre est en danger. À n'importe quel moment, il peut voir dévoiler et ridiculiser les faiblesses de sa personnalité, ses intentions, ses projets, son passé. « Le chantage » est un exemple d'une connaissance dépourvue du sens de l'Agapè. L'amour est alors la sauvegarde de la liberté et de la subjectivité. Et vice-versa, dans l'argumentation de Gibran, il ne peut y avoir de vraie liberté si l'amour n'anime pas les relations humaines. Dans *Les Ailes Brisées*, il souligne : « L'amour est la seule liberté en ce monde. Il élève l'esprit au point que les lois des hommes et les phénomènes de la nature n'altèrent pas son cours. » (106) Et dans *Âmes en révolte*, Madame Rose Hanie reconnaît que « la loi spirituelle de l'Amour et de l'Affection » lui a donné le courage d'abandonner la vie d'adultère qu'elle menait avec son mari, Rashid Bey Naam, un vieillard qu'elle avait épousé avec le consentement de ses parents, mais contre son gré.

> Aux yeux de Dieu et de moi-même, j'étais une pécheresse quand je mangeais son pain et que je lui offrais mon corps pour récompenser sa générosité. Maintenant, je suis propre et pure parce que la Loi de l'amour a libéré l'homme et m'a rendue honorable et fidèle. (107)

Cependant, aussi paradoxal que cela paraisse, la liberté engendrée par l'amour n'est pas une liberté absolue qui préserverait l'individu de toutes les forces vigoureuses, ni une liberté libertine en vertu de laquelle il pourrait faire tout ce qui lui plaît. C'est plutôt une liberté qui impose des limites aux instincts, aux impulsions et aux intérêts personnels. Elle prescrit des conditions et des règles de conduite. La liberté n'est pas facile. Elle est dure. C'est un lourd fardeau qui pèse sur le sens individuel de la *responsabilité*. Un homme qui a atteint un haut niveau de liberté sait qu'il doit peser ses actes consciemment et consciencieusement avant d'exécuter ses décisions. Car il sait que ses décisions auront des répercussions terribles sur ce qui l'environne et sur ceux qu'il aime.

En définitive, c'est l'Agapè qui enchaîne la liberté et qui lui lie les poings. L'amour implique la responsabilité ou comme le dit *Le Prophète*, l'amour signifie «prendre soin» de l'être aimé (108). «L'homme véritablement libre, écrit Gibran, est celui qui porte patiemment le poids de ses chaînes d'esclave.» (109) Ailleurs, nous

retrouvons également une interconnection entre les notions d'«esclaves», d'«amour» et de «liberté».

Tu est libre en face du soleil du jour
et libre devant les étoiles de la nuit ;...
... Tu es même libre lorsque tu fermes
les yeux sur tout ce qui existe.
Mais tu es l'esclave de celui que tu aimes
parce que tu l'aimes,
et l'esclave de celui qui t'aime
parce qu'il t'aime. (110)

Néanmoins, la servitude causée par l'amour et la
responsabilité est «agréable», et elle ne doit pas être
confondue avec la sorte d'esclavage imposé par les despotes politiques ou par les coercitions aveugles de l'environnement. La différence entre l'esclavage de l'amour
et l'esclavage coercitif consiste dans le fait que le second
est imposé par une volonté externe, alors que dans le
premier, c'est le moi lui-même qui semble être son propre conditionneur. (111) L'amant choisit lui-même
l'ensemble d'obligations et de devoirs auxquels il pro-
met d'être fidèle. Et chaque fois qu'il transgresse un de
ses principes, il éprouve du remords et se reproche
d'avoir manqué de se conformer à la conduite idéale à
laquelle il s'était obligé. À cet égard, Gibran dit que
l'amour allège le joug de la liberté et de la responsabilité. Il considère même que l'amour apporte au moi
plus de liberté que de limites: «Et ainsi, lorsque votre
liberté perd ses entraves, elle devient elle-même l'entrave
d'une plus grande liberté» (112). À ce stade, nous
devons cependant nous souvenir que Gibran ne défend
pas une absolue liberté d'action. Au contraire, il sait
que l'homme est très limité dans ses actes physiques. Le
seul type de liberté qu'il accepte est dans la pensée. Dans
ce domaine, l'isolement de l'homme est protégé de l'in-

trusion de toute coercition externe. « Vous pouvez me lier les mains et m'enchaîner les pieds. Vous pouvez même me jeter dans une sombre prison, mais vous ne pourrez rendre ma pensée esclave, car elle est libre. » (113) Et c'est précisément dans la pensée de l'amant que l'être aimé occupe sa place existentielle. L'essence de l'amour n'est pas d'exaucer matériellement tous les vœux de l'être aimé mais de lui faire savoir que l'amant souhaite intentionnellement (c'est-à-dire dans sa pensée) que les désirs de l'être aimé se réalisent un jour. Ainsi, semble-t-il, l'amour augmente la liberté des deux partenaires au point de laisser chacun d'eux établir sa propre *subjectivité* et développer sa propre personnalité. La section suivante expliquera ce que j'entends par là.

L'AMOUR ET LA DÉFENSE DE L'UNICITÉ

La loi de la création proclame qu'il n'y a jamais eu dans le *passé*, qu'il n'y a pas *maintenant* et qu'il n'y aura jamais *à l'avenir* deux existences humaines identiques. Chacun de nous constitue un événement historique qui ne peut se répéter dans l'histoire de la pensée, et qui est destiné à accomplir ses idiosyncrasies.

Gibran ne propose aucune preuve scientifique pour étayer sa ferme croyance dans l'unicité de l'homme. Cependant, son observation est exacte. Aujourd'hui, les biologistes humanistes, les psychologues et les biochimistes ont scientifiquement établi la vérité de l'unicité de l'homme. La grandeur de Gibran, c'est d'avoir établi poétiquement, philosophiquement et mystiquement de nombreusees vérités que la science allait découvrir au prix de pénibles recherches. Dans son vocabulaire, les mots « isolé », « isolement » et « solitaire » sont destinés à exprimer le prédicament de l'« idiosyncrasie ». Ainsi, l'un des thèmes favoris prêchés devant le peuple par le disciple Almustafa après la mort de son maître était l'affirmation que la solitude de la vie est une conséquence métaphysique de notre individualité.

> Ta vie spirituelle, mon frère, est cernée par la solitude et n'étaient-ce de cet isolement et de cette solitude, tu ne serais pas *Toi* et je ne serais pas *Moi*. N'étaient-ce de cet isolement et de cette solitude, j'en arriverais à croire, en entendant ta voix qu'il s'agit de ma voix ; ou en voyant ton visage que c'est moi qui me regarde dans un miroir. (114)

Souvent, Gibran prétendait que le monde serait trop petit s'il existait deux êtres humains identiques. « S'il y avait deux hommes semblables, le monde ne serait pas assez grand pour les contenir. » (115) Le lecteur familiarisé avec l'existentialisme se souviendra que cette école a précisément été appelée ainsi parce que ses adeptes bâtissent leur théorie en partant de l'individu. La personne n'est pas une idée platonique universelle, ni une catégorie hégélienne logique. C'est une réalité concrète et unique dont la signification vitale est prise dans les tourbillons des moments historiques auxquels elle participe. Selon moi, Gibran est un existentialiste à part entière en dépit du fait qu'il n'a jamais utilisé l'expression et qu'il ignorait tout du fondateur de la théorie. (116) Les futurs historiens de la philosophie arabe devraient tenir compte de mon appréciation pour éviter de commettre une grossière erreur historiographique. Et pour appuyer ma conviction de l'existentialisme de Gibran, je citerai librement les textes de certains existentialistes occidentaux de quelque importance qui soulignent l'unicité de l'homme. Ainsi, Soren Kierkegaard, le père de l'existentialisme, disait souvent : « Mes auditeurs, vivez-vous à présent de manière à être vous-même, clairement

et éternellement conscients d'être des individus ?»(117)
L'Espagnol José Ortega y Gasset écrivait également :
«Il n'est pas de vie abstraite. La vie signifie l'inexorable
nécessité de réaliser le modèle d'une existence que
chacun de nous constitue... Nous sommes de façon
indélébile ce simple personnage programmatique que
nous devons réaliser.»(118) Dans la même ligne de
pensée, Martin Buber déclarait : «Chaque personne née
en ce monde représente quelque chose de neuf, quelque
chose qui n'a jamais existé auparavant, quelque chose
d'original et d'unique. Il est du devoir de chacun de
savoir... qu'il n'a jamais existé au monde quelqu'un qui
lui ressemble, car si tel avait été le cas, il n'aurait pas été
nécessaire qu'il vienne au monde. Chaque homme en
particulier est quelque chose de neuf dans le monde, et a
pour mission d'y accomplir sa particularité.»(119)

Quoique Gibran ait insisté, à la manière des existentialistes européens, sur la nécessité pour l'homme de
développer ses idiosyncrasies, il nous a cependant montré que les conditions dans lesquelles vivait la société
moderne constituaient un véritable danger pour la croissance de l'individu. Et il a plus particulièrement
dénoncé l'esprit de «conformisme» et de «totalitarisme». Ceux-ci constituent de préjudiciables construc-
tions sociales qui produisent des groupes de «foule» et
des entités statistiques impersonnelles. Il est intéressant
de noter ici que Gibran considérait tous ses héros comme des *Fous*. Et ils étaient fous non en raison de quelque
dérangement mental ou de quelque maladie psychosomatique, mais parce qu'ils refusaient tous de s'identifier
avec la foule et de se comporter comme elle. Ainsi
étaient-ils anormaux et fous aux yeux de la grande
masse, parce qu'ils s'écartaient des normes de la tradition et des coutumes. Dans *Le Voyageur*, on nous
raconte qu'un jeune s'était volontairement échappé de

chez ses parents et loin de ses professeurs pour aller vivre dans un asile de fous. Lorsqu'on lui en demanda la raison, il répondit avec candeur : « Mon père voulait que je sois l'image de lui-même ; ma mère voulait que je suive l'exemple de mon grand-père ; d'autre part, ma sœur me citait sans cesse le parfait exemple de son mari. Quant à mon frère, il pensait que j'aurais dû être un bon athlète comme lui. Mes professeurs voulaient tous que je sois un reflet de leur propre personnalité.   C'est pourquoi je suis venu ici. Je trouve qu'il y fait plus sain. Au moins, je puis y être moi-même. » (120)

La défense de l'unicité est en constant danger. Nos idéologies politiques, nos systèmes d'éducation, nos institutions religieuses, nos lois sociales, notre milieu familial et même, oui, nos relations amicales, tout tend à nous priver de notre subjectivité et à étouffer notre liberté de réaliser notre identité propre. La seule manière de remédier à une telle situation est de mener une vie d'*Agapè*. Car le véritable amour est désintéressé. Il n'est pas despotique, il n'est pas égotiste, et il n'intervient pas dans la liberté des autres d'« être », de « faire » et d'« appartenir ». Bien au contraire, l'amour authentique établit des relations interpersonnelles qui garantissent la liberté de la subjectivité. Gibran illustre ce point par quelques exemples qui montrent comment l'amour agit dans les relations intimes du mariage, de la parenté et de l'amitié.

1° Dans le cas du mariage, il demande qu'aucun des deux époux ne tente de copier la personnalité de l'autre. Les déclarations qui décrivent le mariage comme l'union de deux corps pour une âme, ou de deux âmes dans un seul corps, sont fantaisistes et romantiques, et ne concernent pas un amour réaliste. En vérité, lorsque les partenaires commencent à imaginer que chacun d'entre eux peut devenir l'autre, l'échec de cette aspiration provoque une exaspération psychologique et conduit au divorce. Le succès d'un bon mariage se trouve dans la pratique d'un respect mutuel et dans la capacité qu'a chacun d'aider l'autre à actualiser ses idiosyncrasies. Rappelons-nous que Shakespeare disait : «La variété fait la beauté». Et écoutons ce que le prophète nous dit du mariage :

> Aimez-vous l'un l'autre, mais ne laissez pas l'amour devenir une chaîne.
> Faites qu'il soit une mer mouvante entre les rives de vos âmes.
> Remplissez mutuellement vos verres, mais ne buvez pas dans la même coupe...
> Chantez et dansez ensemble, soyez joyeux, mais permettez à chacun de vous d'être seul.
> ...
> Et tenez-vous côte à côte,
> mais pas trop près :
> Car les piliers du temple sont séparés
> Et le chêne ni le cyprès ne poussent dans l'ombre l'un de l'autre. (121)

2° Beaucoup de parents croient, avec les meilleures intentions du monde, qu'ils ont le droit légal et moral d'obliger leurs enfants à se conformer à leur mode de pensée et d'action. Mais telle est la véritable raison du *fossé* qui se crée entre parents et enfants. Dans la psychanalyse actuelle, on reconnaît que le *possessivisme extrême* et la *protection exagérée* de la part des parents provoquent chez les enfants une personnalité faible et névrosée, (122) ou bien les pousse à se révolter et à quitter la maison paternelle. C'est pourquoi, ici également, Gibran exhorte les parents à exprimer leur amour dans un esprit de sacrifice et à ne pas se montrer oppressifs.

Vous pouvez leur donner votre amour
mais pas vos pensées.
Car ils ont leurs pensées propres.
Vous pouvez héberger leurs corps
Mais pas leurs âmes,
Car leurs âmes habitent la maison de demain
que vous ne pouvez visiter
même dans vos rêves.
Vous pouvez vous efforcer d'être comme eux,
mais ne cherchez pas à les rendre comme vous.
Car la vie ne va pas en arrière
et ne s'attarde pas à hier... (123)

3° Quant à l'amitié, Gibran semble répéter les termes du Livre Saint qui dit : « Quand vous avez trouvé un ami, vous avez découvert un inestimable trésor. » Le véritable ami est celui vers lequel vous pouvez aller lorsque vous êtes triste, joyeux ou dans le besoin, en sachant qu'il vous accueillera et vous réconfortera sans exiger d'abord d'être payé de retour.

Votre ami, c'est la réponse à vos besoins.
Il est le champ dans lequel vous semez l'amour
et moissonnez avec reconnaissance.
...Vous venez à lui pour apaiser votre faim
et vous le cherchez pour trouver la paix.
Ne voyez d'autre but à l'amitié
Que d'approfondir votre esprit.

Le Gibranisme est une métaphysique de l'Amour. C'est, en soi, l'expression de la signification de l'Être. C'est une attitude mystique tournée vers la valeur de l'être. De plus, il nous apprend que s'il existe de nombreuses manières d'exprimer l'expérience de l'amour, l'amour véritable demeure identique dans toutes les relations interpersonnelles. «Mon aimée, les feux de l'Amour descendent du ciel sous diverses formes, mais leur effet sur le monde est unique.»(124)

De plus, Gibran comprend bien que l'amour ne naît pas d'une cour prolongée et de nombreux rendez-vous. L'amour n'est pas quelque chose dont il faille tomber amoureux. L'amour est une condition interne qui imprègne tout notre être.

Il est faux de croire que l'amour vient d'un long compagnonnage et d'une cour persistante. L'amour est le rejeton d'une affinité spirituelle, et si cette affinité ne se crée pas en un instant, elle ne se créera ni au cours des années ni même des générations.(125)

Finalement, il n'est pas nécessaire que le dialogue entre l'amant et l'être aimé s'exprime par des «mots». Gibran dit un jour à miss Barbara Young : «Le silence est l'un des mystères de l'amour.»(126) Dans *Les Ailes Brisées*, nous trouvons aussi le dialogue du silence qui anime la conversation des amants.

Nous sommes silencieux tous les deux, chacun attendant que l'autre parle, mais la parole n'est pas le seul moyen de compréhension entre deux âmes. Ce ne sont pas les syllabes qui viennent des lèvres et de la langue qui rapprochent les cœurs.

Il y a quelque chose de plus grand et de plus pur que ce qu'exprime la bouche.
Le silence illumine nos âmes, murmure
à nos cœurs et les pousse à se rejoindre.(127)

LA PHILOSOPHIE DE GIBRAN
SUR LA RELIGION

Pour ses lecteurs, l'un des attraits les plus puissants de la philosophie gibranienne est l'importance profonde qu'elle accorde à la spiritualité. Gibran est appelé *Le Prophète* par ses adeptes parce que, comme les premiers prophètes, à leur époque, ses enseignements jouent un rôle social efficace dans l'éducation spirituelle des esprits, en notre vingtième siècle technocratique. On peut caractériser son message prophétique comme :

a) une expression passionnée ;

b) poétique ;

d) vigoureusement coercitive dans l'affirmation de la volonté de Dieu, parfois avec un soupçon de colère contre les hypocrites.

Gibran considère essentiellement que l'objectif de la vie sociale et le but de l'existence personnelle se trouvent dans une parfaite réalisation de l'esprit d'Agapè. Celui-ci atteint son point culminant dans l'accomplissement du Royaume de Dieu à la fois sur terre et dans le cœur de l'individu. Dans un tel contexte, la pratique de la religion constitue une manifestation psycho-spirituelle de la présence de Dieu. Cependant, nous le savons, la religion n'a pas toujours été interprétée par les croyances organisées comme une inclination *naturelle* de l'âme envers son Créateur. Et c'est ici que nous voyons notre auteur se révolter contre les religions institutionnalisées tout en soulignant par ailleurs le caractère indispensable de la foi religieuse dans l'existence humaine.

Afin de bien montrer la position réelle de notre auteur en ce qui concerne la religion et Dieu, je propose de diviser ce chapitre crucial en trois parties :
1) Critique de la religion organisée.
2) Nature de la religion authentique.
3) Quelques commentaires sur *Jésus, le Fils de l'Homme.*

1° Critique de la religion organisée

Quiconque a une certaine connaissance de l'histoire de la pensée sait que les croyances organisées ont souvent été attaquées par de grands hommes de religion eux-mêmes. Ils avaient pu constater de leurs propres yeux que les religions organisées étaient, au fond, la cause de la dégénérescence morale, des injustices sociales, de la corruption politique et du déclin de la foi. Ainsi, au lieu de promouvoir la paix, l'amour et la compréhension entre les peuples et les nations, il est souvent arrivé qu'une religion institutionnalisée, avec ses codes particuliers, ses rites rigides et ses consciences culpabilisées, ait introduit dans le cœur de ses propres fidèles des sentiments de haine, de préjugés et de bigoterie envers les fidèles d'autres Églises.

Sans me plonger dans le passé, qu'on me permette de mentionner quelques célèbres adorateurs de Dieu qui ont dénoncé les méfaits des religions organisées en leur reprochant de perpétuer l'esprit de «machiavélisme», cette théorie peu scrupuleuse qui permet de pratiquer la duplicité en politique et en religion. Ainsi, Tolstoï, blâmait l'Église d'État pour la violence qui régnait dans le monde : «Si seulement les hommes de notre monde étaient libérés de ce mensonge, de la perversion de la doctrine chrétienne par la foi de l'Église, de la vengeance, et même de l'exaltation de l'État qui est encouragée sur la base de la foi, mais qui est incompatible avec le christianisme et basée sur la violence, alors le principal obstacle à la reconnaissance religieuse de la loi suprême de l'amour, qui ne tolère ni exception ni violence, serait éliminé de lui-même, tant chez les Chrétiens que chez les non-Chrétiens.»(1) S. Kierkegaard, lui aussi, était plein d'amertume à l'égard de sa propre Église protestante. «Les conditions religieuses sont lamentables et les gens sont dans une situation lamentable sur le plan de la religion, rien n'est plus certain.»(2)

Khalil Gibran partage exactement les mêmes sentiments. Il se rebiffe sans cesse parce que la vérité, la liberté humaine et la volonté de Dieu sont en danger. De son vivant, ses compatriotes le traitaient d'hérétique et il fut excommunié en 1904 par son Église Maronite, précisément pour avoir déclaré la guerre aux religions organisées. À vrai dire, dans tous ses essais polémiques sur la religion, il s'en prend surtout au *clergé*(*Khouri*). Il considère que les prêtres sont responsables de bien des misères sociales et individuelles que l'on rencontre dans le monde. *Khalil l'Hérétique* est, à mes yeux, le meilleur des essais qui expriment la vraie position de Gibran à l'égard de la *«religion ecclésiastique»*. Une profonde analyse de l'œuvre permet de mettre en lumière les principaux arguments de Gibran.

L'histoire est celle d'un adolescent qui est entré au monastère pour se préparer à la prêtrise. Cependant, après une courte période, le jeune homme fut expulsé par ses supérieurs comme inapte à la vie cléricale. La raison qu'on nous donne de ce jugement, c'est que Khalil, un matin, avait osé adresser aux moines un sermon sur la vraie signification de la religion, tout en les critiquant de se moquer des pauvres avec leur enseignement pharisien. L'essai dit de Khalil qu'il est un *réformateur*. Pourquoi ? Dans le texte, j'ai trouvé quatre raisons pour lesquelles Khalil, le personnage de Gibran, était anticlérical : la simonie, le despotisme, le machiavélisme et la tricherie. Or, ces raisons ne sont pas des fantaisies, et elles ne sont pas fortuites. Elles sont historiquement exactes, car elles décrivent le rôle que jouaient les membres du clergé au Liban à l'époque de Gibran. Quelques mots suffiront à montrer la portée de ces quatre termes.

LA SIMONIE

Historiquement, le terme de « simonie » vient du nom de Simon le Grand, le magicien de Samarie qui avait demandé aux Apôtres de lui donner le pouvoir de conférer les dons du Saint-Esprit moyennant le paiement d'une grosse somme d'argent (Actes des Apôtres 8.18 — 24). La simonie est donc essentiellement l'achat ou la vente d'un bien spirituel pour un prix temporel ou matériel. La pratique de la simonie est une calamité qui s'était répandue en Europe, spécialement entre les 9ème et 11ème siècles. Ce sacrilège n'était pas seulement le fait du petit clergé et des moines. Le trafic et les échanges entre biens matériels et valeurs spirituelles était même devenu commun chez les hauts dignitaires de la Curie Romaine. C'est ainsi que le Pape Grégoire VI (1045-1046) fut accusé de simonie. Durant ces périodes, on pouvait apparemment acheter un terrain au Ciel et se libérer des pénitences en achetant des indulgences qui limitaient votre séjour au Purgatoire(3).

Khalil condamnait notamment le clergé, coupable du crime de simonie. Deux fois, il nous dit que les prêtres de Deir Kizhaya, dans le Liban du Nord, faisaient le commerce de prières pour de l'argent, et qu'ils punissaient ceux qui refusaient d'acheter leurs bénédictions contre espèces sonnantes et trébuchantes. « Quel est l'enseignement qui autorise les prêtres à vendre leurs prières pour des pièces d'or et d'argent ? »(4) Ailleurs, nous lisons : « Il(le prêtre) vend ses prières. Et celui qui ne les achète pas est un infidèle, excommunié du Paradis. »(5)

LE DESPOTISME

En d'autres occasions, Khalil nous rapporte que les moines étaient des despotes et des tyrans. Ils se livraient à des violences physiques si un laïque s'en prenait verbalement à eux, sous prétexte qu'ils agissaient au-nom-de-Dieu.(6) Ils opprimaient également les pauvres villageois et les laissaient volontairement dans l'ignorance du savoir des Écritures et de la nature. Dans son essai *Jean le Fou*, Gibran va jusqu'à montrer que son héros, Jean, est persécuté par les prêtres pour avoir lu la Bible, le Livre défendu. « Les prêtres s'opposaient à la lecture de la Sainte Bible et... mettaient les gens simples en

garde contre son usage. Ils menaçaient d'excommunication ceux qui étaient trouvés en possession du Livre
Saint. » (7)

L'idée que Gibran tente de mettre en lumière, c'est
que les messagers de Dieu ne voulaient pas que leurs
paysans soient éduqués. Ils pouvaient ainsi les garder
sous leur pouvoir et inspirer de la crainte aux gens
simples. L'ignorance est l'arme la plus sûre pour permettre aux despotes de gouverner leurs esclaves. (8) Et
cependant, affirme Gibran, il ne peut y avoir de
bonheur ni de véritable connaissance de la religion tant
que l'ignorance « n'est pas supprimée ». (9) Après tout,
« Dieu n'aime pas être adoré par un ignorant qui ne fait
qu'imiter quelqu'un d'autre. » (10)

LE MACHIAVÉLISME

Historiquement aussi, le mot « machiavélisme » provient du nom de Nicolas Machiavel (1469-1527), le
célèbre homme d'État florentin, auteur du *Prince*, qui
affirmait que tous les moyens sont légitimes pour atteindre le but recherché, toujours considéré comme politique. Il imaginait même que la politique pouvait se
servir de la religion et de la morale comme *instrumentum
regni*, c'est-à-dire, comme instruments de son pouvoir.

Dans l'esprit de Gibran, les Églises établies ne sont
que des institutions avides de pouvoir politique ou économique, et de prestige social. Elles se servent du
prétexte de la religion pour renforcer leur volonté et
l'accomplissement de leurs vœux auprès des fidèles. À
travers ces deux ouvrages, *Khalil l'Hérétique* et *Jean le
Fou*, nous voyons les dignitaires de l'Église s'occuper de
politique, faire pression sur les gouverneurs régionaux

du Sultan, s'octroyer des privilèges du gouvernement et amasser des fortunes colossales.

Pour apprécier exactement la valeur des critiques de Gibran, il est bon de raconter l'histoire du clergé libanais de cette époque. Comme on s'en souvient, le Liban était gouverné par l'Empire Ottoman qui avait embrassé la Foi islamique. D'autre part, les fidèles de l'Église maronite étaient pour la plupart de pauvres paysans. Pour que le Christianisme acquière de l'importance dans la politique de la Sublime Porte, il était nécessaire qu'il devienne féodal. Les laïques chrétiens eux-mêmes y contribuèrent en donnant au clergé des terres et des propriétés. Cependant, à mesure qu'elle voyait augmenter ses possessions, l'Église devint avide, exigeant toujours davantage de ses fidèles qui s'occupaient de cultiver les champs et qui devaient lui payer parfois des taxes exorbitantes. Ce fut la puissance économique de l'Église qui lui gagna le pouvoir politique des sultans Turcs. Il arrivait souvent qu'un gouverneur turc doive céder à la volonté des prêtres s'il voulait conserver son pouvoir. Et malheureusement, à certains moments, les Pères dictaient aux représentants ottomans les décisions à prendre, même si c'était au détriment des villageois. Ainsi, dans l'histoire de Khalil, c'est le Père Elie qui suggère au Cheik Abbas de châtier Khalil pour un crime qu'il n'avait pas commis.

La corruption politique de l'Église est plus apparente encore dans le court essai intitulé *Jean le Fou*. On nous y montre que Jean a été deux fois la cible des prêtres. Une première fois, il avait été emprisonné parce que son bœuf avait dévasté les plantations du couvent et que les prêtres l'avaient forcé à payer les dommages. À la suite de cela, Jean les avait traités de mercenaires, d'hypocrites et d'êtres irréligieux. Une seconde fois, le Gouverneur, désirant se mettre bien avec les prêtres,

avait demandé au père de Jean de répandre la rumeur
que son fils était fou. Ceci se produisit un jour parce que
Jean, au milieu de la place de Bcharré, avait tendu les
mains vers le ciel en priant Jésus de venir rétablir la
religion que les prélats avaient déshonorée.

C'est ainsi que Khalil et Jean avaient été ridiculisés
par les Révérends Pères pour avoir découvert le véritable enseignement du Christ, s'être révoltés contre les
enseignements peu orthodoxes des prêtres et utilisé des
citations directes du Nouveau Testament pour flétrir le
comportement du clergé. Gibran nous dit explicitement
qu'ils furent persécutés à cause de leur connaissance des
Écritures. Les deux personnages apparaissent ainsi comme des réformateurs. Mais leur réforme ne consiste pas
à prêcher une nouvelle religion. Elle consiste seulement
à revenir à la source primitive de la croyance chrétienne,
les Saintes Écritures. Comme Martin Luther, Gibran
proclame que la Sainte Bible constitue le véritable enseignement du Christ. Le Jésus de Khalil et de Jean est le
Dieu d'amour, de pardon, de bienveillance et de compassion, détaché de tout favoritisme politique.

LA DÉVIATION SPIRITUELLE

Enfin, Gibran s'élève avec indignation contre la religion organisée parce qu'elle falsifie la véritable signification des Écritures, et qu'elle répand des erreurs. À son
avis, ces erreurs d'interprétation proviennent d'une
double ignorance : le véritable manque d'instruction du
clergé lui-même(11) et son ignorante exégèse du sens
littéral des Saintes Écritures. Gibran développe ce dernier argument dans sa parabole *La Cité sainte*.

On parla un jour à un jeune homme d'une «cité
sainte» dont les habitants vivaient heureux selon les

règles des Saintes Écritures. Poussé par la curiosité, par l'esprit d'aventure, et par le désir de mener une vie parfaite dans un parfait environnement, le jeune homme partit à la recherche de la ville. Au bout de quarante jours, il découvrit une cité dont chaque habitant ne possédait qu'un œil et qu'une main. S'étant approché de certains d'entre eux, il leur demanda de lui indiquer le chemin de la cité sainte. On lui répondit qu'il y était. Étonné par l'aspect physique des individus, il leur demanda ce qui leur était arrivé. En réponse, ils l'entraînèrent jusqu'au temple et lui montrèrent «un tas d'yeux et de mains». Toujours aussi surpris, le jeune homme s'écria : «Hélas, quel est le cruel conquérant qui vous a fait cela ?» L'un des Anciens s'avança et dit : «C'est nous-mêmes. Dieu a fait de nous les conquérants du mal qui était en nous.» Et comme tous lui montraient une inscription qui figurait au-dessus de l'autel, le jeune homme lut le fameux passage où il est dit : «Si un œil t'a offensé, jette-le ! Car il vaut mieux rentrer au Royaume des Cieux avec un œil que d'être damné aux Enfers. Et si une main a péché, coupe-là !, car il vaut mieux être admis au Royaume des Cieux avec une main que d'aller en Enfer pour le mal qu'elle aurait commis.»

Plus étonné que jamais, le jeune homme se tourna vers la foule et s'écria : «En est-il un seul parmi vous qui possède deux yeux et deux mains ?» Et ils répondirent : «Pas parmi les adultes. Seulement chez les enfants qui ne peuvent pas encore lire ni comprendre les Écritures.» Ayant entendu ces mots, le jeune homme hocha la tête avec désappointement et s'empressa de quitter cette «cité sainte».

La parabole se termine par un trait d'ironie, des sarcasmes et une morale, le tout condensé dans les derniers mots du jeune homme : «Lorsque nous fûmes sortis du temple, je m'empressai de quitter cette Cité Sainte. Car je n'étais pas trop jeune, et je savais lire les Écritures. » (12)

LA RELIGION INTRINSÈQUE
CONTRE LA RELIGION EXTRINSÈQUE

Nous aurions tort de croire un seul moment que l'anticléricalisme de Gibran était une expression d'irréligiosité. En vérité, on peut dire que Gibran était un être profondément religieux. Il s'élevait simplement contre la manière dont la religion était utilisée par l'Église d'État. Il faisait remarquer que la religion, entre les mains des agents du clergé, devenait une chose que l'on « utilisait », non dans laquelle on « vivait ». C'est ce que nous appelons « la religion extrinsèque ». Dans un tel contexte, la foi apparaît aux frontières des bonnes intentions, mais elle n'enfonce jamais de profondes racines dans l'âme. La logique de la religion extrinsèque a toujours une orientation utilitaire. De plus, la religion est pratiquée non comme une fin en soi, mais comme un mobile qui en sert d'autres, par exemple, le besoin de sécurité, le pouvoir politique, l'ambition du prestige social ou l'avidité pécuniaire. D'autre part, poursuit Gibran dans sa critique, la religion extrinsèque de l'Église organisée favorise la bigoterie ethnique et raciale et les préjugés religieux, et elle conduit ses fidèles à la discrimination, à la ségrégation et la négation des droits d'autrui. La religion extrinsèque commet tous ces méfaits sous la bannière de la volonté de Dieu, de l'amour de Dieu et des enseignements du Christ. Par exemple, jusqu'à une époque récente, l'Église Catholique dans laquelle Gibran avait été baptisé affirmait qu'il n'existait pas de salut ni de rédemption des péchés des hommes en dehors de sa propre croyance. (13)

Ne nous étonnons donc pas que Gibran ait écrit : « L'homme véritablement religieux n'embrasse pas une religion. Et celui qui en embrasse une n'en a pas. » (14) Lorsque quelqu'un s'affilie à une Église déterminée et partage sa morale et sa légalité, alors, franchement, dit Gibran, c'est qu'il n'a pas découvert la nature « intrinsèque » de la religion. Car la religion n'est pas un livre de codes ou un manuel de droit. Et Dieu n'est pas un privilège réservé au seul clergé.

À mon avis, Gibran se montre dur à l'égard de la religion établie parce qu'il voit une similitude entre la société, institution basée sur des lois fabriquées de toutes pièces, et l'Église, une autre institution sociale basée sur des lois faites par l'homme et promulguées par une hiérarchie de clercs qui ne tient ses pouvoirs que d'elle-même. On peut essentiellement parler d'une Église sectaire lorsqu'elle prescrit des règles de conduite qui diffèrent considérablement de celles d'autres croyances organisées. Et un croyant est Protestant, Catholique, Juif, Orthodoxe ou Musulman si, et seulement si, il prétend suivre les préceptes de sa propre Église qui, entre parenthèses, sont la plupart du temps en conflit avec ceux des autres Églises. Dans ce cas, Dieu cesse d'être une divinité et le Créateur de l'humanité. Il devient une marionnette ou un objet précieux pour lequel chaque religion partisane combat les autres sectes afin de s'en assurer la possession. L'Histoire en porte témoignage. Qu'on se souvienne, par exemple, de la Guerre Sainte des Mahométans de jadis (*jihad*) ou de la période de l'*Inquisition* chez les Catholiques, ou de l'exaspérante Espérance des Juifs dans la venue d'un Messie qui viendrait conquérir les nations du monde, etc.

Comme tous les grands mystiques, Gibran était intensément religieux et c'est pourquoi il n'avait aucune préférence pour une religion « codifiée ». Il croyait à la « communion des âmes » (15) et à l'œcuménisme qui fait de tous les hommes « des frères à la face du ciel ». (16)

> Vos pensées défendent le Judaïsme, le Brahmanisme, le Bouddhisme, le Christianisme et l'Islam.
>
> Dans mes pensées, il n'existe qu'une religion universelle dont les routes différentes ne sont que les doigts de la main aimante de l'Être Suprême. (17)

Cette religion universelle, c'est ce que nous appelons la *religion intrinsèque*. Dans cette optique, la personne qui est motivée par la croyance intérieure totale de sa foi cherche davantage à servir la religion qu'à la faire servir à la défense de ses intérêts. À cet égard, la religion n'est rien d'autre qu'un *élan* naturel de l'âme, un don octroyé à tous les mortels. Elle n'a pas d'origine politique, ethnique ou acquise, pas de baptême de pure forme. Elle se manifeste par la pratique de l'Agapè, la seule vraie loi divine. Bien entendu, Gibran sait qu'il est possible à l'homme d'étouffer en lui l'impulsion spirituelle intrinsèque qui le pousse à aimer tout ce qui a été créé. Néanmoins, ce qu'il veut mettre en lumière, c'est que la religion et la présence de Dieu sont immanentes et pour cela, il faut aller les rechercher au fond de l'âme. « Dieu a mis *en chaque âme* un apôtre pour nous conduire sur le chemin de lumière. Cependant, beaucoup cherchent la vie *à l'extérieur*, sans se rendre compte qu'elle est *en eux.* » (18)

Sous le titre suivant, nous réfléchirons de façon plus détaillée à la question de la religion intrinsèque.

2° La nature de la religion authentique

«HOMO EST NATURALITER
ANIMAL RELIGIOSUM»

Depuis sa naissance, l'humanité a montré son attachement aux choses sacrées. Poussés par les superstitions, élevés dans la mythologie, les clans primitifs célébraient déjà des cérémonies rituelles. Le Préanimisme, le Totémisme, le Fétichisme, l'Idolâtrie etc., constituèrent des formes primitives d'adoration. Cependant, avec le progrès de l'outillage et l'expansion du groupe, le polythéisme de nos ancêtres commença à décroître. Puis, lentement, avec l'avènement des sciences positives, l'agnostisme et l'athéisme devinrent des formes de croyance à la mode.

Cette courte introduction pose la question de savoir si l'homme «est», par son être même, une créature «religieuse». Gibran répond positivement. Et, poursuivant sa pensée, il affirme que la religion n'a pas d'origine culturelle. Seule la manière dont on pratique le culte est «culturelle». À vrai dire, pour être fidèle à l'exégèse de la religion chez Gibran, j'affirmerais plutôt que s'il existe de par le monde différentes cérémonies liturgiques obligatoires, c'est possible parce que la religion est d'abord une dimension *métaphysique* de la réalité humaine, qu'il y a par conséquent une manière «primordiale» d'adorer la divinité, et que celle-ci est naturelle à l'âme. Prier, se prosterner, se repentir sont des impulsions naturelles. Mais lorsque les Églises établirent des lois canoniques et promulguèrent des commandements rigides sur la manière de prier, il se produisit un divorce entre la «religion» et «la pratique religieuse». Les religions organisées mirent l'accent sur «la pratique».

Par exemple, le repentir n'est plus une inclination naturelle de l'âme qui demande le pardon à un Dieu miséricordieux, mais c'est une requête de pardon adressée à une institution parce qu'on a transgressé un interdit inventé de toutes pièces. Gibran dit à ce propos : « Les inhibitions et les interdictions religieuses font plus de mal que l'anarchie » (19) — car, nous le savons, elles apportent à la psyché des complexes de culpabilité qui entraînent des névroses.

C'est pourquoi, la religion est éternellement inscrite dans le noyau même de l'existence humaine, et elle ne constitue pas le privilège de quelque institution. Dans une lettre à un ami, Gibran écrit, à propos de *Jean le Fou* : « J'ai découvert que des écrivains d'antan, en attaquant la tyrannie de certains membres du clergé, s'attaquaient à la pratique de la religion. Ils avaient tort, car la religion est une *croyance naturelle* chez l'homme. » (20)

Il est intéressant pour nous qui disséquons les pensées de Gibran et qui l'étudions à la lumière de l'Histoire, de découvrir que de nombreux grands philosophes ont également considéré que l'homme est « un animal religieux ». Ainsi, l'appel de saint Augustin exprime la même idée que celui de Gibran : « Tu nous a créés pour Toi, et notre cœur ne trouvera pas de repos tant qu'il ne reposera pas en Toi. » (21) Saint Thomas d'Aquin a également fait de la religion une aspiration naturelle de l'homme. « Une inclination naturelle pousse l'homme à chercher la vérité sur Dieu. » (22) Le philosophe et théologien existentialiste contemporain Paul Tillich défend également la même thèse : « Lorsque nous disons que la religion est un aspect de l'esprit humain, nous voulons dire que si nous considérons l'esprit de l'homme d'un point de vue particulier, il se présente à nous comme religieux... Vous ne pouvez rejeter la religion avec un sérieux absolu, parce que le sérieux absolu, ou l'état qui consiste à être concerné de manière absolue, est lui-même de la religion. »(23) On constatera avec étonnement que même les agnostiques et les athées contemporains commencent à proclamer qu'eux aussi sont *religieux*, quoique l'objet de leur adoration ne soit pas le même que celui des théistes. Par exemple, Jean-Paul Sartre, le chef de file des existentialistes athées, déclare dans son autobiographie qu'il est religieux alors que les croyants chrétiens, eux, sont irréligieux. « Un athée était un... fanatique encombré de tabous qui refusait le droit de s'agenouiller à l'église... qui prenait sur lui de prouver la vérité de sa doctrine par la pureté de sa morale... un excentrique obsédé par Dieu... ; en un mot, un homme qui avait des convictions religieuses. Le croyant n'en a pas. »(24) Aux États-Unis, le philosophe athée Ernest Nagel prétend que « l'athéisme n'est pas nécessairement un concept irréligieux... La négation du théisme est logiquement compatible avec une manière religieuse de considérer la vie... Il ne faut pas identifier l'athéisme à un simple refus de croire. »(25)

En conclusion, il semble y avoir un consensus commun entre Gibran, les philosophes théistes et les athées, selon lequel la religion procède de la structure basique de la nature humaine. Néanmoins, pour ne pas jeter la confusion dans l'esprit de mes lecteurs, je voudrais ajouter que pour Gibran, contrairement aux athées, la religion n'est pas seulement une inclination naturelle ou une manière de former les convictions ou d'avoir la foi, mais qu'elle est avant tout une façon d'élever l'âme vers une union sanctifiante avec Dieu, *Créateur de l'Univers*. Dans la section suivante, je montrerai que Gibran n'a jamais souscrit à la théologie de Nietzsche sur la mort de Dieu qui est cependant devenue le leitmotiv de l'athéisme contemporain.

EXISTE-T-IL QUELQUE CHOSE COMME UN DIEU ABSOLU ?

Dans les théories spéculatives modernes sur la religion, nous trouvons trois écoles de pensée principales, qui discutent de notre sujet avec des préalables différents.

Pour la première, les athées se prétendent religieux. Ils se déclarent citoyens de bonne moralité, et anti-théistes. Cependant, leur foi religieuse est anthropocentrique et *humaniste*. Quant à Dieu, ils affirment que c'est une création de notre subconscient qui cherche à se protéger des forces écrasantes de la nature. En d'autres mots, Dieu est une projection du moi, ou l'image de l'autorité paternelle. Ou, si l'on préfère, « l'homme a le désir d'être Dieu. » Il est intéressant de noter ici que tous les chefs de file de l'athéisme, Nietzsche, Marx, Freud, Sartre, ont néanmoins reconnu que la croyance religieuse en Dieu doit, à un moment donné, avoir aidé la civilisation à se débarrasser des nombreuses superstitions héritées des hommes primitifs. Mais maintenant, disent-ils, la science peut s'occuper des besoins des hommes. La foi dans l'homme, l'amour de l'homme constituent seuls leur religion. Faisant écho au cri de Nietzsche sur la mort de Dieu, Sartre, pour ne prendre qu'un exemple, écrit : (26)

Dieu est mort. Nous ne devons pas comprendre par là qu'il n'existe plus ou même qu'il n'a jamais existé. Il est mort. Il nous a parlé, et il est silencieux. Nous n'avons plus rien de lui que son cadavre. Peut-être s'est-il échappé du monde, ailleurs, comme l'âme d'un défunt. Peut-être n'était-il qu'un rêve... Dieu est mort. (27)

Du point de vue littéraire, j'ai été fasciné de découvrir certains essais de Gibran qui plaident pour une religion anthropocentrique. Sur le plan littéraire seulement, *Le Fossoyeur* ressemble beaucoup au *Zarathoustra* de Nietzsche par le style, la forme et le contenu des idées. Le texte ridiculise la croyance dans le surnaturel parce que « l'homme a adoré son propre moi depuis le commencement des temps en le parant de divers titres jusqu'à maintenant où il utilise le mot « Dieu » pour caractériser ce même moi. » (28)

Comme je l'ai dit, un tel essai ne doit pas troubler notre compréhension de la position réelle de Gibran. Nous devrions plutôt étudier de tels essais du point de vue de leur valeur littéraire comparée, mais jamais en assumant que les idées qu'ils contiennent sont celles de Gibran le Philosophe. Parce qu'en fait, Gibran a publiquement rejeté la philosophie pessimiste de Nietzsche. Sa religion est théocentrique.

Sa (de Nietzsche) forme (style) m'a toujours apaisé. Mais je crois que sa philosophie est terrible et entièrement fausse. J'ai été un adorateur de la beauté... (de Dieu). (29)

À l'opposé de l'athéisme, de nombreux intellectuels théistes émettent la théorie qu'on peut prouver l'existence de Dieu au moyen de la pensée philosophique. Cette *seconde école* fait de la religion une chose rationnelle et découverte par la logique. L'histoire de la philosophie abonde en propositions logiques : Augustin, Anselme, Thomas d'Aquin, Descartes, Leibnitz, etc.

La troisième approche de la religion nie que l'existence de Dieu puisse être prouvée rationnellement. Néanmoins, ses partisans se déclarent théocentriques pour des raisons différentes des recherches logiques.

Gibran, Kierkegaard, William James, Marcel, Buber, représentent cette école.

Contre les athées, Gibran et les autres membres de ce mouvement rejettent avec mépris la théologie de la mort-de-Dieu préconisée par Nietzsche. L'âme a une « faim naturelle pour ce qui la dépasse » et « l'âme cherche Dieu comme la chaleur cherche la hauteur et l'eau la mer. Le pouvoir de chercher et le désir de chercher (Dieu) sont les propriétés inhérentes de l'âme. » (30)

Mais par ailleurs, Gibran et les autres tenants de la troisième école s'opposent aux logiciens théistes. Ils ne veulent pas faire de Dieu un jeu pour les esprits mathématiquement doués, ni une idée qui s'inscrive dans un compartiment de notre intellect limité. Selon l'opinion de Gibran, il est plus facile à l'esprit humain de parler *à* Dieu que de parler *de* lui, car « nous ne pouvons pas comprendre la nature de Dieu parce que nous ne sommes pas Dieu ». (31) L'intelligence humaine est limitée et imparfaite, elle n'est donc pas capable de comprendre Dieu directement, parce qu'il est l'Infini et la Perfection. À diverses reprises, Gibran confia à miss Haskell : « Ce n'est pas parce que je ne le veux pas, c'est parce que je ne suis pas capable de parler de Dieu. » (32)

J'ai le sentiment que Gibran avait une certaine horreur de toute espèce d'explication intellectuelle de Dieu : il avait peur de commettre *le* péché d'orgueil intellectuel si courant chez les anti-théistes et chez certains philosophes chrétiens. Cependant, par ailleurs, son refus de toute preuve philosophique de l'existence de Dieu, à cause des limites de nos capacités de raisonnement, nous fait penser à Kant. Celui-ci affirmait, en effet, que l'entendement humain était ainsi constitué qu'il se perdait en contradictions dès qu'il s'aventurait à raisonner en partant de données factuelles ou d'indispensables éléments d'expérience pour en tirer des con-

clusions sur les choses en elles-mêmes et sur l'existence
et la nature de Dieu. Cependant, si l'on compare attentivement les raisons de Kant à celles de Gibran, on décou-
vrira entre elles une très nette ligne de démarcation. La
position de Kant était une affaire de scepticisme hérité
de l'empiriste David Hume et qui se manifestait comme
un doute mental à l'égard de tout ce qui est métaphysique. Gibran, quant à lui, n'élimine pas entièrement la
possibilité de connaître Dieu à travers l'expérience sensible. Il appelle les données de cette expérience sensible
« les expressions visibles de Dieu. » (33) Le monde
témoigne de l'existence de Dieu comme les effets
authentifient leur cause.

Néanmoins, cette compréhension de Dieu à travers la
création n'est pas une compréhension philosophique *à
propos* de Dieu, mais c'est une inclination naturelle qui
pousse psychologiquement notre corps et notre esprit à
parler religieusement « à » Dieu dans la pratique de la
prière, du repentir et de la prosternation. Tel qu'il est en
lui-même, Dieu est incompréhensible. On peut cependant le connaître dans les liens d'une relation mutuelle.
Sur ce point, Martin Buber s'accorde avec Gibran pour
dire que la religion est théocentrique, et qu'elle n'est pas
basée sur un acte intellectuel. « Il n'est pas nécessaire de
savoir quelque chose de Dieu pour croire en Lui : beaucoup de vrais croyants savent comment parler à Dieu,
mais ignorent comment parler *de* Lui. » (34)

LA FOI

L'adoration religieuse que Gibran porte à Dieu est
une question de « foi ». À cet égard, il est très proche de
Kierkegaard et des existentialistes de l'aile droite. Pour
Gibran et pour Kierkegaard, la foi n'est pas l'objet

d'une recherche scientifique. De là, ils font l'un et l'autre la distinction entre la « foi » et la « Connaissance ». La dernière représente l'état de faits qui peuvent être démontrés de façon empirique ou logique. Quant à la foi, c'est une disposition spirituelle dans laquelle on accepte des propositions qui ne sont *pas* connues, qui sont extrêmement *raisonnables*, mais dont on croit qu'elles sont *vraies*. Voyez combien Gibran et Kierkegaard sont proches l'un de l'autre en matière de foi religieuse. Voici ce qu'écrit Kierkegaard :

Imaginez un homme qui désire acquérir la foi. Levons le rideau. Il désire avoir la foi, mais il veut aussi se protéger par une enquête objective... Que se passe-t-il ?... Maintenant, il est prêt à croire... et il se risque à déclarer pour lui-même qu'il ne croit pas comme le font les cordonniers, les tailleurs et les gens simples, mais seulement après y avoir longuement réfléchi. Maintenant, il est prêt à croire (c'est-à-dire à accepter les choses en vertu de la foi). Mais c'est précisément alors qu'il devient impossible d'y croire... Car l'objet de la foi, c'est l'absurde, et c'est le seul objet auquel on puisse croire. (35)

Dans ce passage, Kierkegaard affirme explicitement que la foi, c'est « l'absurde », « le paradoxe », et qu'elle ébranle l'esprit des philosophes et des savants. Notons en passant que saint Paul, dans son Épître aux Corinthiens, reconnaissait qu'accepter quelque chose en vertu de la foi était une folie et une insulte à l'intelligence de l'homme. (36)

Gibran a le même sentiment à l'égard de la foi de l'homme en Dieu. Par souci de précision, citons et paraphrasons la conception de base de la foi chez notre auteur. J'ai personnellement numéroté les mots que je me propose d'expliquer :

La foi est (a) une oasis (b) dans le cœur (c). Elle ne sera jamais atteinte par la caravane de la pensée. (37)

(a) La citation montre clairement que, comme l'oasis, la foi défie le regard physique et mental de l'homme. Comme l'oasis ce n'est pas quelque chose sur quoi vous puissiez poser les mains, ou que vous puissiez détecter au moyen du microscope ou du télescope. Pour le monde scientifique, c'est une hallucination, une fiction. Mais pour celui qui est halluciné, l'hallucination est une chose réelle, et il y croit. Comme le disait J. Dewey : « Les illusions sont des illusions, mais l'apparition des illusions n'est pas une illusion : c'est une authentique réalité. Du point de vue de la pensée systématique, la foi, c'est *l'absurde*. Mais du point de vue de l'individu qu'elle affecte, la foi est réelle et, comme l'oasis, elle indique un manque, un désir ardent de l'âme. Traduit dans la terminologie technique de Gibran, ce manque signifie que l'âme a « un désir inhérent d'atteindre Dieu, » qui est effectivement perçu comme une « faim ». (38)
(b) Ici, le mot « cœur » est pris comme contraire de « pensée ». Il en résulte que l'oasis de la foi est directement reliée au cœur seul et qu'elle n'est réelle que pour lui. Tout ceci revient à dire que la foi en Dieu ne peut être atteinte que si l'individu se résigne à ne pas vouloir réduire l'Être Suprême à un objet que l'esprit pourrait disséquer en ses propriétés et éléments.

Comme la plupart des philosophes humanistes contemporains, Gibran établit une stricte dichotomie entre « *la logique du cœur* » et « *la logique de la raison* ». À son avis, le cœur a des moyens meilleurs et plus efficaces de saisir la vérité que la lenteur et l'indécision du raisonnement discursif. Il faut noter que William James, un contemporain de Gibran dont je pense qu'il a dû entendre parler, a défendu avec la même vigueur la thèse selon laquelle la foi a un sens pour les âmes qui sont animées seulement par les passions et peu intéressées à prouver scientifiquement leur valeur. (39)

Dans d'autres extraits de ses ouvrages, Gibran détaille les raisons qu'il y a de confiner la foi à la région du cœur. Il écrit : « La foi est une connaissance au fond du cœur, hors d'atteinte de la preuve. » (40) Il reconnaît par là que la foi n'est pas une ignorance aveugle, mécanique ou habituelle. Bien au contraire, la foi est en elle-même une source de connaissance, tout à fait inconnue à la pensée scientifique. Cette connaissance est celle de Dieu, de l'immortalité, de la destinée humaine, des origines de l'homme, etc.   Les passions ou les sentiments de l'homme perçoivent la vérité de ces faits sans que le croyant ait à souffrir d'aucun délai. « La Foi perçoit la Vérité plus vite que l'Expérience (c'est-à-dire les expériences scientifiques) ne le peut. » (41) À vrai *dire, ce serait une faiblesse*, de la part de la foi, d'avoir à « expliquer » ou à « prouver » sa vérité. Car si l'on désirait, à simple titre d'exemple, que la foi prouve la réalité de ses prémices, on ferait preuve d'incrédulité, une attitude mentale incompatible avec la foi. Gibran déclare en conséquence : « La nécessité d'expliquer est un signe de faiblesse » (42) et « La Vérité qui a besoin d'être prouvée n'est qu'une demi-vérité. » (43) Après tout, l'objectif de la foi est d'aiguillonner la volonté-de-croire de la personne. Et il faut ajouter que l'essence de la foi est de demeurer incompréhensible à la logique et à la science. (44)

(c) Finalement, il faut se souvenir que, pour Gibran, la

foi est supérieure à la science. Et quoique « la caravane de la pensée » puisse ridiculiser la foi en la prétendant impossible (oasis), la foi, à son tour, défie la pensée en prétendant qu'elle est incapable de la comprendre. Ensuite, si la pensée traite ironiquement la foi comme un syndrome psychologique, la foi, de son côté, déclare que la pensée est épistémologiquement « impuissante » à pénétrer dans le royaume de « ce-qui-est-hors-de-portée-de-la-preuve » (c'est-à-dire la foi).

On comprend clairement, d'après ce qui précède, pourquoi Gibran ne nous a jamais fourni un argument philosophique à propos de la nature et de l'existence de Dieu. Il n'a jamais formulé les interrogations méthodologiques du Moyen Âge « *An sit* ? » (Y a-t-il un Dieu ?) et « *Quid sit* ? » (Quelle est l'essence de Dieu ?) Il se souciait au premier chef de souligner les doubles relations : l'importance de Dieu pour l'homme de foi, et la relation de Dieu avec l'homme. Ceci nous amène à notre section suivante.

L'IMMANENCE DE DIEU

Quelle est la relation de l'homme avec Dieu ? Comment l'homme peut-il exprimer sa foi envers Dieu ? Dans la *Weltanschauung* de Gibran, ces questions sont cruciales. Nous pouvons résumer les réponses en une affirmation : Dieu, la foi et la religion sont « *intrinsèques* » à l'homme. L'erreur des religions organisées est d'avoir extrapolé et d'avoir écarté Dieu de l'homme, de l'avoir confié aux prêtres et d'avoir limité les visites faites par l'homme à la Divinité à l'église du dimanche, à la mosquée du vendredi, à la synagogue du samedi. Mais, rétorque Gibran, « L'Église est en nous. Vous êtes vous-mêmes vos propres prêtres. » (45)

La théorie gibranienne de l'immanence de Dieu comporte trois implications :

1° Une telle croyance aide la *conscience* individuelle à se *personnaliser*. L'individu est poussé à rechercher Dieu selon sa propre manière qui est unique, car la présence intérieure de l'Être Suprême apparaît différemment à différentes personnes. C'est aussi l'affirmation qu'aucune des croyances codifiées ne possède toute la vérité sur Dieu. Au contraire, comme l'enseigne la Sagesse hindoue : «La Vérité est une, mais les hommes l'appellent de divers noms.» C'est ainsi également que Gibran manifeste son œcuménisme en disant : «Dieu a donné plusieurs portes à la Vérité de manière à pouvoir accueillir chaque croyant qui y frappe.» (46) De plus, l'idée de l'immanence fait du corps humain le tabernacle véritable et primordial qui abrite le Créateur. (47) En conséquence, l'homme doit chercher Dieu en lui-même, en ses voisins, dans la nature. La présence de Dieu se constate partout et non dans tel sanctuaire géographiquement localisé. Il faut ajouter que pour exprimer sa foi envers Dieu, la personne doit simplement aimer, respecter et s'occuper des autres. Dans les véritables relations humaines de Moi-Toi, le «Moi» individuel réussit à rencontrer et à voir Dieu, et à s'adresser à Lui, parce qu'il est revêtu de la forme du «Toi» humain.

> Ne parlons plus maintenant de Dieu le Père.
> Parlons plutôt des dieux, vos voisins, et de vos frères...
> Je vous demande encore une fois de ne pas parler aussi librement de Dieu,
> qui est votre Tout, mais de parler plutôt de vous et de vous comprendre les uns les autres, le voisin à l'égard du voisin, un dieu à l'égard d'un Dieu. (48)

2° Une autre implication de cette immanence divine est que *l'homme* est à l'image de *Dieu*. Comme l'explique la citation précédente, nous devrions cependant considérer que lorsque Gibran dit «nous sommes Dieu»(49), il ne répète absolument pas le point de vue de Nietzsche selon lequel l'homme est le créateur de toute chose et qu'aucune Réalité supérieure n'existe au-delà de lui. Pour employer une terminologie simple, Gibran nourrit l'idée que puisque Dieu habite en nous, nous devenons divins à notre tour. À vrai dire, Gibran n'est pas le premier à affirmer la Divinité de l'homme. Il s'agit là d'une croyance commune chez les mystiques de l'Orient (Les Soufis, Naimy, Rihani, Iqbal, les Hasidistes) qui considèrent l'homme comme un «microdieu». Gibran et les mystiques par la considération spirituelle qu'entre Dieu-nature-homme existe une interrelation indispensable d'«émergence mutuelle». En langage philosophique, nous appelons cette émergence «évolution». En conséquence, l'existence n'est pas faite d'atomes statiques ou de grains de matière. La vie est dynamique et toujours en gestation. En ce qui concerne la théorie de l'Évolution de Darwin, Gibran la trouve incomplète. Car l'auteur de l'*Origine des Espèces* limitait ses perceptions à la vie organique, parlait de l'évolution en termes de variations «accidentelles», n'arrivait pas à répondre à la question de savoir pourquoi l'évolution avait suivi la voie qu'elle avait prise et, surtout, ne tenait pas compte de Dieu dans tout ce mécanisme.(50) Cependant, dans la vision de notre auteur, l'évolution commencée il y a des milliers de milliers d'années doit avoir contenu le mouvement dialectique Dieu-nature-homme.

Je voudrais ici montrer la difficulté apparente que j'ai rencontrée en interprétant les obscurs passages où Gibran traite de la notion d'évolution, et en les comparant avec l'Histoire. Lorsque je lis son journal métaphysique intime, du 6 janvier 1916 au 1er mars 1916, et à la date du 18 avril 1920, j'ai l'impression, de prime abord, que Gibran glisse vers un « *matérialisme déguisé*», assez semblable en un sens aux théories de De Vries, de Lamarck et de Spencer pour qui la matière était animée, à ses débuts, par une puissante énergie interne qui avait explosé en expansion cosmique. Ainsi, par exemple, Gibran affirme que «la réalité est transmutation de la matière,»(51) et «Dieu n'est pas le créateur de l'homme. Dieu n'est pas le créateur de la matière. Dieu n'est pas celui qui gouverne l'homme ou la terre.»(52) Mais en y réfléchissant à deux fois, j'imagine que nous commettrions une erreur historique si nous devions prendre de telles affirmations au sens littéral sans chercher à découvrir le mysticisme, l'allégorie ou la métaphore de tout le texte. Si ces extraits devaient être soumis à un examen microscopique à travers les lunettes de l'Histoire, je crois qu'on arriverait à une meilleure compréhension de la position de Gibran. Et ils prouveraient que notre auteur était un penseur résolument théocentrique. Essayons d'éclairer quelque peu ces textes.

La théorie gibranienne de l'évolution prétend que Dieu est *Désir*(53) et que c'est en tant que Désir qu'il a évolué sur la terre et dans l'homme. Depuis lors et pour toujours, le «désir» est devenu la force créatrice qui change toutes choses. C'est la loi de toute la matière et de toute vie».(54) Or, cette émergence de l'univers a été causée par «l'amour», qui est une énergie inextinguible dont l'élan augmente sans cesse. Dieu a voulu que «l'homme et la terre... deviennent comme LUI».(55) Il a voulu que l'homme et la terre partagent sa joie. Et pour être certain de devenir le centre de gravité, il a établi dans l'âme de l'homme et dans le monde un «besoin» inné de s'élever et de Le chercher. Gibran écrit :

« Dieu grandit à travers Son désir. L'homme et la terre, et tout ce qu'il y a sur la terre s'élèvent vers Dieu par la puissance du désir. » (56) Notons que Gibran ne met pas Dieu sur un pied d'égalité avec l'homme et la terre. Il considère que le monde et les êtres humains sont *une* partie de Dieu, (57) impliquant par là que l'Être Suprême est plus grand en perfection divine que ce qu'il a créé.

En parlant du concept de la création, Gibran y croit et y fait souvent allusion. (58) Cependant, il lui arrive de lui préférer l'usage d'une autre notion plus biologique, plus scientifique et plus philosophique, à savoir « l'évolution » ou « l'émergence ». Aussi, lorsqu'il déclare : « Dieu n'est pas le créateur de l'homme. Dieu n'est pas le créateur de l'univers (59), cette double négation est moins un trait de scepticisme qu'une question de choix linguistique. Pourquoi Gibran refuse-t-il d'employer le mot « création » ? Quel est le contenu symbolique d'un tel mot qui pousse notre auteur à l'échanger contre le vocable « évolution » ? La réponse est la suivante : la notion de « création » *pourrait* suggérer fonctionnellement la même signification que « production ». Le producteur, une fois qu'il a fabriqué son produit, se trouve *en dehors* de lui, et il *transcende* son invention en ce sens qu'il est à la fois un non-fournisseur et qu'il révèle une dissimilarité dans l'existence. (60)

Mais selon Gibran, ceci est faux. Parce que les créatures ne sont pas faites d'une autre matière que leur Créateur, et que la création n'est pas un calcul fortuit, ni l'accomplissement d'une réalité extérieure préexistante, ni un acte extrinsèque accompli une seule fois dans le passé et séparé maintenant du Créateur. Une fois encore, Gibran ne voit pas le Créateur comme un Moteur Premier aristotélicien qui n'aurait aucun lien avec sa création et ne s'en soucierait pas. Bien au contraire, la création continue à se faire aujourd'hui dans le monde. Entre le Créateur et sa créature, il y a un type d'existence très semblable. Il n'y a aucune désaffection entre Dieu et Son œuvre ! Dieu se manifeste dans la nature-matière et dans l'homme. Il habite chaque partie du Cosmos. *D'un côté*, il apparaît « marchant sur les nuages, étendant les bras dans les éclairs et descendant dans la pluie... (Et) souriant dans les fleurs, se dressant ensuite et agitant les mains dans les arbres ? (61) *De l'autre côté*, il évolue comme un « microdieu » dans les esprits des hommes.

Dans son Journal Intime, à la date du 18 avril 1920, miss Haskell rapporte que Gibran lui dit un jour : « Certains croient que Dieu a fait le monde. Il me semble plus probable que Dieu est issu du monde parce qu'il est la forme la plus lointaine de la vie. Bien entendu, la possibilité de Dieu existait avant Dieu lui-même. » (62) Si de telles affirmations devaient être prises dans leur sens littéral, le lecteur pourrait en conclure que Gibran était matérialiste. Mais si on les comprend dans un sens allégorique, et si on les lit attentivement en liaison avec les affirmations que Dieu est Désir, et que l'amour-désir est l'immense pouvoir inhérent et la puissante loi qui change toute la matière et toute la vie, alors une triple conclusion s'impose :

(a) Le monde n'est pas quelque chose qui est fait à la manière dont un industriel fabrique du savon mais, comme le dit Gibran, le monde a « émergé » du désir grandissant qu'avait Dieu de voir « la terre devenir comme Lui, et une partie de Lui ». (63)

(b) Le monde n'existait pas physiquement avant Dieu. C'est l'inverse qui est vrai. La divinité de la fleur, des nuages, de la pluie, des arbres, etc., s'est développée parce que Dieu était présent comme possibilité avant que ces objets divins évoluent en fait. En d'autres mots,

Gibran suggère que dans un état primaire l'ensemble Dieu-nature-homme constituait une seule nébuleuse. Cependant, dans le processus d'évolution, Dieu s'est séparé du monde, et le résultat fut un processus de séparation analogue à la théorie d'Empédocle selon laquelle les quatre éléments se sont séparés sous l'influence de l'Amour. Que Dieu soit issu du monde signifie pour Gibran que Dieu a reçu en lui la perfection du monde et qu'il la préserve. Il prend le monde en Lui et il réaccomplit sa perfection. Et vice-versa, quand Gibran affirme que le monde émerge de Dieu, il veut dire que Dieu donne le potentiel nécessaire au Devenir du monde.

(c) Enfin, la nature n'est pas simplement composée de brins de matière atomique, «car toute matière — affirme Gibran — cherche une forme.» Cette recherche est le résultat de la loi du désir. La forme est la «signification», le «sens» de l'être matériel. Chaque objet a une signification spécifique, et existe dans un but précis différent de celui des autres objets. Un pommier, par exemple, signifie ce qu'il est parce que telle est la forme «pommier» qui caractérise ce qu'il est dans son être matériel. En mots plus simples, il y a un *mysticisme de la réalité*, un aspect intérieur spirituel dans chaque matière. C'est Dieu qui habite la matière mais qui ne s'identifie pas à elle. (64)

Pour rester dans le sujet, il ressort des écrits de Gibran que l'émergence divine et l'immanence divine se manifestent le mieux dans la naissance de la forme humaine. En conséquence, l'esprit humain se développe deux fois comme un esprit divin, si je puis dire. Comment ? Pourquoi ? L'Homme, répond Gibran, est à la fois un «*microdieu*» et un «*microcosme*». Et dans chacun de ses états d'existence, il exsude sa divinité.

Il est bon de se rappeler que la vision qu'a Gibran du

monde, de l'homme et de Dieu, ressemble fort à la *vision* apocalyptique de Blake. Blake soulignait la correspondance entre le matériel et le spirituel. De même, Gibran décrit l'unité de l'existence comme une jonction de polarités. Dans la genèse spécifique de l'homme, nous voyons se manifester le phénomène de l'unité dans la multiplicité (*e pluribus unum*) et celui de la multiplicité dans l'unité (*unitas multiplex*).

Pour comprendre ce point, expliquons d'abord ce qu'est le «*microdieu*» de l'homme. Sous l'influence de la Bible, Gibran dépeint la naissance de l'homme comme une émergence de Dieu par un processus de séparation : «Et le Dieu des dieux sépara de Lui un esprit et il créa l'homme». (65) Ailleurs, dans son Journal métaphysique, il décrit ce processus de séparation comme un processus hégélien de clarification conceptuelle subie par Dieu et qui lui permet d'émerger à la fin comme le fabricant de la conscience humaine. Celle-ci commence alors à Le chercher et devient pleinement consciente de Son existence. Ainsi, Gibran raconte :

Lorsque je dors, quelque chose en moi reste éveillé pour le suivre et pour recevoir davantage de lui et par lui. Mes yeux eux-mêmes semblent retenir cette image de la naissance de Dieu qui se développe lentement. Je le vois se lever comme le brouillard sur la mer, les montagnes et les plaines. Demi-né, demi-conscient. Il s'est levé. Lui-même ne se connaissait pas encore *complètement*. Des millions d'années passèrent avant qu'il ne se meuve de Sa propre volonté, et qu'Il ne cherche davantage de Lui-même, de Son propre pouvoir et au travers de Son propre désir. Et l'homme vint. Il chercha l'homme, même si l'homme et l'âme de l'homme le cherchaient, Lui. D'abord, l'homme le chercha sans en

avoir conscience et sans le connaître. Puis l'homme
Le chercha en pleine conscience mais toujours sans
le connaître. (66)

Ce que comprenait Gibran, c'est que la conscience
humaine était la dernière à se développer dans la chaîne
de l'évolution divine. (67) Pour cette raison, il nourris-
sait la pensée que l'unité de l'existence humaine incarne
la plus grande multiplicité. Selon ses propres termes,
« nous sommes plus que nous ne le pensons. Nous sommes plus que nous ne le savons. » (68) Ce qu'il entend
vraiment par là, c'est que l'homme, indépendamment
d'avoir été façonné à l'image de Dieu, représente aussi
dans son Être la totalité de la nature créée. Il est un
« microcosme », tout un univers, quoique en miniature.
L'article intitulé *L'Esprit* décrit la genèse de l'homme à
la manière d'Empédocle et d'Hippocrate qui croyaient
que la personne en tant que microcosme reflétait dans sa
propre structure les quatre éléments — le feu, l'eau,
l'air, la terre — de la nature en tant que microcosme.
Gibran écrit :

Et le Dieu prit le *Feu* dans le fourneau de la colère,
Et le *Vent* dans le désert de l'ignorance ;
Et le *Sable* sur les rivages de l'égoïsme,
Et la *Terre* de sous les pas des âges,
Et il créa l'homme. (69)

À titre de comparaison, la psychologie rationnelle
d'Aristote et la métaphysique scolastique manifestent
une opinion semblable. Leur axiome dit : *Anima
humana est quodammodo omnia* (70), c'est-à-dire que
l'âme humaine reflète en elle tout ce qui existe. Gibran
explique cette thèse de la manière suivante :

Tout ce qui est dans la création existe en vous, et tout ce qui est en vous existe dans la création. Vous êtes en contact direct avec les choses les plus proches, et qui plus est, la distance ne suffit pas à vous séparer des choses lointaines. Tout, du plus bas au plus haut, du plus petit au plus grand, existe en vous sur un pied d'égalité.(71)

Lorsqu'il philosophe sur l'immanence de Dieu dans l'homme, sur la notion de «microtheos» et sur la composition du «microcosme» qu'est l'homme, fait de tout ce qui existe dans le monde, Gibran en vient à l'idée culminative que l'existence humaine est le point d'intersection entre deux infinis, deux fins, deux extrémités, à savoir l'Infinité de l'Être Suprême(Macrotheos) et l'Infinité du Cosmos(Macrocosme). La vision apocalyptique de Gibran, qui va au-delà des perceptions sensorielles, est la véritable raison pour laquelle j'ai déclaré plus haut que l'homme est deux fois divin. La personne possède la divinité de la nature, mais elle possède aussi une autre forme de divinité qui n'est pas due à la matière-monde, c'est-à-dire un esprit qui est, de façon directe, comme l'idée de Dieu, comme l'image de Dieu. «Nous sommes, nous, l'infiniment petit(en comparaison du Macrotheos et du Macrocosme) et l'infiniment grand(en comparaison du Macrocosme à cause de notre spiritualité). Et nous sommes le sentier qui mène de l'un à l'autre.»(72)

3° Enfin, et ce n'est pas le moins important, Gibran inclut dans sa philosophie de «l'Immanence de Dieu» le mystère de l'OMNIPRÉSENCE divine. Le terme signifie que Dieu est présent partout ; dans la feuille, dans la rivière, dans le soleil, dans l'atome, en moi-même et en mes voisins.(73) Toute la création témoigne de la présence vivante de Dieu le Créateur. C'est l'une des raisons pour lesquelles Gibran rejetait l'enseignement du rationnalisme théologique tel que le proposent les religions établies. Au lieu de quoi, il manifestait sa foi dans la religion naturelle et non-dogmatique.

Cependant, en parlant de la présence de Dieu dans l'homme et dans la nature, Gibran trace une ligne de démarcation entre la divinité de la personne et la divinité de la matière. Dieu n'est pas présent de la même manière dans chacune de nos deux composantes, et ceci pour une double raison :

En premier lieu, l'homme est une catégorie axiologique et évaluatoire. Cependant, la matière n'a pas de vie morale. De plus, le but existentiel de l'homme en ce monde est de trouver son véritable bonheur. Gibran nous rappelle en ceci la double attitude que le Christianisme a adoptée envers la personne. Par exemple, d'une part, les Pères néo-platoniciens de l'Église semblent avilir l'homme en prétendant qu'il est pécheur, corrompu et voué à l'humilité et à l'obéissance aveugle. Et Gibran trouve que c'est impardonnable de la part des prêtres. Mais d'autre part, Gibran reconnaît que le Christianisme des Écritures exalte l'homme et le représente comme une image et un reflet de Dieu. Ainsi, l'un de ses héros s'écrie :

Les croyances et les enseignements qui rendent l'homme malheureux sont vains, et la bonté qui le conduit au chagrin et au désespoir est fausse, car le but de l'homme est d'être heureux sur cette terre, d'avancer sur le chemin de la félicité et de prêcher les Écritures partout où il va... Nous ne sommes pas venus dans cette vie pour y être exilés, mais nous y sommes venus comme d'innocentes créatures de Dieu, pour adorer l'Esprit saint et éternel et chercher, dans la beauté de la vie, les secrets

cachés en nous. Telle est la vérité que j'ai apprise
des enseignements du Nazaréen. (74)

Et un autre de ses héros proclame :

Dieu ne désire pas que je mène une vie misérable,
car il a placé au plus profond de mon cœur un désir
de bonheur. Sa gloire demeure dans la joie de mon
cœur. (75)

En second lieu, la divinité de l'homme diffère de celle de
la matière à cause du mystère de *l'immortalité* qui caractérise l'homme seul, alors que la divinité de la matière
est fugace et temporaire.

Je propose de revenir à la notion d'immortalité immédiatement après avoir expliqué la section suivante.

TRANSCENDANCE DE DIEU ET RELATION
DE DIEU AVEC L'HOMME

Nous devons nous garder de déduire de la section
précédente, consacrée à l'immanence, que Gibran com-
mettait l'hérésie de *Panthéisme*, une doctrine théologique et philosophique selon laquelle Dieu est tout, et
tout est Dieu. Il est vrai que Gibran a creusé la dialectique Dieu-nature-homme de telle manière que sa
théorie semble nous rappeler celle d'Hegel (1770-1831) le
célèbre philosophe post-kantien dont la dialectique de
l'Esprit aboutit précisément au panthéisme. Hegel
croyait qu'il n'existait qu'une Réalité, qu'il appelait
l'Esprit Absolu, un synonyme de Dieu. Il expliquait
aussi que l'Esprit Absolu subissait un cycle ininterrompu passant par les stades de la thèse, de l'antithèse et de
la synthèse. Au stade de la thèse, l'Esprit ne se connais-

sait pas complètement Lui-même. C'est pourquoi, il se détachait de Soi et s'extériorisait sous diverses formes et aspects. Et dans ce stade d'antithèse, Hegel voyait la création de l'homme et de la nature. Il considérait que chaque personne individuelle et chaque atome n'étaient autres que des moments historiques de l'évolution de Dieu Lui-même. Enfin, Hegel imaginait que, dans le stade de la synthèse, l'Esprit Absolu se connaissait enfin Lui-même en ce qu'il pouvait « être » et en ce qu'il pouvait « faire ». Mais parce que l'Être Absolu est infini, Hegel imaginait qu'une fois atteinte la période de la synthèse, l'Esprit revenait au niveau de la thèse et qu'il répétait indéfiniment le cycle. (76) Dans l'ensemble, Hegel ne faisait pas de distinction entre le Créateur et Ses créatures. Il enseignait que la création était la présence même et l'existence même du Créateur. Dieu, pensait-il, était une pure immanence.

Par contre, le processus philosophique que défend Gibran et que j'ai esquissé dans les pages précédentes ne professe guère le panthéisme hégélien. En fait, notre auteur croyait fermement à la transcendance de Dieu, à l'autonomie de l'homme, à l'individualité du monde. Pour lui, « *le désir* » est la loi de la création d'autant plus que c'est lui qui maintient l'interdépendance du concept Dieu-homme-nature, mais non dans le sens de l'identité. Dieu, l'homme et la nature forment ensemble une *union* parfaite dans l'existence, quoique l'un ne soit pas l'autre. La propriété inhérente de l'âme est son « désir de chercher Dieu ». La nature, elle aussi, s'élève vers Dieu. De son côté, le Divin reçoit en Lui les perfections de l'homme et celles du monde, et il les préserve. Tout ceci revient à dire que Gibran conçoit l'homme comme co-créateur avec Dieu. La perfection du monde ne s'est pas accomplie en bonne et due forme *ab initio*. Dieu voulait plutôt que l'homme y contribue.

Sur le plan philosophique, le système métaphysique de Gibran n'est pas *panthéiste* mais *panenthéiste*. En conséquence, ce qui est divin dans le monde doit être amené, par l'intermédiaire de l'homme, à une perfection toujours plus grande et plus pure. L'être humain joue dans la création un rôle qui lui permet d'être co-auteur, avec le Divin, de la perfection du monde. C'est pourquoi Gibran met l'accent sur l'accomplissement réel d'une vie de foi : l'expérience intérieure de la présence de Dieu et l'actualisation de cette présence dans tout notre comportement. En ce sens, Gibran, en tant que philosophe méthodique, a de grandes similitudes avec Bergson(77), avec son ami Mikhaïl Naimy, le philosophe libanais(78) avec son compatriote Ameen Rihani, un Soufi(79), avec l'existentialiste russe Berdiaev(80) et même avec Teilhard de Chardin, (1881-1955), le remarquable savant jésuite. (81) Pour prouver ce que j'avance à propos de la signification de la vision de Gibran sur l'immanence et la transcendance de Dieu, qu'on me permette de la comparer à la théorie de Teilhard de Chardin. Dans son livre posthume, *Le Phénomène de l'Homme*, Teilhard décrit la création comme une ascension continue vers quelque chose de toujours plus haut et de toujours meilleur. Aujourd'hui, nous en sommes au stade de la « noosphère » qui est celui de l'apparition de la conscience humaine. Dans sa vision optimiste, Teilhard voyait tout ce mouvement de révolution tendre vers un stade ultime, l'« omega »(Dieu) qui sera le point culminant du développement de la « noosphère ». En outre, Teilhard considérait que quelque infini et transcendant que soit l'« omega », Dieu demeurerait toujours en immanente continuité avec le processus continu de l'homme et de la nature.

De même, Gibran caractérise la transcendance de

Dieu en disant que la quête de l'homme et de la nature est une recherche qui s'élève vers l'Être Suprême. Or, ce pouvoir de recherche et de désir ne s'évanouit pas, par exemple, lorsque l'âme atteint Dieu. Bien au contraire, elle conserve son individualité en ce sens qu'en Dieu, elle se recherche de plus en plus elle-même *ad infinitum*. Parce qu'elle devient alors consciente d'être *en* Dieu l'Absolu, l'Infini, qui ne peut pas être contenu dans un être « fini ». Gibran écrit :

> L'âme ne perd jamais ses propriétés inhérentes lors-qu'elle atteint Dieu. Le sel ne perd pas sa salinité dans la mer. Ses propriétés sont inhérentes et éter-nelles. L'âme conservera sa conscience, sa faim d'elle-même et le désir de ce qui la dépasse.
> L'âme conservera ces propriétés à travers toute l'éternité, et comme les autres éléments de la nature, elle demeurera absolue. L'absolu recherche plus d'absolu encore, plus de cristallisation. (82)

C'est pourquoi, en tant qu'Être transcendant, Dieu se rattache à l'homme, mais pas à la manière dont un maître est en relation avec ses esclaves. Et comme l'homme a besoin de Dieu, Dieu est également à la re-cherche de l'homme. Sur ce point, Gibran répète ce qu'enseignent sur les relations de Dieu avec l'homme les philosophes chrétiens contemporains et l'aile droite de l'existentialisme, à savoir que l'homme n'est pas un moyen pour Dieu, et qu'il n'a pas été créé pour la gloire de Dieu. Sans quoi, nous devrions en déduire que Dieu est imparfait et qu'il lui manque quelque chose que l'homme seul pourrait lui donner. En vérité, une telle doctrine avilirait à la fois l'homme et Dieu. Toute doc-trine qui avilit l'homme avilit Dieu en même temps, car la personne est un être humain-divin.

Le meilleur moyen de décrire la relation de Dieu avec l'homme est de comprendre d'abord que chacun constitue une existence *per se*, mais qu'ils sont cependant en relation mutuelle et à la recherche l'un de l'autre.

Lorsque l'âme atteint Dieu, elle prend conscience qu'elle est en Dieu, et que d'être en Dieu la pousse à se rechercher davantage, et que Dieu, lui aussi, se développe, cherche et se cristallise. (83)

Pour être précis, ajoutons que Gibran a toujours dépeint Dieu sous les traits et avec la personnalité d'une *femme* sensible. Pourquoi ? Dans son opinion, comme dans celle de Kierkegaard, le sexe féminin est loin d'être inférieur au sexe masculin, il est même plus parfait (84). Les qualités de compassion, de prévoyance et d'amour conviennent également mieux au genre féminin qu'au genre masculin. C'est pourquoi, lorsqu'il parle de la relation de Dieu avec l'homme, Gibran considère que cette relation est qualitativement semblable à celle d'une femme, et spécialement d'une « mère ».

La plupart des religions parlent de Dieu au masculin. Mais pour moi, Il est autant une Mère qu'un Père. Il est à la fois le père et la mère en une seule personne. Et la Femme et le Dieu-Mère. Le Dieu-Père peut être appréhendé par l'esprit ou par l'imagination. Mais le Dieu-Mère ne peut se révéler que par le cœur, au moyen de l'amour. (85)

Comme nous le voyons, Gibran, pour défendre la transcendance de Dieu, utilise l'argument que l'Être Suprême établit des relations avec les hommes à travers les liens de l'AMOUR. Incidemment, c'est pour cette raison que Gibran entreprit de réécrire le Nouveau

Testament avec son livre *Jésus, le Fils de l'Homme*. L'un des mobiles présumés pour lesquels Jésus est descendu sur terre était de changer l'image de son Père telle qu'elle était décrite dans l'Ancien Testament. Le Dieu de Moïse était un Dieu de vengeance, de châtiment, tandis que le Dieu de Jésus est « un Dieu trop vaste pour être différent de l'âme de n'importe quel homme, trop savant pour punir, trop aimant pour se souvenir des péchés de ses créatures. » (86)

Dans le contexte de l'amour de Dieu pour l'homme, Gibran esquisse également une théologie *eschatologique*. Elle se présente comme suit : Dieu est d'une manière absolue, la bienveillance, l'amour et le pardon. Ce que l'homme appelle *le mal* est quelque chose qu'il nomme ainsi personnellement, mais pas Dieu. — « Dieu ne crée pas le mal ». (87) — Et lorsque l'homme commence à craindre le diable, cette cruelle expérience effraie son cœur et son esprit et elle est la conséquence d'un manque de confiance et d'espoir en Dieu — « La crainte du démon est une manière de douter de Dieu. » (88) De plus, ce que nous savons de la réalité de l'enfer n'est pas quelque chose de positif, comme s'il existait un feu physique quelque part dans un autre monde. Notre peur personnelle de l'enfer constitue l'enfer lui-même, et notre damnation est un blâme que nous nous adressons dans les moments de désespoir quand nous refusons d'accepter l'absolution de la bonté de Dieu : « La crainte de l'enfer est l'enfer lui-même, et le désir du paradis est le paradis lui-même. » (89)

Les sections suivantes consacrées à l'immortalité, à la réincarnation et à la mort montrent d'autres développements de la doctrine eschatologique de Gibran.

LA MORT ET L'IMMORTALITÉ

Gibran croit fermement à l'immortalité de l'âme. Cependant, il ne nous propose aucun syllogisme philosophique ou logique pour soutenir son argument. Sa croyance est une simple question de conviction basée sur la *foi* qui lui enseigne que la divinité éternelle de l'homme ne périra jamais. Et il ne s'inquiète pas de savoir si les astucieux esprits scientifiques sont ou non d'accord avec sa foi personnelle. Ainsi disait-il à miss Haskell : « Je suis probablement l'un de ceux qui ont la plus grande certitude, et lorsque je suis certain, je suis obstiné. Si, par exemple, tous les autres habitants de la terre croyaient que l'âme individuelle périt avec la mort, je n'aurais pas l'ombre d'une tendance à me déclarer d'accord avec eux, car je sais que mon âme ne périra pas. » (90) Signalons incidemment que cette attitude de pensée est devenue une mode universelle chez les humanistes et les philosophes existentialistes. De nos jours, les humanistes considèrent que de nombreux événements humains se situent au-delà des possibilités de compréhension logique ou scientifique de l'homme. L'un de ces mystères métaphysiques est le phénomène de la mort et de l'immortalité.

Gibran admet le fait que l'apparence physique de l'homme sur cette terre ne durera pas éternellement. La mort frappe l'homme dans sa personnalité la plus intime. Cependant, cette mort ne peut être que biologique, jamais spirituelle. Le phénomène de la mort biologique est le résultat d'un heurt entre les éléments organiques de l'homme et les éléments chimiques de la nature. La nature est une énorme masse de forces qui peuvent très aisément écraser la petitesse de l'homme et le détruire. Dans *La Voix du Maître*, Almuthad apprend au peuple que la terre, avec ses cataclysmes géologiques et ses éruptions cosmiques, prend le dessus sur les forces de l'homme. Non seulement la nature endommage tout ce que l'homme peut ériger sur la face de la Terre, comme les châteaux, les tours, les temples, elle ruine aussi l'homme dans sa constitution biologique. (91)

Le sermon d'Almuhtad «Sur la divinité de l'homme» montre l'influence qu'a eue sur Gibran Blaise Pascal qui déclara un jour : «L'homme n'est qu'un roseau, le plus faible de la nature, mais c'est un roseau pensant. Il ne faut pas que tout l'Univers s'arme pour l'écraser. Il suffit d'une vapeur ou d'une goutte d'eau pour le tuer. Mais même si l'Univers l'écrasait, l'homme serait encore plus noble que ce qui l'a abattu, parce qu'il sait qu'il meurt et que l'Univers l'a vaincu. L'Univers ne sait rien de tout cela.» (92)

Dans un style et dans un contenu semblable, Gibran démontre que l'homme est plus grand que la nature par le fait que la personne humaine demeure divine, même après sa mort.

Mais j'ai vu l'Homme se dresser dans sa divinité Comme un géant au milieu du Courroux et de la Destruction, se moquant de la colère de la Terre et de la fureur des éléments.

Comme un pilier de lumière, l'Homme se tenait au milieu des ruines de Babylone, de Ninive, de Palmyre et de Pompéi, et tandis qu'il était là, Il se mit à chanter la chanson de l'Immortalité :

Laissez la Terre prendre
Ce qui lui appartient
Car moi, l'Homme, je n'ai pas de fin. (93)

Ses convictions sur l'immortalité de l'âme expliquent pourquoi il n'a jamais considéré le phénomène de la mort sous un angle pessimiste. Au contraire, il exalte l'approche de la mort « et la pare de doux noms, la flatte de mots aimants, tant dans le secret de son cœur que devant des foules d'auditeurs méprisants. » (94) Cette attitude fait de Gibran un épicurien. Car pour lui comme pour Épicure, la vie et la mort ne sont qu'une seule et même chose. Épicure nous dit : « Vous devez vous habituer à croire que la mort n'est rien pour nous puisque... bien vivre et bien mourir sont une seule et même chose. » (95) Notez la ressemblance avec Gibran : « Car la vie et la mort sont un, comme la rivière et la mer. » (96)

Il est possible de comparer l'eschatologie de Gibran à la philosophie de la mort chez Épicure *tant* pour autant que le lecteur se souvienne qu'il existe une différence entre les deux. En vérité, Épicure nous supplie de ne pas craindre l'idée de la mort pour éviter la souffrance que cette idée peut causer à notre être. Gibran, lui, ne plaide pas pour un hédonisme aussi extrême, quoique sa philosophie laisse la place à un certain type d'hédonisme. Pour en parler d'un point de vue strictement historique, disons que la dissertation de Gibran sur la mort est méta-religieuse et qu'elle précède la conception des existentialistes. Par exemple, Gibran et Heidegger conçoivent la mort comme le stade culminant de la perfection de l'existence humaine. L'Homme est « être jusqu'à la mort » (*Sein zum Tode*). Mourir, c'est accomplir le but de la réalité humaine. Car être humain (*Dasein*) implique que l'on naisse, que l'on souffre, que l'on aime, que l'on travaille, que l'on se sente coupable et *que l'on meurt*. La mort est une situation existentielle à laquelle aucun mortel humain ne peut échapper. C'est le tout dernier prédicament de l'homme. De plus, Gibran, tout comme l'existentialiste chrétien, considère la mort comme la délivrance de l'esprit du corps-matière. La mort apporte la liberté à l'esprit :

> Car qu'est-ce que mourir sinon d'être nu dans le vent, et de se fondre dans le soleil ? Et qu'est-ce que cesser de respirer sinon de libérer le souffle de ses incessantes marées, afin qu'il puisse s'élever, se répandre et chercher Dieu sans être encombré ? (97)

LA RÉINCARNATION

Il apparaît clairement, d'après ce qui précède, que la philosophie religieuse de Gibran est anti-nietzschéenne. Comme nous le savons, Zarathoustra, le héros de Nietzsche, niait l'immortalité de l'âme :

> Sur mon honneur, ami — répondit Zarathoustra, — tout ce dont tu parles n'existe pas : il n'y a ni démon ni enfer. Ton âme sera morte, même avant ton corps : ne crains rien au-delà. (98)

Gibran a laissé d'innombrables textes qui proclament l'existence éternelle de l'homme. Cependant, la vraie difficulté que je rencontre dans ces textes c'est la notion de renaissance de l'âme incluse dans sa théorie eschatologique. Comme je l'ai déjà dit, Gibran a pris connaissance de la doctrine de la transmigration de l'âme en lisant les philosophes islamiques du Moyen Âge, qui étaient influencés d'une part directement par la religion indienne, et d'autre part par le Néo-platonisme. (99) Selon les deux doctrines, le Veda et le Platonisme, l'âme subit après la mort un processus continuel de renaissance et de purification jusqu'à ce qu'elle soit entièrement purifiée. Puis elle retourne à son Dieu. Jusqu'où la théorie du Nirvâna et de la transmigration de l'âme a-t-elle influencé la pensée de Gibran ? D'abord, il y a des tas d'éléments qui montrent que notre auteur croyait au retour de l'âme à la vie terrestre. Par exemple, dans *Le Poète de Baalbek*, il nous fait part de sa conviction dans les termes suivants :

Et l'Émir se renseigna en disant : « Dis-nous,
Oh, Sage... mon esprit se réincarnera-t-il
dans le corps du fils d'un grand Roi,
Et l'âme du poète transmigrera-t-elle
dans le corps d'un autre génie ?...
Et le Sage répondit à l'Émir en disant :
Tout ce que l'âme peut désirer sera obtenu
par l'esprit. Rappelle-toi, oh grand Prince,
que la loi sacrée qui ramène la splendeur du
printemps après le passage de l'hiver refera de toi
un prince et de lui un génial poète. » (100)

On trouve des termes similaires dans *Le Prophète* :

Porte-toi bien, Peuple d'Orphalese.
Ce jour s'achève...
N'oublie pas que je reviendrai vers toi, écume et
poussière pour un autre corps.
Un petit moment, et mon désir s'accomplira.
Un petit moment, un moment de repos sur les ailes
du vent, et une autre femme me portera en son
sein. (101)

Et dans *Le Jardin du Prophète*, nous lisons la même prophétie à propos du retour d'Almustafa :

Oh Brume, ma sœur, ma sœur la Brume
Je fais un avec toi en ce moment.

Je ne suis plus un «moi».
Les murs se sont écroulés
et les chaînes se sont brisées.
Je monte vers toi comme une brume
Et nous allons flotter ensemble au-dessus de la mer
    jusqu'au second jour de la vie
Lorsque l'aube te déposera en gouttes de rosée dans
    un jardin
Et moi en bébé sur la poitrine
    d'une femme. (102)

Devons-nous conclure de tous ces textes que Gibran était un adepte direct du Bouddhisme, ou même du Platonisme ? Contrairement à l'erreur que commet miss Barbara Young, sa biographe, je pense quant à moi que Gibran a accepté la doctrine de la «renaissance», et a définitivement utilisé l'expression technique de «réincarnation» pour faire connaître sa conviction de la transmigration de l'âme. (103) Cependant, lorsque je pense plus à fond à la signification que Gibran assigne au concept de «renaissance» et que je compare sa théorie à celle du Bouddhisme ou du Platonisme, je constate qu'il y a entre elles certaines différences. Par exemple, contrairement aux philosophes du Veda, Gibran ne soutient pas les théories de la purification et du Nirvâna. «Pour moi, déclare-t-il, toute la réalité est mouvement. Le repos est l'harmonie du mouvement. Mais le Nirvâna est immobile.» (104) Mais aussi, contrairement à Platon, il n'affirme pas que le statut de vie que connaîtra l'âme après sa «renaissance» dépend de la conduite morale qu'elle a eue durant sa vie précédente sur la terre. (105) En toute simplicité, il prétendait que l'âme revient toujours au même point et qu'elle reprend le statut social qu'elle occupait de manière à poursuivre son action là où elle l'avait laissée au moment de sa dernière mort. Et si on lui demandait pourquoi l'âme revient ? Sa réponse, c'est que l'Amour, qu'il soit positif ou négatif, est le vrai mobile qui maintient éternellement la continuité du cycle de vie. Cependant, il apparaît que Gibran excluait de toute nouvelle « renaissance » les âmes qui avaient été contaminées par l'esprit d'indifférence. Sa biographe, Barbara Young, rapporte :

> Il avait la conviction profonde que la vie que constitue l'esprit humain a vécu et vivra éternellement, que les liens de l'amour, de la dévotion et de l'amitié rassembleront ces êtres qui renaissent éternellement et que l'animosité, les mauvais rapports et la haine ont le même effet de rassemblement de groupes ou d'entités d'un cycle dans l'autre. L'indifférence, elle, agit comme une influence séparatrice. Les âmes qui n'aiment ni ne haïssent, qui se replient entièrement sur elles-mêmes vis-à-vis des autres ne se rencontreront qu'une fois dans le cours des âges. (106)

Commentons brièvement cette citation.

Dans la terminologie de Gibran ce que nous appelons « haine » n'est autre que « l'amour transformé en haine ». C'est pourquoi, c'est vraiment l'amour qui importe dans la réincarnation, puisque la haine n'est elle-même qu'un ancien amour transformé au négatif, avec exactement le même aspect qualitatif et quantitatif que l'amour positif. Et par « indifférence », nous devons entendre ces âmes qui sont « inutiles » parce qu'elles n'ont aucune inclination pour les comportements sous forme d'alternative. En conséquence, pourquoi reviendraient-elles puisqu'elles n'ont rien accompli dans leur vie précédente qui mérite d'être continué, et qu'elles n'ont rien défait qui aurait besoin d'être reconstitué en

mieux ? Il est clair dans la logique de Gibran que si la
création est l'œuvre de l'amour, la vie sur terre devrait
tourner autour de son axe. Il en résulte que le retour des
âmes qui ont pratiqué l'amour véritable est une nécessité
pour le monde. Et il est nécessaire aussi qu'une autre
chance soit donnée aux âmes qui ont pratiqué l'amour
inauthentique. Ainsi pourront-elles, dans leur nouvelle
vie, retransformer leur amour négatif et destructeur en
puissance positive et constructrice. Telles étaient les
croyances de Gibran — « telle était sa foi, immuable
comme le jour et la nuit, et comme ce qui est tout
droit. » (107)

3° Quelques commentaires sur Jésus, le Fils de l'Homme

Gibran était un grand admirateur de Jésus et de Sa
philosophie de la vie. Dans la plupart de ses essais religieux, il dépeint ses héros comme de fermes croyants des
enseignements du Christ. Ainsi, dans *Khalil l'Hérétique*
et dans *Jean le Fou*, nous voyons que les protagonistes
du récit brandissent le Nouveau Testament lorsqu'ils
sont capturés par leurs ennemis du clergé (*Khouri*).
Comme en a témoigné miss Barbara Young, c'est dans
la soirée du 12 novembre 1926 que Gibran affina sa conception de Jésus. Ce soir-là, à la suite d'une mouvante
vision mystique, il écrivit les premiers mots de ce qui
allait devenir plus tard son œuvre monumentale *Jésus,
le Fils de l'Homme.* (108)

J'ai la conviction profonde que Gibran entreprit de
réécrire l'histoire de Jésus dans le but de redresser le
jugement unilatéral qui avait prévalu chez les théologiens érudits à propos de la nature du Christ. Alors que
l'Église insistait beaucoup trop sur l'aspect *divin* du

Christ, le mobile primordial de Gibran était plutôt de décrire sa nature *humaine*. Tout ceci concorde avec ce que j'ai dit dans les pages précédentes, à savoir que Gibran humanisait la religion et qu'il lui a conféré les caractéristiques humaines qui font rayonner l'immanence de Dieu dans l'homme. Et pour parler net, Gibran a souligné les traits humains de la personnalité du Christ pour nous rappeler précisément que la religion et Dieu ne constituent pas un privilège réservé aux riches ou au clergé. En vérité, dans l'optique de Gibran, la mission de Jésus n'a jamais consisté à établir une institution organisée avec des règles, des codes, des sanctions et une hiérarchie spirituelle. De plus, Jésus n'a jamais pensé à établir un lieu géographique précis, où Dieu le Père aurait pu et dû être physiquement présent.

> Jésus n'est pas venu du centre du cercle de lumière pour détruire les demeures et construire sur leurs ruines les couvents et les monastères. Il n'a pas persuadé les forts de devenir moines ou prêtres... Jésus n'a pas été envoyé ici pour apprendre au peuple à bâtir de magnifiques églises ou des temples somptueux au milieu des cabanes en ruines et des sombres taudis. Il est venu faire un temple du cœur humain, un autel de l'âme et un prêtre de l'esprit. (109)

La beauté du livre *Jésus, Le Fils de l'Homme* tient dans l'abondance de sa phraséologie poétique et dans l'imagination créatrice que Gibran manifeste à travers les pensées et les actes du Christ. Lorsque je compare le Jésus de Gibran à l'œuvre des quatre évangélistes, je constate qu'il y a une certaine vérité et certaines divergences dans les écrits de Gibran. Les divergences viennent du fait que de nombreux personnages introduits par Gibran dans sa relation *dyadique* du Christ sont simplement des personnages fictifs qui n'ont jamais existé. Par exemple, Georges de Beyrouth, Barca, le marchand de Tyr, Sarkis que l'on appelle le Fou et bien d'autres encore sont des créations de Gibran. Cependant, j'ai personnellement la conviction que l'exégèse, la pensée et les actes de son Jésus correspondent à la personnalité du Jésus des évangélistes. En fait, Gibran décrit le Nazaréen comme un être possédé par deux émotions *ambivalentes* : bienveillance envers les pécheurs et en même temps, colère contre les marchands du Temple. (110) Gibran soulignait les antinomies de ces émotions pour la simple raison que sa conception de Jésus en tant qu'homme était très semblable à la nature de l'homme de la rue. Cela veut dire qu'il est humain d'éprouver des émotions de solidarité et de compassion en même temps que les émotions opposées de colère, de rébellion et de révolte. Gibran va même jusqu'à évoquer la beauté physique de Jésus et montre comment cette beauté corporelle émouvait le cœur de ses auditrices. (111)

Cela signifie-t-il que Gibran tombait dans la vieille hérésie théologique des Jacobites monophysites ou des Nestoriens ? Il est difficile de donner une réponse théologique nette. Je sais qu'il croyait en la divinité de Jésus, venu sur cette terre pour sauver l'humanité des conséquences du péché originel — « Aye pitié, Oh Jésus, de cette multitude qui sera réunie en Ton nom au jour de la résurrection. Aye pitié de leur faiblesse. » (112) Cependant, il est d'autre part évident qu'il souligne à l'excès la nature humaine de Jésus, au point de donner l'impression qu'il nie la divinité du Christ. Des passages comme celui qui suit peuvent prêter à confusion :

Une fois tous les cent ans, Jésus de Nazareth rencontre le Jésus des Chrétiens dans un jardin des collines du Liban. Et ils parlent longtemps. Et chaque fois, Jésus de Nazareth s'en va en disant au Jésus des Chrétiens : « Mon ami, je crains que nous ne soyons jamais, jamais d'accord. » (113)

Et ailleurs, il écrit :

Il y a trois miracles de notre Frère Jésus qui n'ont pas été cités dans la Bible : Le premier, c'est qu'Il était un homme comme vous et moi, le second, qu'Il avait le sens de l'humour et le troisième qu'Il se savait conquérant bien que conquis. (114)

Son *Jésus, Le Fils de l'Homme* met également l'accent sur l'expression « C'était un homme ». (115)

Ma conclusion personnelle, c'est que Gibran ne rejetait pas tellement la divinité du Christ, mais qu'il tentait plutôt de remplacer la vieille conception de Jésus qui se situe au-dessus de l'homme par une image humainement plus accessible du Nazaréen. Il estimait qu'en fouillant en profondeur dans l'aspect humain de notre Sauveur, il pourrait :

1° inciter l'homme à suivre la route exemplaire de Jésus, un autre fils de l'homme.

2° inciter l'homme à développer son meilleur moi à la manière dont Jésus accomplissait sa nature divine.

Jésus, Le Fils de l'Homme a son charme et peut être lu par tout un chacun, y compris les incroyants, sans que ces derniers ne se sentent poussés pour autant à se convertir au Christianisme. Bien entendu, le livre ne cherche pas à obtenir une confirmation légale de l'Église pour témoigner de son authenticité, quoique Gibran ait confessé à plusieurs reprises qu'il avait personnellement vu Jésus et qu'il lui avait parlé à de nombreuses occasions. (116) Je recommande hautement la lecture du livre. Enfin, je citerai à son propos les paroles du critique P.W. Wilson :

...Dans sa tentative d'expliquer ou tout au moins de suggérer la signification de Jésus dans l'Univers, Gibran doit s'en remettre à l'imagerie, ce qui constitue une tentative d'exprimer l'inexprimable au moyen de lignes et d'ombres. Comme William Blake lui-même, il tente de définir l'invisible dans les formes qui sont visibles à l'œil. (117)

APPRÉCIATION DU GIBRANISME

Dans tout ce qui précède, j'ai tenté de mettre en lumière, de diverses manières, l'essentiel de la philosophie de Gibran. Il est temps maintenant d'en venir à une critique *subjective* des thèmes les plus fondamentaux qui caractérisent son courant de pensée. Pour être concis et précis en même temps, je me propose de présenter systématiquement mes réactions négatives et mon appréciation positive de la *Weltanschauung* de notre auteur.

Les faiblesses dans l'œuvre de Gibran

Lorsqu'il m'arrive de réfléchir à l'histoire de la philosophie, je découvre qu'aucun penseur sérieux n'a jamais approché entièrement la perfection de la vérité. L'homme n'est pas seulement limité dans son existence, il l'est aussi dans son savoir. Il est humain de se tromper. Pour en venir au fait, j'ai éprouvé moi-même certains désappointements à propos de la manière dont Gibran a traité certains problèmes philosophiques. À mes yeux, son système comporte trois raisonnements logiques fallacieux et une erreur méthodologique. Les raisonnements fallacieux sont un excès de généralisation, un excès de simplification et un caractère incomplet. L'erreur méthodologique, c'est l'absence de systématisation dans la présentation. J'expliquerai mon point de vue en quelques mots.

L'excès de généralisation ou, comme l'appellent les manuels de logique le «*secundum quid*», est l'erreur prédominante de son système. Elle consiste à tirer des conclusions formelles de l'existence de quelques cas particuliers. C'est une forme de pensée que l'on trouve chez Gibran. Par exemple, il se montre dur à l'égard des lois sociales, du mariage institutionnel et de la religion établie parce qu'il a été personnellement témoin, dans un nombre limité de cas, de l'injustice, de la corruption et de l'immoralité dont les lois humaines, le mariage institutionnel et le clergé se sont malheureusement quelques fois rendus coupables. De même, sa conception du riche qui est mauvais et dégénéré ne laisse aucune place à quelqu'un qui serait à la fois riche et vertueux. Or ce type de logique qui se contente d'une alternative est incorrect parce qu'il ne tient pas compte de la grande variété de situations qui peuvent se présenter.

Pour être clair, j'exposerai son erreur d'*excès de simplification* qui est intimement liée au sophisme cité plus haut. C'est une erreur que Gibran commet en matière de philosophie légale et de théodicée. En ce qui concerne la première, Gibran, qui n'a pratiquement aucune formation juridique, ose condamner toutes les lois humaines comme si certaines de celles-ci ne dérivaient pas directement ou indirectement des lois naturelles. Cependant, de l'avis des moralistes profession-

nels, beaucoup de lois humaines sont des normes de
conduite morale établies d'après les lois divines ou
naturelles. Et leur but est de sauvegarder la pratique des
deux autres lois. Gibran n'a pas compris cette idée. Mais
Gibran simplifie aussi à l'excès en ce qui concerne les
croyances codifiées. Il est myope parce qu'il ne voit pas que
l'institution sociale du clergé a été établie par Dieu lui-
même à des fins communautaires. On dit avec raison
que si Dieu nous avait envoyé ses anges comme prêtres
au lieu de choisir ses messagers parmi les faibles mortels
humains, nous nous serions plaints parce que les sermons des anges auraient submergé nos limites humaines. Je crois que Gibran attend plus des prêtres
humains que ce qu'ils peuvent accomplir. Il oublie qu'ils
sont hommes et donc sujets à l'erreur.

En ce qui concerne le troisième sophisme, le *caractère
incomplet*, son système, qui soulève des tas de questions
pertinentes à propos des lois naturelles, de la réincarnation, du mariage, etc., est déficient lorsqu'il s'agit d'y
répondre dans tous les détails. Par exemple, il n'était
pas pour le mariage légal, mais il n'a jamais tenté de
résoudre le difficile problème du divorce, de la garde des
enfants, des pensions alimentaires, de la polygamie, etc.

Enfin, en matière de *méthodologie* et de procédure
il y a un manque de cohérence, de systématisation et
de procédure logique. Parce qu'il est trop poétique et
trop spontané, ses idées sont dispersées ici et là, dans
de nombreux livres et articles qui n'ont aucune relation entre eux. Ceci explique, à mon avis pourquoi il
est aussi largement lu et aussi mal compris par ses propres adeptes.

Pertinence du Gibranisme

À travers tout mon ouvrage, j'ai tenté à de nombreuses reprises et de bien des manières de rendre hommage à Gibran et de faire connaître ses conceptions relatives aux situations quotidiennes de notre existence. De crainte de me répéter, je ne citerai que brièvement quelques-uns des mérites de sa pensée.

En dépit du fait que Gibran n'a jamais pensé ni écrit à la manière d'un philosophe aristotélicien, et qu'il n'a jamais pensé créer une théorie distinctive, j'ai cependant la conviction que son système mérite d'être appelé philosophique. À vrai dire, le terme « philosophe » est très difficile à définir parce qu'il ne s'agit pas d'une réalité tangible. C'est un état d'esprit et une émotion éprouvée en rapport avec l'existence. Je dirais d'un esprit qu'il est « philosophe » s'il manifeste le désir d'approfondir quelques questions fondamentales sur la réalité humaine. Gibran correspond parfaitement à cette définition, car il réfléchissait au prédicament de l'existence humaine. Pendant trop longtemps, Gibran n'a pas été considéré comme un penseur original qui devrait occuper sa place dans l'histoire de la philosophie arabe et de la philosophie occidentale. Ce préjugé de la part des académiciens est le résultat de leur ignorance du large spectre de la philosophie autant que de leur maigre connaissance de Gibran. Le but que j'ai poursuivi en me plongeant dans la philosophie *comparative* a été de déterminer la place exacte où la philosophie de Gibran s'inscrit dans les écoles traditionnelles. Mes conclusions m'ont poussé à dire que Gibran est un *existentialiste* de même grandeur que certains philosophes de l'aile droite de l'existentialisme. Gibran est plus proche de Kierkegaard, de Marcel, de Buber, de Berdiaev, d'Ortega y Gasset et d'Unanumo que d'Heidegger, de Sartre, de Merleau-Ponty, de Simone de Beauvoir...

Quoique existentialiste arabe, il insiste sur l'idée de « perfectionnisme » qui souligne le point de vue indi-

viduel. Cela signifie que sa philosophie ne s'encombre
pas de pensée abstraite, mais qu'elle se concentre sur des
moments de vie existentiels concrets. Ses héros éprouvent les anxiétés et les sublimations des situations historiques, économiques et géographiques qui englobent
leurs actes. Ceci confirme le fait que sa littérature est
engagée. Il n'écrit pas des poèmes et des poèmes en prose pour des raisons purement littéraires et artistiques. Sa
littérature est sa manière de communiquer ses idées
philosophiques.

Son manque de systématisation, que j'ai critiqué plus
haut, est une caractéristique de nombreux existentialistes de l'aile droite, — Kierkegaard, Marcel, Buber,
Berdiaev — qui écrivent de manière impulsive et délibé-
rément sans méthodologie. Leur mobile est le suivant :
il faut donner la priorité aux émotions, en réaction contre le rigide rationnalisme de Descartes et l'idéalisme
stéréotypé de Hegel.

Lorsqu'on parle d'existentialisme, il faut se souvenir
que cet « isme » contemporain, qui est plus une étiquette
qu'une idéologie philosophique réelle, permet à ses
tenants de ne pas être d'accord entre eux. Quels sont dès
lors les traits essentiels de l'existentialisme de Gibran ?
D'abord, Gibran est unique lorsqu'il combine les idées
de l'Inde, du Moyen-Orient et de l'Occident. Un de ses
autres avantages est qu'il se trouve en relation intime
avec ses lecteurs américains, qu'il se penche de manière
directe sur les questions brûlantes auxquelles sont con-
frontés les États-Unis comme l'écologie, l'environnement, la renaissance spirituelle en Jésus(Qu'on se
rappelle Jésus-Christ Super Star). Un autre fait de sa
philosophie est la simplicité, la fraîcheur et l'humanisme. Enfin, son existentialisme est mystique comme
c'est le cas pour la plupart des philosophes de l'aile
droite. Gibran est un mystique parce qu'il explore

l'aspect spirituel de la réalité. Rien n'est purement matériel. Les molécules, les objets, les événements, les faits
contiennent une « signification ». Ils représentent « quelque chose », « un but ».

Ce point, et d'autres que j'ai soulignés tout au long
des chapitres, forment l'ensemble du Gibran-*isme*. J'ai
été heureux d'apprendre que le professeur St. Elmo
Nauman a récemment inclus notre auteur dans sa très
érudite histoire de la philosophie américaine, en tant
qu'influente personnalité contemporaine. (Dictionary of
American Philosophy. Philosophical Library, 1973)
Pour terminer, qu'on me permette de citer la définition
du Gibranisme donnée par M. Claude Bragdon :

> La caractéristique et la profondeur de son influence
> sur le monde arabe peuvent se déduire du fait qu'il
> a donné naissance à un nouveau mot : le
> *Gibranisme*. Ce que ce mot signifie, les lecteurs
> anglais n'auront pas de mal à le deviner : vision
> mystique, beauté métrique, approche simple et
> fraîche du « problème » de la vie.
> ...pouvoir dramatique extraordinaire, profonde
> érudition, intuition fulgurante, vie lyrique, maîtrise
> métrique, et Beauté qui s'infiltre dans la substance
> de tout ce qu'il touche. (cité dans Barbara Young.
> p. 37.)

NOTES ET RÉFÉRENCES

Petite histoire du Liban

1. Hitti, P.K. *Lebanon in History*, New-York, Macmillan Corp. Ltd, 1957, p. 130. D'après certains textes mythologiques, le mariage de Tammouz (ou Dumuzi) a été célébré avec Inanna, la fertilité de la nature. Tammouz était également un dieu-berger, payé par Enki, chargé lui-même par Anou et Enlil d'organiser la vie économique de la Mésopotamie en instituant diverses fonctions sociales en divers points du pays. Quant au mariage annuel de la déesse Inanna et du dieu Tammouz, il commémore la renaissance « des pouvoirs créateurs du printemps ». (H et H.A. Frankfort, J. Wilson et Th. Jacobsen, *Before Philosophy : Adventure of Ancient Man*, Baltimore, Maryland : Penguin Books 1971, p. 175-pp. 214-215).
2. Meo, Leila, M.T., *Libanon, Improbable Nation. A study in Political Development*, Indiana University Press, 1965, pp. 40-64.
3. Hitti, P.K. *op. cit.* p. 364.
4. Hourani, A.H. *Syria and Libanon*, Londres, Oxford University Press, 1946, p. 25 *Voir aussi* P.M. Holt, *Egypt and the Fertile Crescent 1916-1922*, Cornell University Press, 1966, pp. 112-123.
5. Hitti, P.K. *op. cit.* pp. 247-252.
6. *ibidem*, pp. 257-265.
7. Meo, Leila, M.T., *op. cit.*, p. 30.
8. Hitti, P.K., *op. cit.* p. 443.

Vie de Khalil Gibran

1. Naimy, Mikhaïl, *A Strange Little Book*, *Aramco World*, XV, 6, 1964, p. 12.
2. À lire certains commentateurs de Gibran, on a l'impression qu'il atteignit le sommet de sa renommée alors qu'il était encore en vie. Malheureusement, ces historiens, plongés dans l'émotion de leur fierté, négligent de souligner carrément la distinction entre « avant » et « après ». (Voir, par exemple, Andrew Dib Sherfan, *Khalil Gibran, The Nature of Love*, New York, Philosophical Library, 1970, pp. 29-31, et Habib Massoud, *Joubran Hayyan wa*

Mayyitan, Beirouth, The Rihani House, 1966, p. 21 et suiv.). Mais dans l'opinion des autres, comme Suheil Bushrui et John Munro, Gibran ne fut guère reconnu par la littérature américaine académique moderne. Et lorsque ses livres furent imprimés, aucun des principaux journaux de l'Ouest n'en fit la critique(*Khalil Gibran : Essays and Introduction*, par Suheil Bushrui et John Munro, Beyrouth, The Rihani House, 1970, p. 1 et suiv.) Cela revint à dire qu'il n'acquit sa renommée mondiale qu'après sa mort.

3. Le monastère de Mar-Sarkis était le terrain de jeux de Gibran et le refuge où il allait méditer lorsque cela n'allait pas chez lui. Le jeune Gibran avait toujours espéré acheter un jour le monastère inhabité. Incidemment, son meilleur ami, Mikhaïl Naimy, nous dit « qu'il avait entamé des négociations pour acheter le monastère » dès avant 1923. Mais en réalité, il n'arriva pas à trouver toute la somme exigée par le cadastre, car il fit banqueroute après qu'il eût vainement tenté de récupérer son dû auprès d'une vieille dame à qui il avait loué un immeuble qu'il avait acheté à Boston à l'époque de la dépression.(Mikhaïl Naimy, *A Strange Little Book*, *Aramco World* XV, 6 1964, p. 15. *Voir aussi*, du même auteur, *Khalil Gibran, His Life and His Work*, Beyrouth, Khayats, 1964, p. 197).

4. Les Maronites admettent l'infaillibilité du Pape. Mais contrairement aux prêtres latins, ils peuvent se marier légalement. Cependant, de nos jours, l'idée du mariage pour le clergé s'efface de plus en plus. Historiquement, c'est en 1736 que l'Église Maronite rejoignit les rangs de l'Église Romaine. Le précurseur fut Mar-Maron.

5. Young, Barbara, *This Man from Lebanon*, New York : A. Knopf, 1970, p. 44.

6. Otto, Annie Salem, *The Parables of Khalil Gibran*, New York : The Citadel Press, 1963, p. 16.

7. Young, Barbara, *op. cit.*, p. 10.

8. ibid, p. 7.

9. Voir *La Procession*. Il est malheureux que certains écrivains continuent à écrire le nom de Gibran d'une autre manière que celle qu'il utilisait lui-même en caractères latins. Par exemple, pour n'en citer que deux, l'orientaliste français, Jean Lecerf écrit : « Djbran Khalil Djbran », Revue *Orient*, 3, 1957, pp. 7-14). Et l'illustre professeur de Harvard, Sir Hamilton Gibb le nomme « Jibran Khalil Jibran » (*Studies on the Civilization of Islam*), Boston, Beacon Press, 1968, p. 272). À mon avis, ces erreurs orthographiques proviennent du fait que certains de ses commentateurs préfèrent écrire les noms étrangers comme ils sonnent à leurs oreilles, même quand

leur transcription en caractères romains existe déjà. (*Note du traducteur*) : On peut ajouter que le Grand Larousse illustré en 12 volumes orthographie le nom de l'auteur comme suit : « Djabran Khalil Djabran » C'est donc sous la lettre D et non sous la lettre G que figure la notice qui le concerne).

10.   Miss Young (*op. cit.* p. 184) et Miss Otto (*op. cit.*, p. 20) commettent une lourde erreur historique lorsqu'elles disent qu'Avicenne est un poète islamique et Ibn-Sinna un philosophe. En réalité, ces deux noms désignent une seule et même personne. Le premier est une transcription latine incorrecte, l'autre est la dénomination arabe. De plus Ibn-Sinna (980-1037) a vécu après Mahomet. On le considère comme l'un des plus grands philosophes musulmans du groupe oriental médiéval. Pour trouver une bonne description de sa philosophie, consultez Majid Fakhry, *A History of Islamic Philosophy*, Columbia University Press, 1970, pp. 147-183.

11.   Voir La procession.

12.   Young, Barbara, *op, cit.* ; p. 185.

13.   Voir Les Ailes brisées.

14.   L'essai « The Bride's Bed » (Le lit de la Mariée), condamne des coutumes pourries du mariage en faveur de la liberté de la femme. Voir *le rire et les larmes*. Je crois que si Gibran avait vécu assez longtemps pour connaître les mouvements de libération de la femme, il leur aurait apporté le soutien total de sa plume acérée. Il avait une profonde compréhension de la psychologie féminine. Il avouait aussi qu'il devait tout ce qu'il possédait à l'intervention des femmes dans sa vie : « Je suis redevable aux femmes, depuis ma plus tendre enfance, de tout ce que j'appelle « Moi ». Les femmes ont ouvert les fenêtres de mes yeux et les portes de mon esprit. S'il n'y avait pas eu la femme-mère, la femme-sœur, la femme-amie, j'aurais dormi parmi ceux qui cherchent la tranquillité du monde en ronflant. » Un autoportrait. À vrai dire, sa philosophie de la femme a quelques ressemblances avec l'œuvre de Simone de Beauvoir, *Le Deuxième Sexe* et avec le livre du psychologue néerlandais F. Buytendijck : *Woman, a Contemporary View*. Il critique sans ménagements quiconque déprécie le rôle de la femme dans la société. La pornographie si largement imprimée de nos jours ne trouve aucune justification dans sa morale. Enfin, il écrit : « Les écrivains et les poètes essaient de connaître la vérité sur la femme. Mais jusqu'à ce jour, ils n'ont jamais compris son cœur parce qu'ils la regardent à travers le voile du désir et qu'ils n'aperçoivent

dès lors que la forme de son corps. Ou ils la regardent à travers le verre grossissant du dépit et ne voient en elle que faiblesse et soumission. » (Les Trésors de la Sagesse)

15. *The Prophet*, traduit par Sarwat Okasha, Le Caire, Dar al Maarf, 1959, « Introduction », p. 14.

16. Voir *Un autoportrait*.

17. Massoud, Habib, *Joubran, Hayyan wa Mayyatan*, Beyrouth, The Rihani House, 1966, p. 20.

18. Selon Joseph Sheban, le bruit court que la véritable bienfaitrice de Gibran était une riche Libanaise nommée Mary Khoury. Mais jusqu'à ce jour, rien ne prouve que Mary Khoury ait vraiment apporté une aide financière à notre auteur. Néanmoins, il semble qu'une dame de ce nom ait existé. Mais on ignore quelles étaient ses véritables relations avec Gibran. (Les miroirs de l'âme).

19. Voir *Un autoportrait*.

20. Young, Barbara, *op. cit.*, IX.

Les contributions de l'écrivain

1. Voir *Un autoportrait*.

2. Voir *Un autoportrait*.

3. Voir *Un autoportrait*.

4. Barbara Young, *This Man from Lebanon*, New York, A. Knopf, 1970, p. 186.

5. Voir *Un autoportrait*.

6. Je suis en complet désaccord avec Andrew Dib Sherfan qui considère que l'amour décrit dans ce récit est freudien. (*Khalil Gibran : The Nature of Love*, New York, Philosophical Library, 1971, p. 26.) L'amour freudien est d'un type beaucoup plus compliqué et inconscient que l'amour décrit par Gibran dans *Les Ailes Brisées*. Sublimation, cathexis et sexe sont les processus inconscients qui soulignent l'amour freudien, un amour qui, soit dit en passant, substitue le principe du plaisir à celui de la réalité. Quelques fussent les désirs charnels de Gibran dans *Les Ailes Brisées* — et ils ne sont pas inexistants — ils expriment simplement le romantisme, la jeunesse et l'idéalisme, mais certainement pas le Freudisme. Je reviendrai à cette question dans le Chapitre VI.

7. À cet égard, Gibran avoua un jour à miss Haskell que les événements et les personnages décrits dans *Les Ailes*

Brisées n'étaient pas les siens. (Voir *Le prophète bien-aimé*). Pour nous, historiens, cette information transmise par miss Haskell jette une certaine confusion sur la crédibilité biographique du roman. Qui devons-nous croire ? Miss Haskell, informée par Gibran ? Ou les bavardages des habitants de Bcharré qui, jusqu'à nos jours, affirment avec fierté que le grand philosophe Gibran était tombé amoureux d'une de leurs filles, Miss Hala Daher, dont la famille vit toujours ? Voici ce que je réponds en tant que biographe : il y a lieu de douter des connaissances que miss Haskell pouvait avoir de la vie personnelle antérieure de Gibran. Ainsi, chaque fois que Gibran lui parlait de sa famille, il enjolivait l'histoire de quelques mensonges. Par exemple, il affirmait que son père était riche, qu'il était receveur des impôts du gouvernement libanais, qu'il avait été jugé et reconnu coupable de « détournement de taxes », mais qu'il avait été gracié, puis exilé, etc... (Voir *Prophète bien-aimé*). Une autre raison explique pourquoi Haskell a été trompée sur la véritable valeur autobiographique des *Ailes brisées* : Gibran ne lui a jamais révélé le nom des femmes qu'il avait connues auparavant, tout en parlant librement de leurs aventures. (*Prophète bien-aimé*). Je suppose que, vis-à-vis d'Haskell, il niait le caractère autobiographique de l'œuvre de manière à donner plus de poids à la dédicace qu'il lui consacrait. Pour moi, en conclusion, je suis d'accord avec les biographes J. Sheban, A. Dib Sherfan, A. Otto et avec les habitants de Bcharré : *Les Ailes Brisées* constituent bien une autobiographie dans laquelle Gibran raconte sa première idylle avec la Libanaise Hala Daher.

8.   Andrew Dib Sherfan, *Khalil Gibran : The Nature of Love*, New York, Philosophical Library, 1971, p. 26. Il convient de noter que Gibran avait intitulé son livre *Tears and Laughter* (Larmes et rire) mais qu'en le traduisant de l'Arabe, H. Nahmad a préféré utiliser le mot « *Smile* » (sourire) au lieu de « *Laughter* » (rire) pour des raisons phonétiques. Dans *A Self-Portrait* (Un autoportrait), Gibran en parle deux fois. (Voir *Un autoportrait*)

9.   Voir *Un autoportrait*.

10.   Voir *Le fou*.

11.   *The National Catholic Reporter*, 21 juillet 1968.

12.   Barbara Young, *This Man from Lebanon*, New York, A. Knopf, 1970, p. 56.

13.   cf. *The portable Nietzsche*, par Walter Kaufman, (New York, The Viking Press, 1968, p. 121,) et L'évangile selon St Luc, Ch. 3 verset 23. Le prophète qui est le héros de *The Voice of the Master*

est âgé de 30 ans. (La voix du maître).

14. *EG.* p. 11. Pour compléter la trilogie du Prophète, Gibran avait l'intention de publier, après *Le Prophète* et *Le Jardin du Prophète*, *La Mort du Prophète* qui aurait traité des relations de l'homme avec Dieu. Malheureusement, le livre ne parut point. (Cf Barbara Young, *op. cit.* p. 119) Par bonheur, Gibran étudia occasionnellement le sujet. Dans le texte, j'ai pris la liberté d'appeler *The Earth Gods* une œuvre qui traite de l'homme et de Dieu, mais il s'agit ici des relations de Dieu avec l'homme.

15. Barbara Young, *This Man from Lebanon*, New York : A. Knopf, 1970, p. 13.

16. Mikhaïl Naimy, *Khalil Gibran, His Life and His Work*, Beyrouth, Khayats, 1964, p. 194.

17. Barbara Young, *This Man from Lebanon*, New York, A. Knopf, 1970, p. 64, pp. 16-17 et p. 65.

18. Nymphes des vallées.

19. Ignace Kratchovski, *Monde oriental*, Tome XXI, fasc. 1-3.

20. P.J.E. Cachia, «Modern Arabic Literature» dans *The Islamic Near East*, sous la direction de D. Grant, Toronto, University of Toronto Press, 1960, p. 284.

21. Sir Hamilton Gibb, *Studies on the Civilization of Islam*, Boston, Beacon Press, 1968, p. 261.

22. Cité dans Nadeem Naimy, *Mikhaïl Naimy, An introduction*, Beyrouth, American University Press, 1970, p. 121.

23. *ibidem* p. 123.

24. Gibran, *Twenty Drawings*, avec une introduction par Alice Raphaël, New York, A. Knopf, 1970, p. 3.

25. R.A. Nicholson, *A Literary History of the Arabs*, Cambridge, Angleterre. Cambridge University Press, 1969, pp. 304-313.

26. A.J. Arberry, *Aspects of Islamic Civilization*, Michigan, The University of Michigan Press, 1967, pp. 73-118.

27. Voir *le Prophète bien-aimé*.

28. *ibidem*.

29. *ibidem*.

30. «Ainsi parlait Zarathoustra» dans *The Portable Nietzsche* sous la direction de W. Kaufman, (New York, The Viking Press, 1968), «Prologue» pp. 121-137.

31. Voir *le Prophète bien-aimé*.

32. *ibidem*.

33. Voir *Les miroirs de l'âme*.

34. *The Wisdom of Bouddhism*, dirigé par Christmas Hum-

phreys, New York, Random House, 1961. Voir aussi *The Teachings of the Compassionate Bouddah*, sous la direction de E.A. Burett, New York, The New American Library, 1955.

35. *Selected Poetry and Prose of William Blake*, sous la direction de Northrop Frye, New York, The Modern Library, 1953, pp. 264-316.

36. *ibidem*, p. 25 et p. 43.

37. Voir *le Prophète bien-aimé*.

38. *ibidem*.

La philosophie esthétique de Gibran

1. Heidegger, M. *Holzwee*, Frankfurt am Main, Klosterman, 1957, p. 62.

2. Voir Adages spirituels.

3. Aristote, *Poétique*, 1448 b 4-24.

4. *ibidem*, 1448 a 1-5.

5. Voir *Adages spirituels*.

6. Voir *Sable et écume*.

7. (Voir *Adages spirituels*). Ailleurs il écrit : « La pensée est toujours la pierre d'achoppement de la poésie». (*SS.*, p. 24.)

8. (Voir *Adages spirituels*). Il est clair, d'après ce passage, que Gibran ne classera jamais la poésie parmi les traités de logique comme le fit Aristote.

9. Voir *Adages spirituels*.

10. Blaise Pascal, *Pensées*, Paris, Librairie Générale Française, 1962, p. 236, n° 447.

11. (Voir *Sable et écume*). Le Gibranisme n'est pas un anti-intellectualisme. Cela ressort clairement de l'essai « Of Reason and Knowledge »(De la raison et du savoir) qui souligne l'importance de la raison dans notre existence. Si un homme se laisse gouverner uniquement par ses impulsions et par ses passions, sa vie devient animale et impulsive. C'est pourquoi, Gibran écrit : « La raison est un pasteur prudent, un guide loyal et un sage conseiller... Soyez sage : laissez-vous guider par la raison, pas par l'instinct.(*VM.*, p. 53)

12. Voir *Sable et écume*.

13. Voir *Adages spirituels*.

14. *SS.*, p. 7. Voir *Adages spirituels*.

15. Voir *Le précurseur*.

16. Heidegger, M. *Introduction to Metaphysics*, Garden City,

New York, Doubleday and C°, Inc., 1961, p. 22. Si je me réfère souvent à des auteurs étrangers, c'est pour souligner la pertinence et la profondeur du Gibranisme.

17.   Voir *La voix du maître*.

18.   Voir *Pensées et Méditations*.

19.   Voir *Adages spirituels*.

20.   Robert D. Cumming, *The Philosophy of Jean-Paul Sartre*, New York, Random House, Inc. 1966, p. 370.

21.   Voir *Adages spirituels*.

22.   Voir *Le rire et les larmes*.

23.   Robert D. Cumming, *The Philosophy of Jean-Paul Sartre*, New York, Random House, Inc. 1966, p. 375.

24.   Voir *Le rire et les larmes*.

25.   Heidegger, M., «Holderlin», dans : *Qu'est-ce que la Méta-physique ?*, Paris, Gallimard, 1951, p. 250.

26.   *ibidem*, pp. 243-244.

27.   Voir *Adages spirituels*.

28.   Voir *Le rire et les larmes*.

29.   *ibidem.*, p. 44. Voir aussi *VM*, p. 31. Pour Heidegger, le poète et le penseur ont certains points communs, mais ils ne sont pas identiques. «Seule la poésie se trouve dans la même disposition que la philosophie et sa pensée, quoique la poésie et la pensée ne soient pas la même chose.» (*An Introduction to Metaphysics*, Garden City, New York, Doubleday & C°., Inc. 1961, p. 21). Gibran fait, lui aussi, cette distinction. Mais pour lui, la pensée poétique surpasse la pensée philosophique. Selon lui, la philosophie est métempirique (*SS.*, p. 13), c'est une «prostituée intellectuelle» (*SF.*, p. 64). C'est enfin, et ce n'est pas le moins important, un examen intellectuel de «la pensée de l'homme, de ses actes et de ses désirs» (*SF.*, p. 65).

30.   Voir «A poet's voice»(La voix d'un poète).

31.   Nietzsche, F. «Ainsi parlait Zarathoustra» dans *A portable Nietzsche*, sous la direction de Walter Kaufman, New York, The Viking Press, 1969, 2ème partie, sect. 17, p. 240.

32.   Voir *Le rire et les larmes*.

33.   Introduction par Robert Hillyer, p. V.(*A Tear and a smile*)

34.   Cité dans *The Wisdom of Gibran*, sous la direction de Joseph Sheban, New York, Philosophical Library, 1966, p. 59.

35.   Voir *Secrets du cœur*.

36.   Voir *le rire et les larmes*.

37.   Introduction par Robert Hillyer, p. V., A Tear and a Smile.

38. Dans sa courte pièce *Assilban*, on nous explique comment un poète peut commettre le péché de rénégation contre sa vocation divine. Le passage suivant énumère les différentes manières d'y déroger : « Il y a... de nombreux poètes... Ils vendent leur voix, leur pensée et leur conscience pour une pièce de monnaie, pour un repas, pour une bouteille de vin... Ils sont comme des machines parlant de tristesse et de joie. Si l'occasion ne fait pas appel à elles, ces machines sont mises au rebut comme des ustensiles désaffectés... Je ne les blâme pas de mépriser ce qui est joli et insignifiant. Je les blâme de ne pas préférer *la mort à l'humiliation*. »

Voir *Adages spirituels*.

39.   Voir *Adages spirituels*.

40.   Voir les illustrations dans *The Parables of Khalil Gibran*, (par A. Salem Otto, New York, The Citadel Press, 1963), p. 108 et p. 142.

41.   Voir *la Voix du maître*.

42.   Voir *le Jardin du prophète*.

43.   Frye, N., *Selected Poetry and Prose of Blake*, New York, Random House, Inc., 1953, Intr. XXVIII.

44.   Voir *la Voix du Maître*.

45.   Naimy, Mikhaïl : *Khalil Gibran, His Life and His Work*, Beyrouth, Khayats, p. 59.

46.   Voir *Adages spirituels*.

47.   Voir *Adages spirituels*.

48.   Voir *Sable et écume*.

49.   Voir *Adages spirituels*.

50.   Introduction par miss Alice Raphaël, p. 6., Voir *Vingt dessins*.

51.   *ibidem*.

52.   *ibidem*.

53.   Voir *Les Ailes brisées*.

54.   *ibidem*.

55.   Voir *Le rire et les larmes*.

56.   *ibidem*.

57.   Voir *Le Prophète*.

58.   Voir *Les Ailes brisées*.

59.   Voir *Les miroirs de l'âme*.

60.   Voir *Le Jardin du prophète*.

61.   Voir *Les Ailes brisées*. Dans le poème « Chant de Beauté » Gibran reconnaît une fois de plus l'effet psychothérapeutique de la

Beauté sur une âme pleine d'angoisse. «La jeunesse me regarde, sa peine est oubliée et sa vie devient le théâtre de doux rêves.» Il suffit souvent de regarder un champ de belles roses ou d'écouter de la belle musique pour distraire l'esprit d'une idée qui provoque de l'anxiété.

62.   Voir *Sable et écume.*

63.   Voir *le Fou.*

64.   Voir *Sable et écume.*

65.   Voir *La Voix du maître.*

66.   Voir *Une larme et un sourire.*

67.   *ibidem.*

68.   Voir *le Prophète.* J'ai souligné le mot «toujours» car il montre que la Beauté, comme l'Être, est immuable, universelle et éternelle. Comme il est poète, Gibran utilise le mot «nature» pour «être» qui est un concept de métaphysicien. Voici le passage où il explique la relation transcendentale entre la Nature et la Beauté : «Ma vie(c'est la Nymphe qui parle) est soutenue par le monde de la Beauté que vous pouvez voir où que vous posiez le regard, et cette Beauté, c'est la Nature elle-même.»... Voir *Le rire et les larmes.*

69.   Voir *Le rire et les larmes.*

70.   Voir *La Voix du maître.*

La philosophie de Gibran sur le Droit et la Société

1.   Voir *Adages spirituels.* Gibran a toujours condamné la calamité que représente la pollution écologique et la dégradation de l'environnement. À d'autres moments, il se déclarait favorable à un arrêt du progrès technologique parce qu'il prédisait que cette avance mettait en péril la paix entre les nations. Miss Young nous raconte, par exemple, que Gibran était adversaire d'une production trop précoce d'avions. Il croyait que la suprématie aérienne durant une guerre causerait de graves désastres. Il déclara un jour : «Si je le pouvais, je détruirais tous les avions de la terre, et j'éliminerais de l'esprit des hommes tout souvenir de ce mal volant». (B. Young, *op. cit.* p. 26). Cette citation ne devrait pas nous faire croire que Gibran était contre tout *savoir* scientifique ou technique *en tant que tel.* Il exprime simplement le souci qu'il se faisait à l'idée qu'un jour ses semblables pourraient être massacrés du haut des airs. Que l'on songe à l'avion qui a transporté la bombe atomique sur Hiroshima,

à la destruction de la ville de Hambourg par les raids aériens ou aux tonnes de Napalm que l'on a déversées sur le Vietnam et ailleurs du haut du ciel.

2. Voir *Pensées et méditations*.

3. Soren Kierkegaard «Journal», Cité dans *A Dictionary of Existentialism*, dirigé par Ralph B. Winn, New York, Philosophical Library, 1960, p. 98.

4. Voir *Les Secrets du cœur*.

5. Voir *Âmes en révolte*.

6. Voir *Les Secrets du cœur*.

7. Voir *Pensées et méditations*.

8. Martin Buber, *Good and Evil*(Le Bien et le Mal), New York, Scribner's Sons, 1953, p. 9. — Il semblera peut-être étrange à un certain nombre d'intellectuels que je cite un savant juif dans un livre consacré à un Arabe. Mais j'ai mes raisons qui ne sont pas politiques, et qui ne visent pas un but politique. Mon intention est de souligner les similitudes qui existent entre la pensée de Gibran et les penseurs classiques reconnus par le monde.

9. Zenkovsky, V.V., *A History of Russian Philosophy*, New York, Columbia University Press, vol. 1, 1967, p. 391.

10. Voir *Un autoportrait*.

11. *ibidem*.

12. Jean-Jacques Rousseau, *Discours sur les Arts et les Sciences*, cité d'après la traduction anglaise publiée à Londres chez J.M. Dent and Sons Ltd, 1947, p. 122.

13. Jean-Jacques Rousseau, *Discours sur les Origines de l'Inégalité entre les Hommes*, cité d'après la traduction anglaise publiée à Londres chez J.M. Dent and Sons, Ltd, 1947, p. 163.

14. *ibidem*, p. 205. La philosophie sociale de Gibran est plus proche de celle de Rousseau que de celle de Nietzsche. Il est vrai que Nietzsche dénonçait la déspiritualisation et la morale d'esclavage qui prédominent dans la culture contemporaine ; il est cependant tout aussi vrai qu'il manifestait quelques idées sombres sur la nature basique de l'homme, qu'il considérait comme ontologiquement mauvais. Dans sa pensée, Nietzsche était pessimiste, à peu près comme Schopenauer. Il dépeignait toujours l'homme comme un être «impitoyable, avide, insatiable, meurtrier «qui s'accroche» au dos d'un tigre». («Sur la Vérité et le Mensonge» dans *A portable Nietzsche* sous la direction de W. Kaufman, New York, The Viking Press, 1968, p. 44). Cette dernière affimation est une bonne preuve en elle-même de la divergence qu'il y a entre Nietzsche et

Gibran. Celui-ci gardait fermement foi en la *bonté* de la nature humaine lorsqu'elle n'est pas gâtée par le superego de la culture. Bien sûr, je n'essaie pas de prétendre que Gibran n'était pas inspiré, dans une certaine mesure, par la théorie nietzschéenne du «superman». Bien au contraire, j'ai de bonnes raisons de croire que c'est Nietzsche qui a inspiré Gibran au sujet de la «morale d'esclavage» et de la déspiritualisation qui prévalent dans notre société contemporaine.

15.   Voir *La Procession*.

16.   Voir *Adages spirituels*. Quoiqu'il ne nous ait jamais demandé de fuir la vie urbaine afin de rétablir la forme rurale de la société qui est en train de mourir, Gibran semble cependant attiré par la vie paysanne. J'attribue partiellement cette inclination à la période de son enfance, lorsqu'il vivait à Bcharré avec son père qui était berger et fermier et qui vivait en homme de la nature. Mais Gibran avait aussi des raisons psychologiques et philosophiques pour douter des avantages du superego culturel sur la psyché de l'individu. Le passage qui suit met en opposition la culture et la nature : «Nous qui vivons dans l'excitation de la ville, nous ignorons tout de la vie des montagnards. Nous sommes entraînés dans le courant de la vie urbaine au point d'oublier le rythme paisible d'une simple vie campagnarde qui sourit au printemps, peine en été, mûrit en automne et se repose en hiver, imitant ainsi le cycle de la nature. Nous sommes plus riches que les villageois en or et en argent, mais ils sont plus riches que nous en esprit. Ce que nous sommes, nous ne le récoltons pas. Eux récoltent ce qu'ils sèment. Nous sommes les esclaves du profit, ils sont les enfants de la satisfaction. Notre boisson, dans la coupe de la vie, est faite d'amertume et de désespoir, de crainte de la lassitude. Eux boivent le pur nectar de l'accomplissement de leur existence. Voir *Pensées et méditations*.

17.   Voir *Les Ailes brisées*. Lorsqu'il s'agit de psychanalyser l'âme des riches, Gibran est magistral. Selon lui, la richesse

a) naît de l'avidité ;

b) conduit à la misère ;

c) et au désespoir.

Son meilleur essai sur le sujet s'intitule *Today and Yesterday* (Aujourd'hui et hier). Le texte parle d'un homme qui était pauvre «hier», mais heureux. «Aujourd'hui», le même homme est devenu riche, mais il est malheureux. Voyez les différences de comportement entre les classes socio-économiques : «Hier, je jouissais de la vie et de la beauté de la nature. Aujourd'hui, on me les vole.

Hier, j'étais riche de bonheur. Aujourd'hui, je suis pauvre dans ma richesse. Hier, j'étais avec mon troupeau comme un chef bienveillant parmi ses sujets. Aujourd'hui, je me tiens devant un tas d'or comme un esclave qui s'aplatit devant un maître tyrannique. J'ignorais que la richesse effacerait l'essence même de mon esprit, et je ne savais pas que la fortune me conduirait dans les sombres cavernes de l'ignorance. Et je ne croyais pas que ce que le peuple appelle la gloire n'est qu'un tourment et un puits sans fond.» (*TS* pp. 39-40) Voir *Une larme et un sourire*.

18. Barbara Young, *This Man from Lebanon*, New York, Alfred A. Knopf, 1970, p. 128.

19. Voir *Un autoportrait*.

20. Voir *Les Secrets du cœur*.

21. Voir *Un autoportrait*.

22. Antonio Caso, *La existencia como economia, como interes y como caridad*. 3ème éd., Mexico, Secretaria de Education Publica, 1943, p. 43.

23. *ibidem*, p. 102. À noter que Gibran, lui aussi, considère l'art comme une activité spirituelle, et pas économique. «L'art est un oiseau qui plane librement dans les airs ou qui se promène joyeusement sur le sol. Personne ne peut changer son comportement. L'art est un esprit qu'on ne peut ni acheter, ni vendre.» Voir *Adages spirituels*.

24. *ibidem*.

25. *ibidem*.

26. Voir *Les Miroirs de l'âme*.

27. Al-Afghani, cité dans Mohammed al-Makhzumi, *Khatirat Jamal al-Din Al Afghani al Husaymi*, Beyrouth, 1931, p. 88 — p. 218.

28. Qasim Amin, *Tahrir al-Marah*, Le Caire, Daar al maaref, 1899, p. 154. Il faut se souvenir que si les laïques s'identifiaient aux laïques européens, ils ne devinrent cependant jamais athées et ne mirent pas en doute la validité des dogmes coraniques. En cas de conflit entre la vérité religieuse et la vérité scientifique, ils se tenaient aux côtés des réformistes *ulema*.

29. Voir *Pensées et méditations*.

30. *ibidem*.

31. *ibidem*.

32. *ibidem*.

33. *ibidem*.

34. Barbara Young, *This Man from Lebanon*, New York, Alfred A. Knopf, 1970, p. 126.

35. *SH.*, pp. 71-73. Voir *Les Secrets du cœur*.

36. Voir *Le Prophète bien-aimé*. *Voir aussi*, Philip Hitti, *Lebanon in History*, New York, St Martin's Press, 1957, p. 484.

37. Voir *Les Secrets du cœur*. *In the Dark Night*(Dans la nuit sombre) est également un poème composé au temps de la famine en Syrie et au Liban. Voir *Pensées et méditations*.

38. Voir *Les Secrets du cœur*. Gibran écrit :

> « ...Et si mon
> peuple avait attaqué les despotes
> Et les oppresseurs, et était mort en révolte
> J'aurais dit : « Mourir pour
> La liberté est plus noble que mourir dans
> L'ombre d'une faible soumission, car
> Celui qui embrasse la mort avec le glaive
> De la vérité dans ses mains vivra éternellement
> Dans l'éternité de la Vérité, car la Vie
> Est plus faible que la Mort, et la Mort est
> Plus faible que la Vérité. » Voir *Les Miroirs
> de l'âme*.

39. L'essai intitulé *Le Fez et l'Indépendance* est plein d'ironie. Il dénonce l'étroitesse d'esprit et l'obstination des Orientaux. Ceux-ci ont des comportements paradoxaux. D'une part, ils critiquent les Occidentaux, mais d'autre part, ils ne cessent d'imiter le style de vie des Européens et d'utiliser leurs produits. (Cf *SS.*, pp. 73-75). Voir *Adages spirituels*.

40. Ci-après, voici comment les riches devraient socialement dialoguer avec les pauvres : « Prends maintenant, mon frère, et reviens demain avec tes compagnons pour prendre tout ce qui vous appartient. Voir *Une larme et un sourire*. Pour connaître la liste complète des réformes que Gibran cherchait à introduire au Moyen-Orient, lisez l'essai intitulé « *Your Thought and Mine*»(Votre pensée et la mienne). Voir *Adages spirituels*.

41. Voir *Les Secrets du cœur*. *Voir aussi* F. Nietzsche, *Genealogy of morals*, trad. anglaise de F. Golffing(Garden City, New York, Doubleday 1956), pp. 170-172.

42. Barbara Young, *This Man from Lebanon*, New York, Alfred A. Knopf, 1970, p. 125.

43. Voir *Pensées et méditations*.

44. Franz Kafka, *Le Procès*, cité d'après l'éd. anglaise, New York, Vintage Books, p. 269.

45. Franz Kafka, *Paraboles et Paradoxes*, cité d'après l'éd. anglaise, New York, Schoken Books, 1961, p. 155.

46. *ibidem*, p. 157.

47. Voir *Âmes en révolte*.

48. *ibidem*.

49. *ibidem*.

50. Voir *Le Prophète*.

51. Voir *Sable et écume*.

52. Voir *Le Prophète*.

53. Voir *Le Voyageur*.

54. Voir *Le Précurseur*.

55. Pascal, Pensées, Paris, Librairie Générale Française, 1962, p. 151, n° 329.

56. Voir *Pensées et méditations*. Ailleurs, Gibran écrit : «Celui qui se vante de son mépris pour les pécheurs manifeste son dédain pour toute l'humanité.» À noter que c'était déjà la thèse de Pascal. (Voir Pascal, *op. cit.*, ch. III).

57. Voir *Les Miroirs de l'âme*.

58. (Les italiques sont de moi) Voir *Adages spirituels*.

59. Voir *Une larme et un sourire*.

60. Carl Jung, The Undiscovered Self, New York, A Mentor Book, 1958, p. 22. (Cf *BP.*, p. 120).

61. Voir *Une larme et un sourire*.

62. Voir *Le rire et les larmes*.

63. Voir *Une larme et un sourire*.

64. *ibidem*.

65. Voir *Âmes en révolte*.

66. *TS.*, p. 129 Voir *Une larme et un sourire*.

67. Voir *Les Secrets du cœur* et *Les Ailes brisées*.

68. Thomas d'Aquin, *Summa Theologica*. P. I-II, p. 91, a.1.

69. Voir *Adages spirituels*.

70. Voir *Le rire et les larmes*.

71. Voir *La procession*.

72. Voir *Un autoportrait*.

73. Par bonheur, aujourd'hui l'Église Catholique a assoupli sa position à l'égard des mariages conclus sous la contrainte. Mais il est malheureusement bien connu que seuls les riches arrivent à annuler leur mariage alors que les pauvres qui y réussissent sont peu nombreux. Ma dernière remarque constitue un reproche à Andrew

Dib Sherfan qui semble rejeter les justes commentaires de Gibran contre l'Église et les mariages forcés.(Cf. Sherfan, *Khalil Gibran, The Nature of Love*, New York, Philosophical Library, 1971, pp. 94-95).

74. Voir *Un autoportrait.*
75. Voir *La Voix du maître* et *Le Prophète.*
76. Voir *Adages spirituels.*
77. Voir *Le Fou.*
78. *ibidem.*
79. *ibidem.* Voir *Le Fou.*
80. Voir *Le Précurseur.*
81. *ibidem.*
82. *ibidem.*
83. *ibidem.*
84. Voir *Les Secrets du cœur.*
85. Voir *Le Voyageur.*
86. *ibidem.*
87. *ibidem.*
88. *ibidem.*
89. *ibidem.*
90. *ibidem.*

L'amour, la quintessence de l'existence humaine

1. Platon, *Phédon* 82e.
2. Voir *Le Prophète.*
3. Voir *Adages spirituels.*
4. Voir *Le Prophète bien-aimé.*
5. Voir *Le Prophète.*
6. Voir *Sable et écume.*
7. Voir *Le Prophète bien-aimé.*
8. Barbara Young, *This Man from Lebanon*, New York, Alfred A. Knopf, 1970, p. 129.
9. Voir *Âmes en révolte.* Je rappelle au lecteur que Gibran n'a jamais parlé d'Aristippe. Je suis seul responsable d'avoir évoqué ici sa philosophie. Je l'ai fait pour éclairer la position de Gibran à propos des playboys qui semblent correspondre à la *Weltanschauung* d'Aristippe.
10. Voir *Le Prophète bien-aimé.*
11. Voir *Le Prophète.*

12. Victor Frankl, *Man's Search For Meaning*, Washington Square Press, 1963, p. 166.
13. Voir *Les trésors de la sagesse*.
14. Voir *Le Prophète*.
15. Voir *Nymphes des vallées*.
16. Voir *Les trésors de la sagesse*.
17. Voir *Nymphes des vallées*.
18. Voir *Une larme et un sourire*.
19. *ibidem*.
20. Barbara Young, *This Man from Lebanon*, New York, Alfred A. Knopf, 1970, p. 129.
21. Voir *Le Prophète bien-aimé*.
22. *ibidem*, p. 69. D'autre part, les attitudes sexuelles de Casanova sont exhibitionnistes, hypocrites, truquées, déshonorantes, inesthétiques et indécentes.
23. *ibidem*, p. 113.
24. Voir *Âmes en révolte*.
25. Voir *Le Prophète bien-aimé*.
26. *ibidem*, p. 113.
27. *ibidem*, p. 292.
28. *ibidem*, p. 113. Voir *Le Prophète bien-aimé*.
29. Sigmund Freud, *On Creativity And The Inconscious*, New York, Harper & Row, Publishers.
30. Voir *Le Prophète bien-aimé*. Il ressort clairement de ces extraits que Gibran a dû lire quelque chose de ou sur Freud. Je rappelle au lecteur que Freud est venu en Amérique en 1909 à l'invitation du professeur Stanley Hall, président de la Clark University, Worcester, Mass.
31. *ibidem*.
32. Barbara Young, *This Man from Lebanon*, p. 129.
33. Voir *Le Prophète bien-aimé*.
34. *ibidem*.
35. *ibidem*.
36. *ibidem*.
37. *ibidem*.
38. *ibidem*.
39. Voir *Le rire et les larmes*.
40. Voir *Les Ailes brisées*.
41. Voir *Le rire et les larmes*.
42. *ibidem*.

43. Voir *Une larme et un sourire*.
44. *ibidem*.
45. Voir *Le rire et les larmes*.
46. Voir *Adages spirituels*.
47. Voir *Une larme et un sourire*.
48. Voir *Adages spirituels*.
49. Gabriel Marcel, *Being and Having* (Être et Avoir) cité d'après l'édition américaine, New York, Harper & Row Publishers, 1965, p. 167.
50. Voir *Le Prophète*.
51. Voir *Sable et écume*.
52. Voir *Les Ailes brisées*.
53. Voir *Le Prophète*.
54. Voir *Le Jardin du prophète*.
55. Voir *Le Prophète bien-aimé*.
56. Voir *Le Prophète*.
57. Voir *Le Jardin du prophète*.
58. Voir *Nymphes des vallées*.
59. «L'amour est un trésor précieux. C'est le don de Dieu aux grands esprits sensibles.» Voir *Les Ailes brisées*.
60. Voir *Les Ailes brisées*.
61. Gabriel Marcel, *Searchings* (Recherches), cité d'après l'édition américaine, New York, Newman Press, 1967, p. 64. *Voir aussi* : *Presence and immortality* (Présence et immortalité), cité d'après l'édition américaine Pittsburgh, PA, Duquesne University Press, 1967.
62. Voir *Âmes en révolte*.
63. Voir *Le Prophète*.
64. Voir *Le rire et les larmes*.
65. Voir *Le Prophète bien-aimé*.
66. *Kant Selections*, sous la direction de T.M. Greene, New York, Scribner's, 1929, p. 302.
67. Voir *Le Précurseur*.
68. Voir *Le Prophète bien-aimé*.
69. *ibidem*.
70. Voir *Sable et écume*.
71. *ibidem*.
72. *ibidem*.
73. Voir *Sable et écume*.
74. Voir *Le Prophète*.
75. *ibidem*.

76. Dans une lettre à Haskell, il écrivait : « Oui, chère Mary, nous savons sans savoir que nous savons et nous vivions inconsciemment avec quelque chose qui est enfoui au plus profond de nous et que notre surface ne comprend pas. Ce qui est réel en nous, c'est la présence de tout ce qui est réel en dehors de nous, » à savoir, l'amour. Voir *Le Prophète bien-aimé*.

77. Voir *Adages spirituels*.

78. Voir *Le Prophète*.

79. Mikhaïl Naimy, *The Bood of Mirdad*, Londres, Stuart et Watkins, 1962, p. 62.

80. Voir *Le Voyageur*.

81. Voir *Sable et écume*.

82. *ibidem*.

83. M.J. Cotereau, Secrétaire de la Fédération des Libres-Penseurs français, déclara au cours d'un colloque qui se tenait à Bruxelles en février 1960 sur la morale laïque contre la morale religieuse : « Je ne crois pas en Dieu car, s'il existait, il serait le Mal. Je préfère nier son existence que de le prendre responsable du mal. »

84. Voir *Une larme et un sourire*.

85. *ibidem*.

86. Voir *Les Ailes brisées*.

87. Voir *Le Prophète bien-aimé*.

88. Voir *Adages spirituels*.

89. Voir *Le Prophète*.

90. Voir *Adages spirituels*.

91. Voir *Les Ailes brisées*.

92. Voir *Sable et écume*.

93. *ibidem*.

94. Voir *Le Jardin du prophète*.

95. Voir *Le rire et les larmes* (Les italiques sont de moi). Au contraire, S. Kirkegaard ridiculise l'expression «la moitié» en amour. «Lorsqu'on considère une personne, on suppose tout naturellement qu'elle constitue une entité et c'est ce qu'on croit jusqu'à ce qu'il devienne évident que, sous l'obsession de l'amour, ce n'est qu'une moitié qui court dans tous les sens pour trouver son complément... En fait, plus on y pense, plus cela paraît ridicule. » (*Selections from the Writings of Kirkegaard*, traduit par Lee. M. Hollander, Garden City, New York Doubleday & Cº, Inc., 1960, p. 65). Mais d'autre part, dans son *Symposium*, Platon développe une allégorie de l'amour dans laquelle l'attirance entre les sexes s'explique par le fait d'une union originelle qui a été divisée en

deux par le pouvoir des dieux. Les deux sexes sont nés de cette division. Et depuis, ils se cherchent l'un l'autre comme des moitiés complémentaires. (Platon, *Symposium*, 189 d — 191 d).

96. Voir *Adages spirituels*.

97. *ibidem*.

98. Gabriel Marcel, *Homo Viator*, cité d'après l'édition américaine, New York, Harper & Row Publishers, 1962, p. 22. De même, Karl Jaspers, un autre existentialiste, écrit : «L'individu ne peut pas devenir humain par lui-même. Le Moi-Être ne peut être réel qu'en communication avec un autre Moi-Être («Sur la Philosophie du Moi», Felix Kaufmann, traduit dans «*Existentialism : From Dostoyevsky to Sartre*, Walter Kauffmann, ed. Cleveland, Meridian Books, 1956, p. 145). Martin Buber partage également la même idée : «Il n'existe pas de Moi pris en lui-même, mais seulement le Moi du premier terme de Moi-Toi et le Moi du premier terme de Moi-Il.» (*I and Thou*, New York, Charles Scribner's Sons, 1958, p. 4).

99. Voir *Le rire et les larmes*.

100. Voir *Sable et écume*.

101. *ibidem*.

102. Barbara Young, *This Man from Lebanon*, New York, Alfred A. Knopf, 1970, p. 91.

103. *ibidem*, p. 92.

104. Jean-Paul Sartre, *L'Être et le Néant*, cité d'après la traduction anglaise de Hazel E. Barnes, *Being and Nothingness*, New York, Philosophical Library, Inc., 1956, Part III, Ch IV.

105. Voir le *Prophète bien-aimé*.

106. Voir *Les Ailes brisées*.

107. Voir *Âmes en révolte*.

108. Voir *Le Prophète*.

109. Voir *Sable et écume*.

110. *ibidem*.

111. Voir *Le Prophète*.

112. *ibidem*.

113. Voir *Les trésors de la sagesse*.

114. Voir *Les trésors de la sagesse*.

115. Voir *Adages spirituels*.

116. En réalité, Kirkegaard n'a jamais utilisé l'étiquette d'«existentialisme», quoique les historiens le considèrent comme le père de ce courant de pensée. Les philosophes italiens Nicola Abbagnano,

Luigi Pareyson, Annibale Pastore furent les premiers à populariser le premier « isme » pour « existence ».

117. Soren Kierkegaard, *Purity of the Heart* ; New York, Harper & Row Publishers, 1956, p. 184.

118. José Ortega y Gasset « Pidiendo un Goethe desde dentro » dans *Obras completas de José Ortega y Gasset*, Madrid, Revista de Occidente, S.A. 1966, Vol. IV, p. 400.

119. Martin Buber, *Hasidism and Modern Man*, New York, Horizon Press, Inc., 1958, p. 139.

120. Voir *Le Voyageur*.

121. Voir *Le Prophète*.

122. Anna Freud : « *The role of Bodily Illness in the Mental Life of Children* » (Le rôle des maladies corporelles dans la vie mentale des enfants), « *Psychoanalytic Study of the Child* » Vol. 7. New York, International University Press, 1952, p. 78.

123. Voir *Le Prophète*.

124. Voir *La voix du maître*.

125. Voir *Les Ailes brisées*.

126. Barbara Young, *This Man from Lebanon*, New York, Aldred A. Knopf, 1970, p. 130.

127. Voir *Les Ailes brisées*.

La philosophie de Gibran sur la religion

1. Léon Tolstoï, « *The Law of Violence and the Law of Love* » (La loi de la violence et la loi de l'amour) dans *A History of Russian Philosophy* sous la direction de Kline, New York, Columbia University Press, Vol. II, 1967. pp. 225 et suiv.

2. Kirkegaard, *Selections from the Writings of Kirkegaard*, traduit par Lee Hollander, Garden City, New York, Doubleday and C°, Inc., 1960, p. 226.

3. Cf « Simonie » dans *New Catholic Encyclopedia*, New York, Mac Graw Hill Book C°, 1967, Vol. 13.

4. *SR.*, p. 97. Voir *Âmes en révolte*.

5. *ibidem*, p. 101.

6. *ibidem*, p. 70 et suiv.

7. *SH.*, p. 74. Voir *Les Secrets du Cœur*.

8. *SR.*, p. 87. Voir *Âmes en révolte*.

9. *ibidem*, p. 81.

10. *ibidem*, p. 80.

11. « De l'avis du chef des prêtres, un homme ne peut devenir moine s'il n'est aveugle et ignorant, insensé et muet ». (*SR.*, p. 59). Voir *Âmes en révolte*.

12. *MM.*, pp. 42-44. Voir *Le fou*.

13. Barbara Young, *This Man from Lebanon*, New York, A. Knopf, 1970, p. 41.

14. *SS.*, p. 46. Voir *Adages spirituels*.

15. *TS.*, p. 136 et suiv. Voir *Une larme et un sourire*.

16. Voir *Âmes en révolte*. Ailleurs, il écrit : Si nous pouvions nous débarrasser des différentes religions, nous nous retrouverions unis dans la joie d'une seule grande foi religieuse, pleine de fraternité.

17. *SS.*, p. 112. Voir *Adages spirituels*.

18. *SS.*, P. 49 (les italiques sont de moi). Voir *Adages spirituels*.

19. *ibidem*, p. 41.

20. Voir *Les miroirs de l'âme*.

21. St.Augustin, *Confessions* BK I C.1.

22. Saint Thomas D'Aquin, *Summa Theologica*, I-II, p. 94. a.2.

23. Paul Tillich, *Theology of Culture*, New York, Oxford University Press, 1959, pp. 5-9.

24. J.P. Sartre, *Les Mots*, cité d'après l'éd. anglaise *The Words*, Greenwich, Conn. Fawcett World Library, 1966, p. 62.

25. De « *Basic Beliefs : The Religious Philosophies of Mankind* » (Croyances fondamentales : les philosophies religieuses de l'Humanité.) sous la direction de J.E. Fairchild (New York, Sheridan House Inc., 1959) p. 167. En Europe, il est de bon ton de publier des livres avec des titres comme *La Foi d'un Païen* (Jean-Claude Barreau, Paris, Éditions du Seuil, 1967). Francis Jeansen, un disciple de Sartre a également publié récemment un livre intitulé *La Foi d'un incroyant* (Éditions du Seuil, 1963) Tout ceci confirme ce que disait Gibran à propos de la religion qui est « une croyance naturelle de l'homme ».

26. F. Nietzsche, *Zarathoustra*, Prologue.

27. J.P. Sartre, *Situations I*, Paris, 1947, p. 153.

28. Voir *Les Secrets du cœur*.

29. Voir *Le Prophète bien-aimé*.

30. *ibidem*.

31. *ibidem*.

32. *ibidem*.

33. *ibidem*.

34. Martin Buber, *Eclipse of God*(Éclipse de Dieu), New York, Harper & Row Publishers, 1965, p. 28. Notons la similitude entre Buber et Gibran lorsqu'ils mettent tous deux en parallèle les expressions «parler à Dieu» et «parler de Dieu».

35. S. Kirkegaard «Concluding Unscientific Postscript»(Pour conclure un post-scriptum non-scientifique) dans *A Kirkegaard Anthology* sous la direction de Robert Bretall(Princeton, Princeton University Press, 1947, p. 220-221.)

36. St Paul *I Corinthiens*, Ch. I,V. 17-23.

37. Voir *Sable et écume.*

38. Voir *Le Prophète bien-aimé.*

39. James, *The Will to Believe and Other Essays in Popular Philosophy*, New York, Longmans, Green and C° Ltd., 1896, pp. 1-30.

40. Voir *Les Adages spirituels.*

41. *ibidem.*

42. *ibidem.*

43. *ibidem.*

44. *ibidem.*

45. B. Young, *This man from Lebanon*, New York, A. Knopf, 1970, p. 38.

46. Voir *Les Adages spirituels.*

47. Voir *Les Secrets du cœur.*

48. Voir *Le Jardin du prophète.*

49. *ibidem.*

50. Voir *Le Prophète bien-aimé.*

51. *ibidem.*

52. *ibidem.*

53. *ibidem.*

54. *ibidem.*

55. *ibidem.*

56. *ibidem.*

57. *ibidem.*

58. Voir *Une larme et un sourire.*

59. Voir *Le Prophète bien-aimé.*

60. Je suis sûr que Gibran ne désirait pas discuter avec les philosophes scolastiques à propos de la différence de signification entre les concepts de «création» et de «production». Cependant sa décision d'abandonner le mot *création* est moins une question philosophique que l'effet de raisons poétiques, mystiques et pratiques. Tout le monde ne peut pas comprendre la définition philosophique

abstraite de la création telle qu'on la trouve dans la métaphysique scolastique.

61.   Voir *Le Prophète*.

62.   Voir *Le Prophète bien-aimé*.

63.   *ibidem*.

64.   Voir *Le Jardin du prophète*.

65.   Voir *Une larme et un sourire*.

66.   Voir *Les Ailes brisées*.

67.   *ibidem*.

68.   *ibidem*.

69.   Voir *Une larme et un sourire*.

70.   Aristote, *De Anima*.

71.   Voir *Adages spirituels*.

72.   Voir *Le Voyageur*.

73.   Voir *Le Prophète*.

74.   Voir *Âmes en révolte*.

75.   *ibidem*.

76.   Hegel, « *Logic* » dans « *The Philosophy of Hegel* » sous la direction de Carl J. Friedrich, New York, The Modern Library, 1954, pp. 203-207.

77.   Henri Bergson, *L'Évolution créatrice*, cité d'après l'édition anglaise *Creative Evolution*, New York, Henry Holt, 1911.

78.   Mikhail Naimy, *The Book of Mirdad*, Londres, Stuart and Watkins, 1962, Ch. 34.

79.   Ameen Rihani, *The Path of Vision*, Beyrouth, The Rihani House, 1970.

80.   Nicolai Berdiaev, *Solitude and Society*, traduit par J. Reavey, Londres, Geoffrey Bles, 1947.

81.   Teilhard de Chardin, *Le Phénomène de l'Homme*, cité d'après l'édition américaine *Phenomenon of Man*, New York, Harper & Row Publishers, 1965.

82.   Voir *Le Prophète bien-aimé*.

83.   *ibidem*.

84.   Notons les similitudes entre Kirkegaard et Gibran sur la question de la femme : « J'éprouve de la joie à constater que loin d'être moins parfait que l'homme, le sexe féminin est, au contraire, le plus parfait. » (S. Kirkegaard, *Selections From The Writings of Kirkegaard*, traduit par Lee Hollander, Garden City, N.Y., Doubleday C°, 1960, p. 103). Gibran écrit de même : « Les femmes sont meilleures que les hommes. Elles sont plus gentilles, plus sen-

sibles, plus stables, et elles ont un sens plus aigu de la vie dans sa plus grande part. » Voir *Le Prophète bien-aimé*.

85. Voir *Les Trésors de la sagesse*.

86. *Jésus, le Fils de l'Homme*.

87. Voir *La voix du maître*.

88. Voir *Adages spirituels*.

89. *ibidem*.

90. Voir *Le Prophète bien-aimé*.

91. Voir *La voix du maître*.

92. Blaise Pascal, Pensées, Paris, Librairie Générale Française, 1962, p. 130, n° 264. À noter que Gibran lui aussi, a utilisé le mot « roseau » (reed en anglais) en rapport avec la mort et l'immortalité. Voir *La Procession*.

93. Voir *La voix du maître*.

94. Voir *Les Secrets du cœur*.

95. Epicure, *The Philosophy of Epicurus* sous la direction de G.K. Stirodach, Evanston, III. North-Western University Press, 1963, p. 180.

96. Voir *Le Prophète*.

97. Voir *Le Prophète*. Dans une lettre du 16 mai 1916, écrite à Haskell, on lit également : « Non, Mary, la mort ne nous change pas. Elle libère seulement ce qui est réel en nous — notre conscience et les souvenirs sociaux qu'elle contient... La conscience humaine est la marque du passé infini. Le futur infini la fera mûrir, mais il ne changera jamais ses propriétés. » Voir *Le Prophète bien-aimé*.

98. F. Nietzsche « Zarathoustra » dans *The portable Nietzsche*, sous la direction de W. Kaufman, New York, The Viking Press, 1968, p. 132.

99. M. Fahkry, *A History of Islamic Philosophy*, Columbia University Press, 1970, p. 47.

100. *ThM.*, pp. 5-6. Voir *Pensées et méditations*.

101. P., pp. 94-95. Voir *Le Prophète*.

102. Voir *Le Jardin du Prophète*.

103. Miss Young se trompe en nous disant que Gibran « n'employait jamais le mot « réincarnation ». J'ai cependant trouvé le mot dans certains de ses textes. (Voir, par exemple, *ThM.*, pp. 1-8. Comparer avec B. Young, *This Man from Lebanon*, New York, A. Knopf, 1970, p. 84.)

104. Voir *Le Jardin du prophète*.

105. Platon, *Phédon*, 80e — 81 d. De l'avis de Platon, seul le philosophe ne revient jamais à son existence. Cependant, l'âme qui

revient recevra une certaine forme de corps qui correspondra au genre d'actions qu'il a accomplies durant son précédent séjour sur la terre.

106. B. Young, *This Man From Lebanon*, New York, A. Knopf, 1970, p. 94.
107. *ibidem.*
108. *ibidem.*
109. Voir *Les Secrets du cœur.*
110. Voir *Jésus, le Fils de l'Homme.*
111. Voir *Jésus, le Fils de l'Homme.*
112. Voir *Nymphes des vallées.*
113. Voir *Sable et écume.*
114. Voir *Sable et écume.*
115. Voir *Jésus, le Fils de l'Homme.*
116. Dans Barbara Young, *This Man From Lebanon*, New York, A. Knopf, 1970, pp. 99-111.
117. P.W. Wilson dans «Jesus Was The Supreme Poet», *The New York Times Book Review*, 23 décembre 1928, reproduit dans *Khalil Gibran, Essays and Introduction* sous la direction de S.B. Bushrin et J.M. Munro, (Beyrouth, The Rihani House, 1970), p. 165.

ŒUVRES DE KHALIL GIBRAN
DONT NOUS FAISONS RÉFÉRENCE
DANS CE LIVRE.

Le Prophète (The Prophet)
La Procession (The Procession)
Le rire et les larmes (Tears and Laughts)
Pensées et méditations (Thoughts and Meditation)
   À paraître.
Une larme et un sourire (A Tear and a smile)
Vingt dessins (Twenty Drawings)
Les miroirs de l'âme (Mirrors of the Soul)

Le fou (The Madman)
Un autoportrait (A Self Portrait)
   À paraître.
Adages spirituels (Spiritual Sayings)
Sable et écume (Sand and Foam)
Secrets du Cœur (Secrets of the Heart)
Les Ailes brisées (The Broken Wings)
Les trésors de la sagesse (The Wisdom of Gibran)

La Voix du maître (The Voice of the Master)
   À paraître.
Nymphes des vallées (Nymphs of the Valleys)
Les dieux de la terre (The Earth Gods)
Le précurseur (Forerunner)
Jardin du prophète (Garden of the Prophet)
Le voyageur (The Wanderer)
Jésus, le Fils de l'Homme (Jesus the Son of Man)
Poème en prose (Prose Poem)
Âmes en révolte (Spirits Rebellious)
Prophète bien-aimé (Beloved Prophet) Incluant les
lettres d'amour de Khalil Gibran et de Mary
Haskell, et le Journal intime de cette dernière.

OUVRAGES SUR GIBRAN

Otto, Annie Salem. — *The Parables of Khalil Gibran*, New York, The Citadel Press, 1967.

Young, Barbara. — *This Man from Lebanon*, New York, Alfred A. Knopf, 1970.

Sherfan, Andrew Dib. — *Khalil Gibran : The Nature of Love*, New York, Philosophical Library, 1971.

Naimy, Mikhail. — *Khalil Gibran : A Biography*, New York, The Philosophical Library, 1950.

Challita, Mansour. — *Luttes et Triomphes de Gibran*, Beyrouth.

Bushrin, Suheil. — *An Introduction to Khalil Gibran*, Beyrouth.

Hamdeh, Bushrui, Munro et Smith. — *A Poet and His Country : Gibran's Lebanon*, Beyrouth.

Bushrin, S. et Munro J. — *Khalil Gibran : Essays and Introduction*, Beyrouth, 1970.

Bragdon, C.F. — «*Modern Prophet from Lebanon*», *Merely Players*. Alfred A. Knopf, 1929.

Knopf, Alfred. — «*News Release*», lettre datée du 21 novembre 1961.

Lecerf, Jean. — *Djabran Khalil Djabran et les origines de la prose poétique moderne*. Revue *Orient* n° 3(1957) pp. 7-14.

Ross, Martha Jean. — *The Writings of Khalil Gibran* ; Thèse magistrale non publiée, The University of Texas, Austin, 1948.

Russel, G.W. — «*Khalil Gibran, Living Torch*» New York, Macmillan Co., 1938.

Al Houeyyek, Youssef. — *Zoukriati ma' Joubran*. Écrit par Edvique Juraydini Shaybub, Beyrouth, Dar el Ahad.

Jaber, Jamil. — *May wa Joubran*, Beyrouth, Dar el Jamal, 1950.

Jaber, Jamil. — *Joubran, Siraturu, Arabuhu, Falsafatuhu Ra Rasmuhu*, Beyrouth, The Rihani House, 1958.

Massoud, Habib. — *Joubran, Hayyan wa Mayyitan*, Beyrouth, The Rihani House, 1966.

Saiegh, Tawfic. — *Adhwa' Jadidah Ala Joubran*, Beyrouth, *Dar al Sharquiah*, 1966.

Naimy, Mikhail. — *Al Majmou' at al Kamilat Li Mouallafat Joubran Khalil Joubran*, Beyrouth, Dar Sader et Dar Beyrouth, 1959.

Ghougassian, Joseph. — *The Art of Khalil Gibran, Ararat*, 1972, Vol. XIII, n° I-2.

(En ce qui concerne les autres livres consultés, se référer aux notes du texte).